KB183581

누가 미래를 주도하는가

한근태 지음

WHO LEADS THE FUTURE?

누가 미래를 주도하는가

미래의 문을 열기 위해 먼저 물어봐야 할 것들

서 문

미래의 문을 어떻게 열 것인가

오랫동안 책을 읽고 소개하면서 난 스스로의 변화에 누구보다 많이 놀란다. 우선, 통찰력이 늘었다. 무당처럼 신기神氣는 아니지만 이상하게 남들이 보지 못하는 것을 보게 된다. 난 많은 기업에 강의를 다닌다. 당연히 강의 전 그 회사 관련해 공부도 하고 그 회사를 아는 지인들로부터 정보를 얻는다. 강의를 가보면 살아 있는 정보를 많이 얻을 수 있다. 강의 전 담당자가 나를 대하는 태도, 사람들 표정, 강의장 분위기, 상사를 대하는 태도 등에서 이 회사가 어떤지 나름의 감이 온다.

강의 전이나 후에 고위임원과 얘길 나눌 기회가 많은데 조금 얘길 나누면 어떤 회사인지, 어떤 강점을 가졌는지, 지금 상태가 어떤지 등 좀 더 세밀한 그림을 그릴 수 있다. 대화 중 나도 모르게 느낀 점과 이 회사의 문제점과 아이디어 등을 말하면 놀라는 고객들이 많다. 어떻게 그 짧은 시간에 그렇게 파악을 했느냐, 그 아이디어 정말 좋은데 좀 더 얘기해줄 수 있느냐 같은 피드백이다.

또 다른 변화는 사람들과 얘기를 나눌 때이다. 난 강의 외에 임원과 CEO 코칭을 한다. 중요한 내 직업 중 하나이다. 대부분 잘 나가는 사람이지만 그런 만큼 문제의 난이도도 높다. 자신의 미래 관련 이슈가 압도적으로 많다. 이외에 리더십 이슈, 상사와의 갈등, 목표 달성 문제, 가정문제 등 종류도 제각각이다. 내 중요한 역할은 그 사람 얘기를 잘 들으면서 그가 가진 문제를 정확하게 정의하는 것이다. 핵심은 경청과 질문이다. 스스로 그가 가진 문제를 찾고 해결하게 하는 것이 코칭이다.

하지만 이것만으론 2퍼센트 부족하다. 내 경험, 내 생각, 조언이 있어야 한다. 한번은 외부에서 스카우트된 임원이 상사와의 갈등 때문에 여러 얘기를 했다. 온 지 얼마 되지도 않았는데 상사가 너무 숫자를 들이대면서 자신을 압박한다는 것이다. 난 이런 질문을 했다. "만약 당신이 그 상사라면 어떻게 하겠는가? 숫자로 압박하지 않을 자신이 있는가?"라는 질문을 던졌다.

그 임원은 당황하면서 "저도 똑같이 할 것 같네요"라고 답했다. 나중에 그 질문을 듣고 자신은 자기 생각만 했지 상사입장에선 한번도 생각하지 않은 것 같다는 고해성사를 했다. 무엇보다 내게 일어난 가장 큰 변화는 아이디어가 많아졌다는 사실이다. 누군가 어떤 이슈로 얘기하면 관련 책과 사례와 해결방안 등이 줄줄이 떠오른다.

나도 모르게 자랑질을 하고 말았지만 할 수 없다. 이게 사실이기 때문이다. 근데 어떻게 내가 이런 사람이 됐을까, 어떻게 내가 여기까지 왔을까를 생각하게 된다. 독서의 힘이라고 얘기할 수 있다. 난 지난 20년간 남들의 10배 이상 책을 읽었다. 단순히 읽은 게 아니라 책을 읽고 요약하고 소개하는 일을 했다. 그 과정에서 나도 모르게 뇌가 변한 것 같다. 지식이 생기고, 지식끼리 연결되면서 아이디어가 나오고, 남들이 보지 못하는 것을 볼 수 있는 안목이 생긴 것 같다. 이게 지식의 힘이다. 이게 독서의 파워이다.

여러분은 왜 책을 사서 읽는가? 뭔가 나은 삶을 살고 싶기 때문이다. 사람들 관심은 뭐니 뭐니 해도 미래 자신의 모습이다. 자신의 운명이 궁금할 것이다. 난 궁금할 것 없다고 생각한다. 현재 자신이 읽는 책, 자신이 만나는 사람, 자신이 보내는 시간을 보면 자신의 미래를 그릴 수 있기 때문이다. 그중에서 압권은 바로 책이다. 책을 읽지 않고 운명을 바꾸기는 쉽지 않다. 난 누가 미래를 주도할 수 있을지 자신 있게 얘기할 수 있다. 바로 책을 많이 읽는 자, 책을 효과적으로 읽는 자가 미래를 주도할 것이란 사실이다. 이 책이 그런 여러분에게 작은 도움이 되길 기대한다.

2015년 11월

한근태

목
차

WHO LEADS THE FUTURE?

인생의 수많은
문제들에 대한
답을 찾는다!

1장

누가 주인인가

인생은 자기만의 답을 찾아가는 여정이다

타인의 시선으로부터 자유로워져라

✣ 20년 이상 안경을 쓰다 라식수술을 한 지인이 있다. 그에게 안경은 신체 일부와 같았는데 안경을 벗고 세상을 본다는 사실에 감동했다. 근데 만나는 사람 중 이 사실을 알아보는 사람이 별로 없었다. 심지어 "네가 안경을 썼었나?"라고 되묻는 사람까지 있었다.

그 일을 겪은 후 그는 한 가지 중요한 사실을 깨달았다. "사람들은 내게 별 관심이 없다"는 사실이다. 아기를 데리고 가족사진을 찍은 엄마는 인화된 사진을 볼 때 가장 먼저 누구를 볼까? 바로 자신이다. 아기가 아닌 자기 자신을 가장 먼저 보는 것이다. 사람들은 다른 사람에게 별 관심이 없다. 오로지 자신에게만 관심이 있을 뿐이다.

다른 사람의 인생을 대신 살고 있지는 않은가

근데 우리는 다른 사람의 시선에 묶여 하루하루를 살아간다. 자신의 생각보다는 다른 사람이 자신을 어떻게 생각하느냐에 지배를 받는다. 그래서 자신은 싫더라도 다른 사람을 의식해 정말 중요한 일을 많이 한다. 원하지 않지만 부모가 원해 전공을 선택하기도 하고 배우자 때문에 헤어스타일을 바꾸기도 한다. 그런 인생은 내 인생이 아니다. 내가 살고는 있지만 다른 사람의 인생을 대신 사는 것이다. 여러분은 어떤가? 그런 문제에 대해 명쾌한 답을 줄 책을 소개한다. 심리학자 알프레드 아들러의 철학을 일본학자 기시미 이치로가 쉽게 설명해준 책 『미움받을 용기』* 이다.

그는 트라우마에 부정적이다. 과거에 사로잡혀 현재를 희생하지 말라고 주장한다. 옷을 얇게 입어 감기에 걸렸다면 원인이 중요할까, 치료가 중요할까? 과거의 일로 지금의 내가 불행하다면 어떻게 해야 할까? 정신과의사는 과거를 들추면서 사람들을 위로한다. 당신에겐 잘못이 없다고 얘기한다. 하지만 어떤 경험도 그 자체는 성공의 원인도 실패의 원인도 아니다. 경험으로 결정되는 것이 아니라 경험이 부여한 의미에 따라 자신이 결정하는 것이다.

우물물을 차갑게 느끼느냐 뜨겁게 느끼느냐는 주관적 사실이다. 과거에 어떤 의미를 부여하느냐에 따라 현재 상태가 정해진다. 문제는 무엇이 있었느냐가 아니라 그 문제를 어떻게 해석하느냐이다. 문제는 과거가 아닌 지금 여기에 있다. 과거 어떤 일이 있었느냐, 그 일이 지금 내게 어떤 영향을 미쳤느냐보다 앞으로 어떻게 할 것인지가 중요하단 얘기이다.

---

* 기시미 이치로 · 고가 후미타케, 『미움받을 용기』, 전경아 옮김, 인플루엔셜, 2014

사람들은 변화를 싫어한다. 변화해야 한다고 말은 하지만 변화하지 못한다. 왜 그럴까? 스스로 변하지 않겠다고 결심했기 때문이다. 변화를 위해서는 용기가 필요하다. 변함으로써 생기는 불안을 선택할 것이냐, 변하지 않아서 따르는 불만을 선택할 것이냐? 변화의 핵심은 변화하겠다는 용기이다. 지금 생활양식을 바꾸고 싶은가? 어떻게 하느냐고? 바꾸겠다고 결심하면 된다. 변화에 따른 불편함을 감수하면 된다.

소설가를 꿈꾸지만 생전 글을 쓰지 않는 사람이 있다. 그 꿈이 이루어질까? 그런 사람은 왜 그렇게 행동할까? 생각만 하고 글을 쓰지 않고 응모하지 않음으로써 가능성을 남겨두고 싶은 것이다. 남의 평가를 받고 싶지 않고 낙선하는 현실도 피하고 싶은 것이다. 소설가가 되고 싶으면 방법은 간단하다. 열심히 글을 쓰면 된다.

적면赤面공포증에 걸린 여학생이 있다. 얼굴이 붉어지는 병이다. 왜 그런 일이 일어날까? 그런 병이 필요하기 때문이다. 여학생이 가장 두려워하는 것은 남자에게 차이는 것이다. 그럴 때 적면공포증은 좋은 이유가 된다. "그 남자를 못 만나는 것은 적면공포증 때문이야"라고 스스로 위로할 수 있기 때문이다. 고백할 용기를 내지 않아도 되고 설령 차인다 해도 스스로를 이해시킬 수 있다. 적면공포증만 나으면 할 수 있다는 가능성 속에서만 살고 싶은 것이다.

결정적 순간에 감기에 유난히 잘 걸리는 사람도 비슷한 케이스다. 감기에 걸리면 모든 것이 용서되기 때문이다. 감기 핑계를 대지만 사실은 감기에 의존해 살아가는 것이다. 맘에 들지 않는 회사와 상사도 그렇다. 맘에 들지 않지만 회사를 그만두지 못한다. 그게 필요하기 때문이다. 그래야 모든 불만을 회사와 상사 탓으로 돌릴 수 있다. 그게 없어지면 인생 자체가 피곤해진다. 또 다른 핑곗거리를 찾아야 하기 때문이다. 한국에서는 대통령이 그런 역할을 한다. 많은 사람들이 자기 인생이 힘든 이유를 정치권, 그중에서도 대통령에게서 찾는다. 만약 대통령이 정치를 잘한다면 그들은 다른 이유를 찾아 헤맬 것이다.

불행을 무기로 상대를 지배하려 하지 마라

모든 고민은 인간관계에서 비롯된다. 원활한 인간관계를 위해서는 자신의 감정과 다른 사람의 감정을 잘 읽을 수 있어야 한다. 대인관계를 해치는 감정 중 하나는 열등감이다. 열등감이란 어떤 감정일까? 열등감은 주관적 감정이다. 키에 대해 열등감이 있는 사람이 있다. 작은 키에 대한 불만을 토로했더니 상대는 이렇게 말했다.

"키는 커서 뭐 하려고? 넌 사람을 편하게 하는 재능이 있잖아."

그는 작은 키를 다르게 해석했다. 작은 키가 문제가 아니라 작은 키에 대해 어떻게 해석하느냐, 어떤 의미를 부여하느냐, 어떤 가치를 주느냐가 행동을 결정하는 것이다. 키에 대한 열등감은 타인과의 비교를 통해 만들어낸 주관적 감정이다. 비교 대상이 없다면 열등감은 존재하지 않는다. 열등감은 객관적 사실이 아닌 주관적 해석이다.

인간은 우월성을 추구하는 욕구가 있다. 더 나아지길 바란다. 기는 아이는 걷기를 바라고 걷는 자는 뛰기를 바라고 뛰는 자는 날기를 바란다. 이와 대조를 이루는 것이 열등감이다. 우월성 추구도 열등감도 제대로만 발현된다면 성장을 위한 자극이 될 수 있다. 반대로 콤플렉스에 빠져 어차피란 말을 입에 달고 사는 사람들이 있다. 그건 열등감이 아니라 열등콤플렉스다. 열등콤플렉스는 자신의 열등감을 변명거리로 삼기 시작한 상태를 말한다. 가방 끈이 짧아서,

여자라서, 지방대 출신이라 등등……. 우리가 믿는 인과관계는 실은 무늬만 인과관계일 가능성이 높다. 인과관계가 없는 것을 마치 중대한 인과관계가 있는 것처럼 스스로에게 설명하고 이해시키려 한다.

열등콤플렉스처럼 우월콤플렉스가 있다. 권위부여가 그렇다. 자신이 권력자와 각별한 사이라는 것을 어필한다. 그걸 통해 자신이 특별한 존재라는 것을 부각시킨다. 경력을 속이거나 명품 브랜드 제품을 과시하는 것도 일종의 권위부여이자 우월콤플렉스이다. 권위를 빌려 자신을 포장하는 사람은 다른 사람의 가치관에 맞춰 다른 사람의 인생을 사는 것이다. 자기 공을 뽐내고 싶어하는 사람, 과거 영광에 매달려 걸핏하면 무용담을 늘어놓는 것도 우월콤플렉스이다. 자랑은 열등감의 발로이다. 정말 자신 있는 사람은 자랑하지 않는다. 열등감이 심하니까 자랑하는 것이다. 그렇게라도 하지 않으면 누구 한 사람 자신을 인정하지 않기 때문이다. 열등콤플렉스와 우월콤플렉스는 뿌리가 같다.

불행을 자랑하는 형태도 있다. 성장 과정에서 자신이 겪은 불행을 마치 뽐내듯이 말하는 사람들이다. 타인이 위로하거나 변화를 권하면 "넌 내 심정을 몰라." 하면서 도움의 손길을 뿌리친다. 이런 사람은 불행을 특별하다고 여기고 불행함을 내세워 남보다 위에 서려 한다. 불행을 무기로 상대를 지배하려 한다. 자신이 얼마나 불행한지, 얼마나 괴로운지 알림으로써 주변 사람을 걱정시키고, 그들의 말과 행동을 지배한다. 아들러는 "오늘날 연약함은 매우 강한 권력을 지녔다"고 지적했다.

행복은 경쟁의 도식에서 벗어나와 걷는 데 있다

인생은 타인과의 경쟁이 아니다. 인생은 누구와 경쟁하지 않고 그저 앞을 보고 걷는 것이다. 다른 사람과 비교할 것도 없다. 건전한 열등감은 타인과 비교해서 생기는 것이 아니라 이상적인 나와 비교해 생기는 것이다. 내 얼굴을 주의 깊게 보는 사람은 나뿐이다. 관계의 중심에 경쟁이 있으면 인간관계의 고민에서 벗어나지 못한다. 경쟁의 끝에는 승자와 패자만 남기 때문이다. 경쟁이나 승패를 의식하면 필연적으로 열등감이 생긴다. 콤플렉스는 그 연장선에 있다. 늘 남과 비교를 한다면 나를 제외한 모든 사람은 경쟁자가 된다. 더 나아가 세상을 적으로 느끼게 된다. 그게 경쟁의 무서움이다. 경쟁 속에서 사는 사람은 마음이 편하지 않다. 엄청난 성공을 거두고도 행복하지 않은 사람은 늘 경쟁 속에서 살기 때문이다. 경쟁의 도식에서 나와야만 행복을 느낄 수 있다.

인생의 과제는 자립하고 사회와 조화를 이루며 살아가는 것이다. 사회적 존재로 살려면 인간관계를 벗어날 수 없다. 그게 인생의 과제다. 일도 그렇다. 일하고 싶지 않은 것도 따지고 보면 노동을 거부하는 것이 아니라 일과 얽힌 인간관계를 피하고 싶은 것이다. 일을 통해 다른 사람의 비판과 질타를 받는 것, 무능의 낙인이 찍히는 것, 나의 존엄에 상처가 나는 것이 싫은 것이다. 그건 아니다. 대인관계를 위해서는 내가 먼저 변하면 된다. 내가 변하면 주변도 달라진다. 아들러 심리학은 타인을 바꾸기 위한 심리학이 아니다. 자신을 바꾸기 위한 것이다.

다른 사람에게 인정받는 데 목숨 걸지 말자

우리는 인정에 목숨을 건다. 왜 그럴까? 인정을 받으면 기분이 좋아지기 때문이다. 인정받음으로써 나 자신이 가치 있다는 것을 실감한다. 자신감이 생기고 열등감이 사라진다. 근데 인정에 목숨을 걸어서는 안 된다. 위험하다. 자칫하면 인정의 덫에 걸린다. 직장에서 쓰레기를 치웠다 하자. 동료들은 전혀 눈치채지 못한다. 고마워하지도 않는다. 인사 한마디 건네는 사람이 없다. 그래도 계속 쓰레기를 치우겠는가? 아마 치우지 않을 것이다.

인정욕구의 위험이 거기에 있다. 대개 그것은 상벌교육의 영향이다. "적절한 행동을 하면 칭찬받고 그렇지 못하면 야단맞는다." 잘못된 생활양식이다. 누군가에게 칭찬받지 못하면 분개하고 다시는 이런 짓을 하지 않는다? 뭔가 이상하다. 타인의 기대를 만족시키기 위해 살아서는 안 된다. 타인의 기대를 만족시킬 필요도 없다.

누굴 위해 사느냐는 질문을 던지면 당연히 자신을 위해 산다고 말한다. 인정에 목숨을 거는 것은 타인을 위한 삶이다. 타인의 인정을 바라고 타인의 평가에만 신경을 쓰다 보면 끝내 타인의 인생을 살게 되는 것이다. 타인도 마찬가지다. 타인도 내 만족을 위해 사는 것이 아니다. 상대가 내가 원하는 대로 행동하지 않는다고 화를 내면 안 된다.

대인관계 핵심 중 하나는 과제의 분리다. 나의 과제와 그 사람의 과제가 뭔지를 생각하고 구분하면 대인관계가 편해진다는 말이다. 아이의 공부 문제를 들여다보자. 공부는 누구의 과제일까? 당연히 아이의 과제이다. 공부하라고 잔소리하는 것은 타인의 과제에 끼어드는 행위이다. 그래서는 안 된다. 자신의 과제와 타인의 과제를 분리해야 한다. 타인의 과제에 함부로 침범해서는 안 된다. 트러블의 대부분은 타인의 과제에 함부로 침범하기 때문에 일어난다.

그렇다면 누구의 과제인지를 어떻게 구분할 것인가? 선택의 최종결과를 누가 받아들이는지, 누가 그 결과에 대한 책임을 지는지를 생각하면 된다. 공부하지 않는 결과를 누가 지는가? 말을 물가로 데려갈 수는 있지만 물을 마시게 할 수는 없다. 과제를 구분하고 타인의 과제를 버려라. 타인의 과제에 함부로 참견하지 마라. 많은 대인관계가 편해질 것이다.

가족 사이에도 과제를 분리해야 한다

다음은 가족관계이다. 가족관계는 쉽지 않다. 한번 망가지면 회복하기 어렵다. 가족관계는 쉬울 것 같지만 사실은 가장 어려운 문제이다. 왜 그럴까? 대부분 과제의 분리 때문이다. 가족관계 회복을 위해서는 의식적으로 과제를 분리해야 한다. 아이의 전공 문제, 군대 문제, 심지어 결혼 문제까지 깊숙이 관여하는 부모가 있다. 당연히 자식과 사사건건 갈등을 빚는다. 모두 다 자녀들의 과제이다. 당신 의견을 낼 수는 있지만 최종 결정은 자식이 해야 한다. 얼마나 많은 부모가 자녀를 사랑한다는 이름으로 자녀와 등을 지고 사는가?

상대를 믿는 것은 당신 과제이다. 기대와 신뢰를 받는 상대가 어떻게 행동하느냐는 그 사람 과제이다. 그 선을 긋지 않은 채 자신의 희망만 밀어붙이면 그건 스토커와 다름없다. 하지 말아야 할 개입이다. 타인의 과제에 개입하는 것과 타인의 과제를 떠안는 것이 인생을 힘들게 한다. 여기부터 저기까지는 내 과제가 아니라고 경계선을 정하라. 타인의 과제는 버려라. 그것이 인생의 짐을 덜고 인생을 단순하게 만드는 첫걸음이다.

근데 왜 자꾸 타인의 과제에 개입할까? 편하기 때문이다. 애가 신발 끈을 매지 못한다. 도와주면 문제는 간단하다. 기다리는 것보다 낫다. 근데 아이의 과제를 빼앗는 꼴이 된다. 그런 개입이 반복되면 아이는 아무것도 배우지 못한다. 과제를 직시할 용기를 잃게 된다. 곤경에 직면해보지 못한 아이는 곤경이 닥칠 때마다 그것을 피하려고만 한다.

현재 당신은 누구의 생각에 좌우되는가? 자기 생각인가, 아니면 주변 사람의 생각인가? 혹시 원하지는 않지만 타인의 기대를 만족시키기 위해 살고 있지는 않은가? 타인의 기대를 충족시키며 사는 것은 힘들지 않다. 내 인생을 타인에게 맡기면 된다. 타인에게 인정받는 삶을 살 것인가, 아니면 인정받지 않아도 상관없는 삶을 살 것인가? 어느 게 자유로울까? 누구에게도 미움을 받지 않으려면 어떻게 해야 할까? 언제나 다른 사람의 안색을 살피고 모든 사람에게 충성을 맹세해야 한다. 포퓰리즘에 빠진 정치가처럼 하지도 못할 일을 할 수 있다고 약속하는 것이다. 책임지지 못할 일까지 떠맡으면 된다. 쉽지 않은 삶이다.

모든 사람에게 미움받지 않는다는 건 부자연스럽다

미움받으면서 살고 싶어하는 사람은 없다. 근데 모든 사람에게 사랑을 받을 수는 없다. 어차피 미워할 사람은 나를 미워하고 사랑할 사람은 나를 사랑한다. 진정한 자유란 무엇일까? 욕망이나 충동에 이끌려 사는 것일까? 비탈길을 굴러 내려가는 돌멩이처럼 사는 것이 자유일까? 그렇지 않다. 그런 삶은 욕망과 충동의 노예로 사는 것과 같다. 진정한 자유란 굴러 내려가는 자신을 아래에서 밀어 올려주는 태도가 아닐까? 돌멩이는 힘이 없다. 하지만 우린 돌멩이가 아니다. 경향성에 저항할 수 있는 존재다.

우리는 굴러떨어지는 자신을 멈추고 비탈길을 올라갈 힘이 있다. 인정받고 싶은 욕구는 자연스럽다. 그렇다고 다른 사람의 인정을 위해 비탈길을 계속 굴러야 하는 것은 아니다. 자유란 본능이나 충동에 저항하는 것이다. 타인에게 미움을 받는 것이다. 그건 자유롭게 살고 있다는 증거이다. 모든 사람에게 미움을 받지 않는다는 건 부자연스러운 동시에 불가능한 일이다. 자유에는 대가가 따른다. 자유를 얻으려면 타인에게 미움을 살 수밖에 없다. 행복해지려면 미움받을 용기가 필요하다.

그렇다면 인간관계의 목표는 무엇일까? 공동체 감각이다. 타인을 친구로 여기고 내가 있을 곳은 여기라고 느끼는 것이다. 공동체 감각을 사회적 관심social interest이라고 한다. 사회의 최소단위는 가족이 아니다. 너와 나이다. 두 사람이 있으면 그게 사회이다. 공동체 감각을 이해하려면 우선 너와 나를 기준점으로 생각하면 된다. 자기에 대한 집착을 타인에 관한 관심으로 바꾸어야 한다. 자기에 대한 집착을 자기 중심적으로 바꾸어보라. 집단의 조화를 깨뜨리는 자, 자기 멋대로인 자, 세상이 자기를 중심으로 돈다고 착각하는 자, 인정욕구에 사로잡힌 자는 자신밖에 보지 않는다. 나 이외에는 관심이 없다. 자기 중심적이다.

칭찬받고 기쁨을 느낀다면 수직관계에 종속된 것이다

타인에게 잘 보이려고 남들의 시선에 신경을 쓰는 것도 따지고 보면 타인에 대한 관심이 아니라 자신에 대한 집착이다. 남에게 어떻게 보이느냐에 집착하는 삶이야말로 자기 중심적 생활양식이다. 나는 세계의 중심이 아니다. 자신밖에 관심이 없는 사람은 본인이 세계의 중심에 있다고 생각한다. 이런 사람에게 타인이란 '나를 위해 뭔가를 해줄 사람'에 불과하다. 모든 사람은 나를 위해 행동하는 존재이며 내 기분을 최우선으로 고려해야 한다고 생각한다. 소속감을 갖기 위해서는 공동체에 적극 헌신해야 한다. 그 사람이 내게 무엇을 해줄까 대신 내가 이 사람에게 무엇을 줄 수 있을까를 생각해야 한다. 소속감이란 주어지는 것이 아니라 스스로 획득하는 것이다.

과도한 칭찬도 조심해야 한다. 함부로 칭찬하지 마라. 칭찬의 행위는 능력 있는 사람이 능력 없는 사람에게 내리는 평가의 측면이 있다. 엄마가 아이를 자기보다 아래로 보고 무의식중에 상하관계로 만들려는 것이다. 아들러는 상벌교육을 강하게 부정한다. 아이를 조정하려는 측면 때문이다. 칭찬하고 칭찬받으려는 것은 인간관계를 수직으로 본다는 증거이다.

아들러는 온갖 수직관계를 반대하고 모든 인간관계를 수평관계로 만들자고 주장한다. 인간관계를 수직으로 받아들이면 상대를 자신보다 아래라고 보고 개입을 한다. 상대를 바람직한 방향으로 이끌려고 한다. 내가 옳고 상대는 틀렸다고 생각한다. 수평관계를 맺으면 조종은 사라진다. 칭찬도 야단도 치지 말아야 한다. 이게 용기 부여이다. 칭찬은 받을수록 능력이 없다는 생각을 하게 된다.

칭찬받고 기쁨을 느낀다면 수직관계에 종속된 것이다. 나는 능력이 없다는 것을 인정하는 것이다. 스스로 가치 있는 사람으로 생각하기 위해서는 타인을 평가하지 않아야 한다. 평가란 수직관계에서 비롯된 말이다. 만약 수평관계를 맺고 있다면 감사, 존경, 기쁨의 인사 같은 말이 나온다. 인간은 자신이 가치 있다고 느낄 때만 용기를 얻는다.

공동체 감각을 기르기 위해서는 자기수용, 타자신뢰, 타자공헌이 필요하다. “나는 강하다, 나는 할 수 있다”는 자기 긍정은 그럴듯하지만 자칫 자신을 속이는 행위가 될 수 있다. 위험하다. 자기수용은 하지 못하는 나를 있는 그대로 받아들이고 할 수 있을 때까지 나아가는 것을 뜻한다. 자신을 속이지 않고 부족한 자신을 있는 그대로 보는 것이다. 긍정적 포기이다. 과제분리와 마찬가지로 변할 수 있는 것과 변할 수 없는 것을 구분하는 것이다. 불가능한 것을 받아들이는 것이 자기수용이다. 신뢰는 다른 사람을 믿을 때 조건을 달지 않는 것이다.

신뢰의 반대는 회의이다. 남을 의심하고 친구를 의심하는 것이다. 의심의 눈으로 상대를 보면 상대는 바로 느낀다. 발전적 관계가 만들어지지 않는다. 배신할지 안 할지를 결정하는 것은 내가 아닌 타인의 과제이다. 그저 내가 어떻게 할 것인가만 생각하면 된다. 신뢰하지 못하면 누구와도 깊은 관계를 맺을 수 없다. 타자신뢰를 통해 더 깊은 관계 속으로 들어갈 용기를 가질 때 인간관계의 즐거움이 늘어나고 기쁨이 커진다.

가장 좋은 타자공헌은 일이다. 노동은 돈 버는 수단이 아니다. 노동을 통해 타인에게 공헌하고, 공동체에 헌신하며, 누군가에게 도움이 된다는 것을 실감한다. 마지막은 공헌이다. 공헌은 내가 남을 위해 무언가를 해주는 것을 의미한다. 무언가 공헌하고 있다고 생각하면 현실이 다르게 보인다. 남들이 인정하든 그렇지 않든 상관없다. 인간은 누군가에게 도움이 된다고 느낄 때 자기 가치를 실감한다.

지금 여기에 강력한 스포트라이트를 비춰라

인생은 찰나의 연속이다. 우리는 지금 여기를 살아갈 수밖에 없다. 춤을 추는 지금 여기에 충실하면 그걸로 충분하다. 등산의 목적은 빨리 산에 오르는 것이 아니다. 헬기를 타면 5분 만에도 오를 수 있다. 지금 여기에 강력한 스포트라이트를 비추면 과거도 미래도 잘 보이지 않는다. 현재만이 보인다. 과거에 어떤 일이 있었건, 미래에 어떤 일이 벌어지건 상관없다. 난 지금 이곳에서 열심히 즐기며 살 뿐이다. 인생 최대의 거짓말은 지금 여기를 살지 않는 것이다. 과거를 보고 미래를 보고 인생 전체에 흐릿한 빛을 비추면서 뭔가를 본 것 같은 착각에 빠진 것이다. 여러분은 지금 어떤 삶을 살고 있는가?

사는 게 힘든가,
그게 무엇 때문이라고 생각하는가

이병철 삼성그룹 회장이 종교에 관해 한 여러 질문들이 소개된 적이 있다. 신은 살아 있는가? 그렇다면 왜 세상은 이 모양인가? 등 삶에 대한 근본적인 의문에 관한 것이다. 사실 우리도 비슷한 생각을 한다. 왜 사는 게 이렇게 힘이 들까? 산다는 것이 도대체 어떤 의미가 있을까? 왜 인생은 뜻대로 되는 일이 없을까? 죽음이란 무엇일까? 등등…….

그런 것에 관해 힌트를 줄 수 있는 책 하나를 소개한다. 니체의 철학을 빌어 여러 의문에 관한 답을 주려고 노력한 책 『초인수업』* 이다. 니체를 이해하는 데 어려움이 있는 일반인을 위해 쉽게 풀어 쓴 책이다.

* 박한국, 『초인수업』, 21세기북스, 2014

고난에 용감하게 맞서 싸우면서 초인이 되어라

인생이 힘들다고 다들 난리들이다. 먹고사는 문제로 좌절하고 극단적 선택을 하는 사람도 늘고 있다. 그러다 보니 힐링이란 주제가 선풍적 인기를 끌고 있다. 걸핏하면 사람들은 상처를 받았느니 힐링이니 하는 얘기를 한다.

근데 니체는 힐링과 대척점에 선 사람이다. 그는 나약한 인간을 경멸했다. 고난에 용감하게 맞서 싸우면서 초인이 될 것을 주장했다. 그가 생각하는 초인이란 고난을 견디는 것에 그치지 않고 고난을 사랑하는 사람이며 고난 같은 것은 얼마든지 오라고 촉구하는 사람이다. 고난을 통해서만 인간은 나아질 수 있다고 생각했다. 그는 안락한 삶을 추구하는 인간을 경멸했다.

세상을 알고 싶다면 기꺼이 세상 밖으로 나가보라

철학이란 무엇일까? 철학은 우리가 흐릿하게 알고 있는 것을 분명하게 보여주는 역할을 한다. 별다른 경험과 고민 없이 삶을 쉽게 판단하는 것을 경계하게 해준다. 삶에 대한 모든 판단과 평가는 항상 비교에 근거해 있다. 근데 비교 대상이 마땅치 않다. 좁은 숲을 보아야 지금 이 숲이 넓다는 것을 알 수 있는 것처럼 우리가 사는 세상도 그렇다.

이 세상이 어떤 곳인지를 알기 위해서는 이곳을 벗어나 다른 세상을 경험해 봐야 하는데 그런 적이 없다. 그런 상태에서는 이 세상이 선한 곳인지 악한 곳인지 평가하기 어렵다. 가치판단을 내리자면 인생 밖에 서 있어야 하는데 그 순간은 이미 죽어 있는 것이고 죽은 자가 자기 삶에 대해 가치평가를 한다는 것은 불가능하다. 따라서 인생에 대한 가치평가는 불가능하다. 인생이 아름답다든가 추악하다든가 하는 평가도 결국 그런 평가하는 사람의 생리적 심리적 상태의 표현일 뿐이다.

누구나 괜찮은 사람이 되고 싶어한다

행복이란 무엇일까? 현대인은 생존과 쾌락에만 연연하다 병약한 인간이 되었다. 작은 불편도 못 견딘다. 이렇게 자극에 민감하고 안락만을 탐하는 사람을 말세인이라 부른다. 대조적인 사람이 초인이다. 초인은 고귀한 인간, 기품 있는 인간이다. 기품 있고 고귀한 인간은 세상을 어떻게 볼까? 당연히 아름답게 본다. 우리 인간이 자신의 아름다움과 풍요로움을 세계에 나눠주는 것이 바로 아름다움이다. 아름다움과 풍요로움을 느끼는 사람은 이 세상도 아름답고 풍요로운 것으로 경험한다.

이런 사람은 이미 예술가이다. 훌륭한 예술가의 작품은 이런 힘의 충만함에서 비롯되는 것이다. 예술은 힘의 고양과 충만을 경험하는 도취의 상태에서만 가능하다. 니체의 사상은 불교의 일수사견一水四見과 비슷하다. 똑같은 물이라도 인간, 물고기, 아귀, 천상의 신은 그것을 각각 다르게 경험한다는 것이다. 니체가 생각하는 행복이란 힘이 증가되고 있다는 느낌 혹은 저항을 초극했다는 느낌을 말한다. 인간은 스스로 좀 더 강하고 괜찮은 사람이 되고 싶어하는 충동이 있다.

니체는 그것을 힘에의 의지라고 불렀다. 우리가 진실로 바라는 것은 단순히 안락하게 오래 사는 것이 아니다. 자기 힘을 증대시키는 것이다. 이때 중요한 것은 자신과 싸우면서 스스로를 극복하는 것이다. 행복한 인간은 고난과 고통이 없기를 바라지 않고 그런 것들이 존재함에도 정신적인 평정과 넘침을 느낄 수 있는 사람이다. 이런 의미에서 행복의 반대는 비애나 고통이 아니라 내적으로 빈곤해지고 생명력이 쇠퇴한 결과로 나타나게 되는 우울증이다. 우울증은 비애나 고통의 지배를 받을 뿐 아니라 매사 그런 감정을 느끼는 허약한 상태를 말한다.

아이처럼 인생을 즐겨라

인생에는 도대체 어떤 의미가 있을까? 결론부터 얘기하면 의미를 찾지 않을 때 인생의 의미를 알 수 있다. 역설적이다. 자꾸 인생의 의미 운운하는 것은 사는 것이 힘들기 때문이다. 생각해보라. 고통 자체가 힘든 것이 아니라 내가 왜 이런 고통을 겪어야 하는지 의미를 알지 못하기 때문에 힘든 것이다. 니체는 인간 정신을 세 단계로 구분했다. 낙타의 정신, 사자의 정신, 아이의 정신이 그것이다.

낙타는 사막에서 무거운 짐을 지고 아무 불만 없이 뚜벅뚜벅 걸어가는 동물이다. 인내와 순종의 대명사이다. 낙타는 사회 가치와 규범을 절대적 진리로 알면서 무조건 복종하는 정신이다. 사자의 정신은 기존 가치에 의문을 품고 저항한다. 하지만 새로운 가치를 창조하지는 못한다. 기존 가치와 의미는 무너뜨렸지만 "왜 살아야 하는가"라는 물음에 대한 답은 없는 상태다. 니체는 이를 니힐리즘이라 명명했다. 견디기 어려운 상태이다. 무기력과 우울한 나날이다. 니힐리즘을 극복하고 새로운 활력을 회복한 상태를 아이의 정신으로 부른다.

아이들은 삶에 대해 심각하게 생각하지 않는다. 아이들은 하루하루 인생을 놀이처럼 즐길 뿐이다. "인생이란 무엇인가? 왜 살아야 하는가?" 같은 질문은 왜 던질까? 바로 재미가 사라졌지만 계속 놀이를 해야 할 때 이런 질문을 던진다. 인생이 그렇다. 인생이 재미난 놀이로 여겨지는 사람은 이런 질문을 하지 않는다. 그저 삶이란 놀이를 즐길 뿐이다. 삶의 의미를 자꾸 묻는 것은 삶이 재미없기 때문이다. 삶이 무거운 짐으로 느껴졌기 때문이다. 인생의 의미에 대한 물음은 그런 물음이 제기될 필요가 없을 정도로 재미있게 살아갈 때 해소될 수 있다. 의미에 대한 질문은 어떤 이론적인 답을 통해서도 해결될 수 없다. 그런 물음 자체가 일어나지 않는 상태로 삶을 변화시킬 때만 해결할 수 있다.

험난한 산을 오를 때 힘이 들면 "왜 이 산에 올라가야 하는가"라는 물음을 계속 던진다. 그런 산을 올라야 하는 운명을 한탄한다. 이에 반해 육체적으로나 정신적으로 강할 때 그 산은 아름답고 장엄하다. 그럴 때는 "왜 산에 올라가야 하는가"라는 질문은 던지지 않는다. 인생의 의미에 대한 물음에 사로잡힌다는 것은 자기 정신에 문제가 있기 때문이다. 정신력이 약해지다 보니 세상이 무의미하고 황량하게 보이는 것이다.

정신력을 강화시키면 세상은 아름답게 보인다. 이렇게 아름다운 세상에서 매 순간 충만한 기쁨을 느끼면서 경쾌하게 사는 것, 매 순간 충일함을 즐기면서 사는 것, 이게 아이의 정신이다. 니체는 삶을 찬양했다. 우리가 섬겨야 할 신은 춤출 줄 아는 신이라고 말했다. 삶을 즐기고 긍정하라고 주장했다.

자기 운명을 받아들이고 사랑하라

아이처럼 인생을 즐기라는 얘기를 하는 니체를 보면 사람들은 그가 대단히 안락한 삶을 살았을 것으로 가정한다. 인생의 뜨거운 맛을 보지 못했기 때문에 철없는 소리를 한다고 생각할 수도 있다. 근데 그렇지 않다. 그는 험난한 삶을 살았다. 다섯 살에 아버지를 잃었다. 예술과 학문 면에서는 천재적 재능을 보여 25세의 나이에 스위스 바젤 대학 교수가 되었지만 10년도 되지 않아 병 때문에 교수직을 그만두고 연금만으로 일생을 보낸다.

연금이 너무 적어 한겨울에도 방에 불을 때지 못할 정도로 가난했다. 제자였던 루 살로메란 여인을 사랑했지만 사랑을 얻지 못하고 평생 독신으로 지냈다. 책 역시 독자들 관심을 끌지 못해 자비로 내야만 했다. 조금 유명해진 45세에 광기가 엄습하면서 10년을 병석에서 식물인간처럼 지내다 죽는다. 참으로 기구한 운명의 사람이다.

그렇지만 그는 늘 운명에 맞서 강한 초인이 될 것을 주장했다. 저승에서 천국을 탐하지 말고 이승을 천국으로 만들라고 했다. 이를 위해서는 자기 운명을 받아들이고 사랑할 수 있어야 한다. 그게 초인이다. 그가 주장하는 초인은 자기 운명을 사랑하는 사람이다. 인간은 운명에 대해 세 가지 태도를 보인다.

첫째, 하면 된다는 것이다. 이런 극단적 자유의지 철학은 단죄의 철학이다. 이런 철학은 사회적으로 실패한 사람을 단죄한다. 그대가 실패한 것은 그대의 노력 부족 때문이다. 이런 단죄에 대해 사회적으로 실패한 사람은 억울하다고 할 것이다. 둘째, 숙명론이다. 일종의 패배주의이다. 모든 것을 운명 탓으로 돌린다. 자유의지의 철학은 인간을 단죄하지만 숙명론은 사람을 무기력하게 만든다. 셋째, 운명을 긍정하고 사랑하는 것이다. 자신의 역경을 오히려 성장의 기회로 생각하고 험난한 운명에 감사하는 것이다.

초인의 대표선수는 마쓰시타 고노스케이다. 94의 나이로 죽을 때 종업원 13만 명, 570개의 기업을 거느렸다. 그는 늘 세 가지 은혜에 감사했다. 가난하게 태어난 것, 허약하게 태어난 것, 못 배운 것이 그것이다. 가난하기 때문에 부지런할 수밖에 없었고 허약했기 때문에 건강의 소중함을 깨닫고 몸을 단련했다. 못 배웠기 때문에 무엇이든 배우려 했다. 보통 사람 같으면 좌절하고 절망했을 환경이지만 이것을 성공의 발판으로 만들었다. 이게 바로 니체가 얘기하는 초인이다.

"신은 죽었다."

니체 하면 떠오르는 말 중 하나이다. 도대체 왜 이런 소리를 한 것일까? 이 말의 의미는 무엇일까? 중세시대에는 종교가 생활이고 생활이 곧 종교일 정도로 종교의 영향력이 컸다. 지금의 종교가 가진 영향력은 너무 미미하다. 비교도 안 될 정도로 작아졌다. 이를 두고 니체는 신은 죽었다고 표현한 것이다. 그렇다면 누가 신을 죽인 것일까? 신을 죽인 것은 바로 우리 자신이다.

나무처럼 대지에 뿌리를 박고 천상을 향하라

앞으로는 어떻게 우리를 위로할 것인가? 니체는 에릭 프롬처럼 종교를 두 가지로 나누었다. 고대 그리스와 로마의 종교처럼 죄책감을 강요하지 않고 사람들의 힘을 강화시키고 고양시키는 종교가 그것이다. 또 다른 하나는 기독교처럼 지상의 힘이나 쾌락을 죄악시하고 끊임없이 회개를 강요하는 종교이다. 인본주의적 권위주의 종교다. 두 종교의 공통점은 인간이 만들어낸 것이고 신을 위한 것이 아닌 인간을 위한 것이라는 것이다.

인본주의적 종교는 인간을 성숙시키고 발전시키고 잠재력을 실현하는 데 도움을 준다. 권위주의적 종교는 잠재력을 훼손하고 억압한다. 기독교는 두 요소가 섞여 있다. 권위주의적 종교를 믿으면 믿을수록 사람들은 자신만이 절대적 진리를 믿고 있다고 생각한다. 오만해지고 다른 종교나 사상은 모두 허위 또는 이단이라고 배격하는 독선적이며 편협한 인간이 된다. 북한은 권위주의적 종교가 갖는 모든 부정적 현상이 가장 극명하게 나타나는 곳이다.

초인은 예수 그리스도와 카이사르를 종합한 인간이다. 초인은 강한 긍지와 용기 그리고 민활한 지혜를 갖추고 있으며 자신보다 강한 자에 대해서는 의연하고 도전적이지만 패자에 대해서는 관용과 자비를 베풀 줄 아는 사람을 가리킨다. 니체는 인간의 잠재력을 믿는다. 강인한 의지로 고통과 고난을 이겨내면서 과업을 성취할 수 있다. 근데 신에게 소망할 때의 인간은 지극히 초라해져 자신을 무력한 존재로 여기면서 신에게 모든 것을 해줄 것을 간구한다.

니체는 소망하고 있는 인간처럼 자기 비위에 거슬리는 것은 없다고 말한다. 니체는 나무처럼 살라고 요구한다. 나무는 대지에 뿌리를 박고 있으면서도 끊임없이 위를 향한다. 천상을 돌아가야 할 고향으로 희구하지 말고 이 지상에 굳게 뿌리를 내리고 지상의 삶을 긍정하면서 초인의 고귀한 이상을 실현하기 위해 노력해야 한다.

우리의 삶이 예술이 된다면 아름답고 충만해질 것이다

다음 주제는 예술이다. 예술이 삶을 변화시킬 수 있을까? 과학적 지식은 생존에 필요한 정보에 불과하다. 삶은 예술을 통해 충만해진다. 인간이 궁극적으로 원하는 것은 오래 사는 것이 아니라 짧게 살더라도 충만하게 사는 것이다. 근데 충만함을 주는 것은 과학이 아닌 예술이다. 예술은 세계를 단순히 물리화학적 작용이나 생존이나 종족보존을 위해 발버둥치는 곳이 아니라 아름답고 충만한 곳으로 보여준다. 세상이 살 만한 것임을 보여준다. 오직 예술을 통해서만 삶은 정당화된다. 예술가가 건강한 힘으로 가득 찬 상태를 도취라 부른다.

예술을 낳을 수 있는 충동에는 두 종류가 있다. 가상에의 충동과 도취에의 충동이 그것이다. 가상에의 충동은 아름다운 가상을 만들어내고 싶어하는 충동으로 건축, 미술, 조각 같은 조형예술을 가능하게 하는 충동이다. 아폴론적 예술이라 부른다. 도취에의 충동은 도취에 빠져 개체의식을 상실하고 모든 것들과 하나가 되고 싶어하는 충동이다. 이런 충동은 춤과 음악 같은 비조형예술을 가능하게 한다. 디오니소스적 예술이다.

도취는 경기에서 승리하고 싶은 욕망과 경기에 임했을 때의 강렬한 흥분상태에서 비롯된다. 도취의 본질은 힘 또는 생명력의 상승과 충만의 느낌이다. 예술은 이런 느낌에서 비롯된다. 예술을 경험하는 자들은 이런 느낌 속으로 빠져든다. 이런 느낌에 빠질 때 세상이 아름답게 보인다. 생명력이 넘칠 때 사물을 아름답게 볼 수 있다. 예술은 과학과 마찬가지로 하나의 허구이다. 과학은 삶에 유용한 정보는 주지만 삶을 유의미하고 충만한 것으로 만들지는 못한다.

종교는 사람들에게 의미와 방향을 주고 삶을 충만하게 만드는 허구를 제공했다. 근데 종교는 과학의 공격으로 무력해졌다. 이런 상황에서 우리 삶을 충만하게 할 수 있는 것은 예술뿐이다. 누구나 삶의 예술가가 될 수 있다. 삶의 예술가란 매 순간 도취된 기분 속에서 삶과 세상을 아름답고 충만한 것으로 경험할 수 있는 사람이다. 우리는 삶의 예술가가 되어야 한다.

죽음은 인간을 성숙시키는 최고의 기회이다

죽음이란 무엇일까? 죽는다는 것은 두렵기만 한 일일까? 그가 생각하는 죽음은 삶의 끝이 아니라 절정이다. 죽음은 인간을 성숙시키는 최고의 기회이다. 위대한 자살자는 자기 삶을 최고로 승화시키기 위해 자살을 한다. 삶에 대한 사랑 때문에 자살을 하는 것이다. 자신의 삶이 누추하고 비루하게 보이는 것을 원하지 않기 때문에 자살을 택한다. 그렇기에 자살하는 순간에도 의연하다.

그들은 더 오래 살게 해달라고 의사에게 매달리지 않고 죽어서 천국에 가게 해달라며 신에게 애원하지도 않는다. 이들은 최고로 독립적이며 자유로운 자들이다. 헬렌 니어링이 쓴 『아름다운 삶, 사랑, 그리고 마무리』에는 100세 된 남편이 단식하면서 생을 마감하는 장면이 나온다. 이런 내용이다.

"단식에 의한 죽음은 자살과 같은 난폭한 형식이 아니다. 그 죽음은 느리고 품위 있는 에너지의 고갈이며, 평화롭게 떠나는 방법이자 스스로 원한 것이다. 안팎으로 그는 준비했다. 그는 언제나 '기쁘게 살았고 기쁘게 죽으리. 나는 내 의지로 나를 버리네'라는 로버트 루이스 스티븐슨의 말을 좋아했다. 나는 동물들이 흔히 택하는 죽음의 방식, 보이지 않는 곳으로 가서 스스로 먹이를 거부함으로써 죽는 것을 알고 있었기 때문에 그것을 조용히 받아들였다."

일명 자살을 찬양하는 것처럼 들릴 수도 있다. 절대 그렇지 않다. 우리가 보고 듣는 대부분의 자살은 죽음으로의 도피이다. 나약함과 비겁함의 표현이다. 니체는 어설픈 연민을 비판했다. 연민은 인간을 성장시키는 대신 연약하게 만들기 때문이다. 연민을 보낸다는 것은 그 사람을 불쌍하게 보는 것이고 그 사람을 나약하고 무력한 사람으로 여기는 것이다. 당연히 상대의 무력감이 커진다. 연민을 아무 거부감 없이 받아들이는 사람은 그 상황이 되면 누구나 자신처럼 될 것으로 생각한다. 극복할 생각을 하지 않는다. 이렇게 연민에 빠지면 발전이란 없다. 니체는 어떤 사람이 어려움에 부닥쳤을 때 그에게 필요한 것은 연민이 아닌 채찍질이라고 생각했다.

삶의 주인이 되어라!
남의 평가에 민감한 것은 노예근성 때문이다

나답게 산다는 것은 무엇일까? 니체는 그대 자신이 되라는 주장을 했다. 나만의 개성을 살려야 한다고 했다. 교육 방법에는 두 가지가 있다. 길들이는 방식과 길러 내는 방식이 그것이다. 길들이는 방식은 인간을 특정한 틀에 맞추도록 강요한다. 이런 방식은 인간을 병들게 하고 위축시킨다. 길러 내는 방식은 인간의 타고난 소질과 성향을 긍정적으로 발전시킨다. 그대 자신이 되기 위해서는 자기 성격과 적성 그리고 환경을 잘 고려하면서 그것을 긍정적으로 승화시키기 위해 노력해야 한다. 이를 위해서는 남의 눈치를 보지 않고 사는 주체성을 가져야 한다.

남의 평가에 민감한 것은 노예근성 때문이다. 노예는 자신을 주체적으로 평가하지 못한다. 노예를 평가할 수 있는 사람은 주인뿐이기 때문이다. 노예는 주인이 잘했다고 칭찬하면 기뻐하고 못했다고 지적하면 슬퍼한다. 남의 시선과 평가에 연연한다면 자신을 노예로 하락시키고 있는 것이다. 자신이 되기 위해서는 내면의 소리에 귀를 기울여야 한다. 내면에는 끊임없이 자신을 고양시키고 강화시키고 싶어하는 의지가 존재한다. 이런 의지는 피상적인 삶을 살고 있을 때 병에 걸리게 하든지, 지금의 삶에 대해 권태나 허무감을 준다. 그렇게 해서 변화를 유도한다.

사는 게 힘든가? 그게 무엇 때문이라고 생각하는가? 어느 날 갑자기 흑기사가 나타나 내 모든 문제를 해결하는 그런 날이 온다고 생각하는가? 니체의 말을 들어보면 그런 날은 올 것 같지 않다. 내 문제는 스스로 내가 해결해야만 한다. 고난에 맞서 싸우는 초인이 되어 스스로를 극복해야 한다. 초인정신이야말로 나약한 우리에게 필요한 정신이란 생각이다.

왜 대인관계 때문에 스트레스를 받는가

✣ 사는 게 어떤가? 스트레스를 많이 받는가? 무엇 때문에 스트레스를 받는가? 그렇다면 스트레스란 무얼까? 인간의 몸과 마음은 늘 일정한 상태를 유지하려는 습성이 있다. 이를 항상성homeostasis이라 한다. 항상성을 깨는 모든 자극이 스트레스다. 이게 스트레스의 정의다. 춥다, 덥다, 시끄럽다, 힘들다 등의 모든 자극이 스트레스다. 슬픈 것도 스트레스지만 아주 좋은 것도 스트레스다.

스트레스를 안 받기 위해서는 아무 변화가 없어야 한다. 좋은 것도 싫은 것도 없고 항온항습실에서 살아야 한다. 과연 그런 삶이 가능할까? 그렇게 밍밍하고 무미건조한 삶을 산다면 행복할까? 그렇지 않다. 이렇게 아무 자극이 없는 것 역시 스트레스다. 한 마디로 스트레스 없는 삶은 없다. 스트레스는 결코 부정적인 것이 아니다. 꼭 필요한 존재다.

내일 중요한 시험을 앞두고 있는데 긴장하지 않는다면 어떨까?

전혀 걱정되지 않는다면 어떤 일이 벌어질까? 준비하지 않을 것이고 당연히 좋지 않은 결과가 있을 것이다. 스트레스는 좋은 것도 나쁜 것도 아니다. 세상을 살아가는 한 꼭 필요한 존재다. 난 스트레스를 받지 말라는 말을 싫어한다. 이 말은 공기가 나쁘니까 공기를 마시지 말고 살라는 말과 같다. 스트레스는 필요한 존재다. 중요한 것은 스트레스를 어떻게 인식하고 받아들이느냐 하는 것이다. 이번에 소개할 책은 『오늘, 내게 인생을 묻다』*이다. 강북삼성병원 전문의와 심리학자들이 그동안의 다양한 경험을 바탕으로 직장 생활을 하면서 겪게 되는 스트레스 요소에 대처하는 방법을 알려주고 있다.

좋은 인간관계를 맺을 수 있는 사람이 결국 행복해진다

사람들은 어디서 가장 많은 스트레스를 받을까? 압도적 1위는 대인관계이다. 대인관계에서 가장 많은 스트레스를 받는다. 근데 가장 큰 기쁨 역시 대인관계에서 온다. 사람을 사랑하고 사람들로부터 인정과 격려를 받고 존중을 받을 때 가장 큰 기쁨을 얻는다. 이게 삶의 묘미이다. 행복 또한 대인관계로부터 온다. 하버드 성인발달 연구소는 행복의 조건으로 돈, 명예, 건강보다 47세 무렵까지 만들어놓은 인간관계가 가장 중요한 요인이라고 얘기한다. 여러분의 대인관계는 어떤가? 대인관계가 원만치 못해 늘 사람들과 삐거덕거린다면 그 문제의 원인이 어디에 있다고 생각하는가?

대인관계의 출발점은 자신과의 관계이다. 이게 시작점이다. 대인관계가 나쁜 사람은 자신과의 관계를 점검해야 한다. 당신은 자신을

---

* 강북삼성병원·삼성스포츠단, 『오늘, 내게 인생을 묻다』, 서울문화사, 2014

어떻게 생각하는가? 자신을 사랑하는가? 스스로에 대한 자부심이 있는가? 원만한 대인관계를 위해서는 자신을 긍정적으로 생각하는 자기애가 있어야 한다. 이게 필수적이다. 그래야 다른 사람과 좋은 관계를 맺을 수 있다. 자기애는 자신을 존중하고 사랑한다는 의미에서 반드시 필요한 마음의 구성요소다.

자기애가 부족한 사람은 매사에 자신을 탓하거나 부정적으로 생각한다. 당연히 다른 사람과의 관계도 힘들어한다. 연인관계에서도 끊임없이 저 사람이 나를 정말 좋아할까를 의심한다. 확인하고 싶어 한다. 한 마디로 피곤한 스타일이다. 지금 자신과의 관계는 유전과 상호작용의 결과이다. 특히 어린 시절 부모와의 관계가 결정적 역할을 한다. 자기애의 핵심은 충분한 사랑이다. 충분한 사랑을 받고 성장했느냐가 자기애를 결정한다. 충분한 사랑을 받으면서 성장한 아이는 사람에 대한 믿음이 생긴다. 다른 사람을 볼 때 자연스럽게 "저 사람도 엄마 아빠처럼 나를 사랑해 줄 거야. 내가 하는 말을 잘 들어주고 따뜻하게 돌보아 줄 거야"라고 생각한다. 대인관계가 술술 풀린다.

반대로 화를 자주 내는 부모, 애를 학대하는 부모, 감정 기복이 심한 부모 밑에서 성장한 사람은 사람을 믿지 못한다. 본능적으로 사람을 의심한다. 사람은 사랑을 먹고 자란다. 사랑을 많이 받으면 스스로에 대해 자부심을 품고 사람을 믿으며 원만한 대인관계가 만들어진다. 반대로 사랑이 부족한 사람은 사람을 믿지 못하고 너무 의존하거나 의심을 하면서 대인관계에 문제가 생긴다.

이런 얘기를 들으면 아이와 충분히 시간을 갖지 못하는 워킹맘들 걱정이 커진다. 사랑이 부족한 아이로 성장해 성격이 비뚤어지는 것은 아닌가 걱정을 한다. 뭔가 자녀에게 잘못하고 있다는 죄책감에 사로잡힌 사람들도 있다. 엄마가 일하는 것이 아이에게 마이너스일까? 그렇지 않다. 일하는 엄마와 아기의 애착 관계가 특별히 불안정한 것은 아니다. 양만큼 질이 중요하다. 아니 어떤 의미에서는 양보다 질이 중요하다.

엄마가 종일 아이와 붙어 있어도 짜증을 내거나 반응을 하지 않는 엄마보다는 짧은 시간 아이와 있어도 그 시간을 잘 활용하는 것이 더 중요하다. 아이에게 관심을 갖고 민감하게 반응해주면 상관없다. 같이 있는 시간보다 같이 있는 시간에 어떻게 하느냐가 더 중요하다. 중요한 것은 아이로 하여금 "내가 환영받는 존재구나. 사랑받는 존재구나"라는 느낌이 들게 하는 것이다. 그러면 아이는 자신을 긍정적으로 생각하고 마음 편하고 성격 좋은 아이로 자라게 된다.

자기감정을 읽을 수 있어야 타인의 감정도 읽을 수 있다

대인관계란 관계를 맺는 능력이다. 어떤 사람은 쉽게 사람과 친해진다. 어떤 사람은 시간이 지날수록 불편해진다. 부모 자식관계도 그렇다. 중요한 것은 어떻게 성공적으로 친밀감을 형성하느냐이다. 여기에는 세 가지가 필요하다. 민감할 것, 반응할 것, 일관성이 있을 것이 그것이다. 민감성은 아이에게 관심을 갖고 아이 감정을 예민하게 알아차리는 것이다. 반응성은 민감하게 알아차린 것을 행동으로 반응하는 것이다.

일관성은 그때그때 달라지는 게 아니라 말 그대로 일관성을 갖고 행동하는 것이다. 모든 대인관계는 이 범위를 벗어나지 못한다. 친밀감을 잘 형성하는 사람인지 아닌지를 알기 위해서는 표정을 살펴보면 된다. 무표정한 사람은 친밀감을 형성하지 못한다. 표정이 살아 있는 사람은 친밀감을 잘 형성한다. 당신은 어디에 속하는가? 혹시 좋은 관계를 원하지만 상대를 소 닭 쳐다보듯 하지는 않는가? 상대가 하는 말에 별 반응을 보이지 않는 건 아닌가?

무엇보다 건강한 대인관계를 위해서는 상대를 있는 그대로 받아들이는 게 중요하다. 자기 마음대로 추측하는 대신 있는 그대로 수용해야 한다. 특히 상대의 감정 수용이 중요하다. 상대를 분석하고 평가하고 비난하는 대신 감정을 수용해야 한다. 수용한다는 것은 "이 사람은 이런 생각과 감정을 갖고 있다"고 이해하는 것이다.

좋은 대인관계를 위해서는 마음을 잘 다스릴 수 있어야 한다. "마음을 잘 다스린다"는 말은 어떤 의미일까? 마음을 잘 다스리기 위해서는 자기감정이 어떤지를 읽을 수 있어야 한다. 쉬운 일이 아니다. 아기들은 자기감정을 잘 읽고 거기에 따라 행동한다. 배고프면 울고 좋으면 웃고 맘에 들지 않으면 짜증을 낸다. 어른이 될수록 자기감정대로 행동하는 것의 위험성을 깨닫고 감정과 다른 행동을 하게 되고 시간이 지나면 아예 자신의 감정을 무시하기도 한다.

그래서 중년 남성 중에는 자기감정을 읽을 줄 모르는 감정 문맹이 많다. 참으로 위험한 일이다. 『착한 여자는 왜 살찔까?』의 저자 캐런 쾨닝은 자기감정을 다스릴 줄 알아야 다이어트에 성공한다고 주장한다. 그녀가 정의한 착한 여자란 "다른 사람의 인정에 굶주려 있는 버려진 내면의 아이"이다. 다른 사람의 인정을 받는 데 신경 쓰다 보니 정작 자기감정이 어떤지 생각하지 못하고 사는 것이다. 그러다 보니 살이 찐다는 주장이다. 일리가 있다.

생긴 대로 살지 않고 엉뚱한 모습으로 살고 있지는 않은가

행복하게 사는 최선의 방법은 생긴 대로 사는 것이다. 생긴 대로 산다는 것은 전문용어로 자아 정체감을 명확히 한다는 것이다. 자신이 어떤 사람인지, 자신이 무엇을 중요하게 생각하고 미래에 어떤 사람이 되고 싶은지, 현재 어떤 감정을 가졌는지 명확한 기준을 가진 사람이다. 그렇다면 잘못 살고 있다는 건 무얼까? 생긴 대로 살지 않고 엉뚱한 모습으로 살고 있는 것이다. 자신이 원하는 것이 아닌 다른 사람이 원하는 대로 살고 있는 것이다. 자신의 현재 감정이 어떤지 모르는 사람이다. 여러분은 어떤가? 여러분이 살고 싶은 삶은 어떤 건가?

생긴 대로 살지 않거나 몸과 마음이 따로 놀면 문제가 생긴다. 불편한 마음이 원인이 되어 몸에 이상이 온다. 이런 병은 병원에 가도 원인을 밝히지 못한다. 이를 정신신체증상psychosomatic syndrome이라고 한다. 두통, 어깨 결림, 궤양이나 과민성 대장질환 등의 소화기 장애, 두드러기나 탈모 등 피부질환, 근육통, 심장질환 등이 그렇다. 왜 그럴까? 해답은 뇌에 있다.

우리가 경험하는 사고, 감정, 감각, 인지 등은 모두 뇌에 의한 것이다. 뇌에서 느끼고, 뇌에서 일정회로를 타고, 뇌에서 지시를 내리면 몸의 기관은 따르게 되어 있다. 만약 몸에 이상이 있다면 몸 문제를 보기 이전에 여러분의 마음을 살펴보아야 한다. 마음과 몸이 따로 놀고 있지는 않은지, 내 마음을 내가 모르는 것은 아닌지 체크해야 한다. 연극성인격이란 말이 있다. 자신의 모습이 아닌 연극을 하는 것처럼 산다는 말이다.

한 물간 스타를 연상해보면 좋다. 예전엔 사람들의 관심을 먹고 살았지만 더 이상은 아닌 관심과 애정에 대한 욕구가 지나친 사람,

과도하게 감정표현을 하는 사람들을 말한다. 한 마디로 속이 허한 사람이다. 그들은 허한 속을 채우기 위해 엉뚱한 행동을 한다. 지나치게 호들갑을 떨거나 별거 아닌 일에 흥분하거나 오버한다. "이게 뭐지, 왜 그러지, 좀 이상한 것 아니야"라는 느낌이 드는 사람들이다.

누구나 관심과 애정에 대한 욕구는 갖고 있다. 문제는 정도가 지나치다는 점이다. 이들은 욕구를 채우기 위해 수많은 사람을 만난다. 하지만 누구를 만나도 공허하다. 만나는 순간은 즐겁지만 헤어진 이후에는 허무하다. 그들은 다른 사람의 관심과 애정을 얻기 위해 무진 애를 쓴다. 늘 자신이 주인공이 되려 하고 스포트라이트를 받으려 한다. 조금이라도 중심에서 벗어나는 걸 견디지 못한다. 이런 성향의 사람은 많은 사람을 만나 많은 시간을 보내지만 친해지지 못한다. 오래 만났지만 얼굴만 아는 껍데기뿐인 관계가 되기 십상이다. 여기저기 얼굴은 많이 내밀지만 별로 환영받는 존재가 아니다.

연극성인격의 본질적 문제는 자기 자신이다. 이들 중 많은 사람들이 사회에서 성공한 위치에 있다. 남들의 관심과 주목을 받기 위해서는 사회적으로 높은 위치에 있어야 하기 때문이다. 성공을 위해 투자하고 열정적이다. 연극성인격이라 해도 내 감정, 내 생각, 내가 살아가는 이유를 알고 자신에 대한 확신과 자신감을 가지면 상당한 능력을 발휘할 수 있다. 하지만 나를 알지 못하고 남들의 관심과 애정에만 집착하면 사는 게 힘들어진다.

외로운가? 고독한가? 고독이란 말은 무슨 뜻일까? 고독감을 느낀다는 것은 친밀감에 대한 갈망은 있지만 채워지지 않는다는 의미이다. 친밀감이 핵심이다. 친밀감은 본능이다. 우리는 친밀하기 위해 많은 노력을 하지만 많은 경우 실패한다. 독거노인이 바로 그런 사례이다. 내가 생각하는 독거노인의 정의는 몸은 가족과 함께 있지만 가족들 마음을 전혀 얻지 못하는 노인이다. 가족들, 즉 배우자와 자녀들과의 친밀감을 획득하는 데 실패한 사람이다. 군중 속의 고독이란 말도 그렇다. 물리적으로는 옆에 사람들이 많지만 막상 친밀한 사람이 없다고 느끼는 것이다.

친밀감은 겨울 외투처럼 따뜻하게 우리를 감싸준다

친밀감은 바이러스로부터 우리 몸을 지켜주는 면역 세포와 같다. 친밀감은 직장 스트레스, 돈 스트레스, 가정 내 스트레스에서 우리를 보호해준다. 친밀감을 누리는 사람은 겨울에 두꺼운 외투를 입은 사람과 같다. 강추위가 몰아쳐도 끄떡없다. 친밀감이 결여된 사람은 외투 없이 겨울을 나는 사람과 같다. 찬바람이 조금만 불어도 고독감이라는 추위를 탄다. 심할 때는 우울증이라는 폐렴에 걸리기도 한다. 동료애나 친밀함은 햇빛처럼 인간을 치유한다.

친밀감을 느끼려면 서로 통하는 느낌이 있어야 하고 서로 살피고 도와주어야 하고 나눔이 있어야 한다. 친밀감을 방해하는 것들이 있다. 첫째, 불완전한 주체성이다. 주체성이 확립되지 못한 사람은 친밀한 인간관계를 맺을 수 없다. 내가 확실해야 너도 확실해진다. 나와 네가 확실해야 두 사람 사이에 인간관계가 이루어지고 친밀한 관계가 가능해진다. 혼자 잘 노는 사람이 다른 사람과도 잘 노는 법이다.

둘째, 시기심이다. 시기심은 다른 사람의 성공, 미모, 뛰어난 능력을 볼 때 억울하고 화가 나는 심리를 말한다. 시기심은 타고난 본능이고 누구나 갖고 있다. 중요한 건 이를 어떻게 극복할 것이냐이다. 사랑과 감사가 방법이다. 시기심의 치료제는 감사하는 마음이다. 셋째, 열등감이다. 열등감은 자신을 잘못 평가하기 때문에 생긴다. 동료 간에도 열등감이 작용하면 친밀감을 느낄 수 없다.

원만한 대인관계를 위해서는 화를 잘 다스릴 수 있어야 한다. 세상에 화를 자주 내는 사람을 좋아할 사람은 없다. 화를 내는 것은 본인을 위해서도 타인을 위해서도 별 도움이 되지 않는다. 화를 자주 낸다는 것은 자신이 미성숙하다는 것을 만천하에 공개하는 것과 같다. 화는 화학반응과 비슷하다. 갑자기 올라오는 것이 아니라 화학반응처럼 서서히 반응하다 폭발을 한다.

어떻게 해야 화를 내려놓고 살 수 있을까? 화는 보통 다섯 과정을 거친다. 첫째, 화보다 먼저 올라오는 감정이 있다. 수치심, 죄책감, 불안 같은 감정이다. 둘째, 화를 유발하는 촉발사고이다. 불편한 감정을 좋은 의미로 받아들이면 문제가 되지 않는다. 그런 경험이 "나는 피해자, 나는 희생자, 무엇 때문에"라고 생각하면 원통해지고 이런 상황 해석이 화로 이어진다.

셋째, 화 자체로 생기는 신체변화이다. 가슴이 두근거리고 호흡이 빨라지고 얼굴이 달아오른다. 본격적으로 화학반응이 일어나는 것이다. 넷째, 행동화하려는 충동이다. 다섯째, 분노 행동이 일어난다. 고함치기, 자리 박차고 나가기, 주먹으로 물건 치기 등이다. 불쾌한 표정 짓기, 빈정거리기, 험담하기, 한숨 쉬기, 거리 두기 등도 다른 형태의 분노 표출이다.

요즘 모태 솔로들이 많다. 태어나서부터 성인이 된 지금까지 연애 한 번 못해본 사람들이다. 거의 사람을 사귀지 않고 지내는 사람들도 늘어나고 있다. 대인관계에 익숙하지 못한 사람들이다. 사람을 만나지 못하고 만나도 깊은 관계로 발전을 시키지 못한다. 어떻게 이런 일이 있을 수 있을까? 이들의 공통점은 무얼까? 이들은 상대 마음을 잘 읽지 못한다. 상대 반응을 인식하고 알아채는 능력이 떨어진다.

변덕스런 부모 밑에서 자란 아이에게 그런 경향이 있다. 부모 변덕에 모두 반응하다가는 살 수 없다는 생각에 반응 자체를 억제하는 것이다. 그런 식으로 자신을 보호하다 보니 나타난 현상이다. 깊은 관계를 유지할 누군가 필요하다는 생각을 하지 않는다. 혹은 누군가가 필요하지만 관계를 갖는 것에 대한 두려움을 갖고 있다. 대인관계에서 큰 상처를 받아 새로운 대인관계를 맺기 어려운 때도 있고 보편적 대인관계 기술이 부족한 때도 있다.

마음을 치유하기 위해서는 잠만 잘 자도 된다

마음을 치유하는 방법의 하나는 수면이다. 잠자기 전에는 심각하게 생각했던 이슈도 잠을 자고 나면 별거 아닌 걸로 생각되는 그런 경험이 있을 것이다. 잠에는 그런 자연치유 능력이 있다. 그런 면에서 건강과 잠, 감정과 잠은 깊은 관계가 있다. 무엇보다 잠을 잘 자면 많은 문제를 해결할 수 있다.

잘 자기 위해서는 어떤 방법이 있을까? 잠은 오는 것이란 사실이다. 우리가 잠에게 가는 것이 아니라 잠이 우리에게 오는 것이다. 잠은 억지로 잘 수 없다. 잠이 내게 잘 오도록 나 자신을 만들어야 한다. 잠이 오지 않으면 오지 않는 대로 그냥 두고 기다리면 된다. 잠은 철저하게 생리적 현상이다. 종일 굶으면 배가 고픈 것처럼 며칠 잠을 못 자면 잠을 자게 되어 있다.

불면증은 사람이 스스로 만드는 병이다. 잠을 못 잘 것에 대한 걱정과 불안이 원인이 되어 잠을 쫓아내는 악순환 상태에 빠지는 것이다. 잠은 깨어나는 시간으로 조절해야 한다. 잠이 오는 시간을 조절할 수는 없지만 잠에서 깨는 시간은 조절할 수 있다. 인간은 행복해질 권리가 있다. 누구나 행복을 원한다. 행복은 마음의 평화이고 마음의 평화는 좋은 대인관계에서 비롯된다. 이 책이 그런 것에 도움을 줄 것이다.

자신이 어떤 사람인지 아는 것이 가장 어렵다

✣ 잘 안다고 생각하지만 가장 알기 어려운 것이 무엇일까? 바로 나 자신이 어떤 사람인지에 관한 것이다. 그중에서도 남자란 과연 어떤 존재인지는 영원한 숙제가 아닐 수 없다. 우리는 늘 미래를 향해 나아간다. 미래에 어떤 개인이 될 것인지, 어떤 조직을 만들고 싶은지에 대해 고민한다.

현재의 내가 어떤 사람인지에 대해 성찰해보자

그런데 이전에 해야 할 것이 있다. 현재의 내가 어떤 사람인지에 대한 성찰이다. 이게 없는 상태에서 아무리 멋진 그림을 그려봐야 별 효용성이 없다. 그런 의미에서 소설가 김형경이 쓴 『남자를 위하여』*는 큰 도움이 된다. 소설가 김형경은 사람의 심리를 꿰뚫어보는 통찰력이 있다. 그녀의 눈에 비친 남자란 어떤 존재일까? 남자와 여자는 다르다. 남자는 여자한테서 왔지만 여자와 많이 다르다. 그게 출발점이고 그것을 인정해야 한다.

우선 여자 눈에 비친 지질한 남자 몇 부류를 소개한다. 첫째, 화를 잘 내고 화풀이를 잘하는 사람이다. 회사 문제를 가정까지 갖고 오는 사람이다. 공자님은 불천노不遷怒 불이과不貳過란 말을 했다. 화를 옮기지 않고 똑같은 실수를 두 번 반복하지 않는다는 말이다. 일이 좀 못마땅하다고 다른 사람에게 짜증 내고 반성할 줄 모르는 남자들이 많다. 남을 이끄는 위치에 있는 사람들은 특히 이 점을 주의해야 한다.

둘째, 폭력을 행사하는 남자들이다. 폭력의 이유는 복종하지 않았다고 논쟁했다고 돈이나 여자문제를 꼬치꼬치 물었다고 제때 식사가 준비되지 않았다고 또 자녀를 제대로 돌보지 않았다고 섹스를 거부했다고 등 다양하다. 한 마디로 자기 욕구가 충족되지 않았다는 것이다. 폭력을 행사하는 남자는 세상에서 가장 못난 남자다.

셋째, 과도한 취미활동을 하는 사람이다. 무엇이든 과하면 좋지 않다. 야구, 골프, 등산 모든 것은 적당해야 한다. 중년 이후 과도한 취미생활을 하는 사람이 있다. 이들은 문제와 정면승부를 거부하고 엉뚱한 곳에서 해결책을 찾고 있는 것이다. 과도한 취미 뒤에는 희생당하는 가족이 있을 가능성이 높다. 골프 과부란 말이 왜 나왔겠는가?

이외에도 결혼 후에도 독립하지 못하고 본가에 집착하는 남자, 어머님만 화제에 오르면 새로운 모습을 드러내는 마마보이, 남 앞에

---

* 김형경, 『남자를 위하여』, 창비, 2013

서 마누라 욕하는 사람, 자식에게 분노를 자주 표출하는 사람, 바람둥이, 폼생폼사, 특정 사물에 수집취미가 있는 사람이다.

결혼이란 무엇일까?

남자에게 결혼이란 무엇일까? 남자에게 결혼은 부담이다. 가족에 대한 무한책임은 있다. 하지만 그에 따르는 권리는 없다. 가족의 요구를 무조건 들어주다 보면 아내는 남편을 편하게 이용하고 자식들은 아버지를 물류창고쯤으로 여긴다. 결혼제도의 본질은 예나 지금이나 교환이다. 남자는 돈을 벌어오고 여자는 애를 낳고 키워주는 역할이다.

남자들 결혼연령이 늦어지는 이유는 명확하다. 자기 몸 하나도 추스르지 못하는데 처자식까지 책임질 수 없다고 생각하기 때문이다. 여자들에게 결혼은 기댈 언덕이다. 여차하면 다니던 직장도 때려치울 수 있다. 남자들은 아무 생각 없이 살다 결혼과 동시에 미래를 걱정하기 시작한다. 여자들은 고민을 많이 하다 결혼을 하는 순간 걱정을 멈춘다.

"가능한 일찍 결혼하는 것은 여자의 비즈니스이고 가능한 늦게까지 결혼하지 않고 지내는 것은 남자의 비즈니스이다." 조지 버나드 쇼의 말이다.

남녀가 사귀다가 슬그머니 꼬리를 감추는 남자가 있다. 여러 이유가 있지만 책임져야 한다는 부담 때문이다. 어떤 남자는 여자가 결혼을 재촉하면 이별을 통보하고 어떤 이는 결혼 약속 후에 사라진다. 여자가 달콤한 허니문을 꿈꿀 때 남자는 한 사람의 인생과 한 가정의 미래를 책임져야 한다는 압박감에 시달린다. 결혼하면 사랑받는 사람이 아니라 생활의 안정을 제공해야 한다는 부담을 갖게 된다. 결혼하는 순간 모든 자유를 포기하고 가족의 요구를 들어야 한다고 생각한다.

이런저런 이유로 사람들은 점점 결혼하지 않는다. 당연히 애도 낳지 않으려 한다. 이를 계몽 같은 방법으로 해결하는 데는 한계가 있다. 문제 해결 방법의 하나는 현상을 인정하고 받아들이는 것이다. 그 안에서 최적화된 방법을 찾는 것이다. 그중 하나가 새로운 형태의 결혼이다. 그녀가 제안하는 방법은 "따로 또 같이" 같은 모델이다. 빅뱅 같은 아이돌 그룹 스타일이다. 그들은 그룹으로도 활동하지만 때로는 각자 솔로로 활동한다. 결속력이 강하거나 늘 붙어 다니지는 않는다. 필요에 따라 같이 놀기도 하고 따로 놀기도 하는 느슨한 형태이다.

결혼도 이런 식으로 하자는 것이다. 평소에는 각자 원하는 곳에서 마음대로 살다가, 가끔 친밀감을 나눌 필요가 있을 때만 만나 공동생활을 하는 결혼 형태다. 일주일에 이틀 정도. 주말부부 비슷하지만 감정과 공동체적 결속력이 느슨한 관계다. 표준화된 사회보다는 다양한 형태의 삶을 인정하는 사회가 건강하다. 결혼에서도 이런 것이 등장할 때가 되었다는 것이 저자의 생각이다.

남자들은 깊은 속내를 어떻게 털어놓을까?

비틀스 노래 가사 중 "러브 이즈 터치Love is touch"란 게 있다. 사랑은 터치이고 터치가 없는 것은 사랑이 아니란 말이다. 그만큼 인간은 터치를 좋아한다. 바꾸어 말하면 친밀감이다. 터치는 친밀감의 표시이다. 친밀감을 주고받을 사람이 있으면 삶의 질이 올라가고 그렇지 않으면 힘들어진다. 독거노인이나 기러기 아빠들이 힘든 것은 친밀감을 주고받을 대상이 없기 때문이다. 친밀감은 인간의 근원적 본능이다. 특히 나이를 먹어갈수록 친밀감을 주고받을 대상이 있어야 하고 자주 친밀감을 나눠야 한다.

남자와 여자 중 누가 더 상대를 좋아할까? 사랑에 빠지기 전에는 남자가 더 좋아하고 일단 빠지면 여자가 남자보다 아홉 배쯤 더 좋아한다. 거기서 갈등이 생긴다. 만약 남자에게 기대하는 사랑의 양을 9분의 1로 줄일 수 있다면 삶이 편안해질 것이다. 왜 그럴까? 남자는 사랑도 하지만 그만큼 일을 해야 한다. 여자에겐 남자가 일이고 권력이고 모든 것이다. 남자가 여자와 비교해 사랑의 밀도가 낮을 수밖에 없다. 남녀가 만날 때의 핵심은 친밀감이다. 여자가 당연히 더 높다. 그렇다고 여자가 억울할 건 없다. 더 많이 사랑하고 더 많이 향유하고 더 풍부한 감각으로 살 수 있기 때문이다. 삶의 질은 여자가 훨씬 높다.

저자는 에너지 중 5퍼센트는 일방적으로 접근하는 남자들을 처리하는 데 사용한다고 한다. 독신 여성작가에 대해 가진 편견이나 선입견이 강하기 때문이다. 이들이 진짜 원하는 건 친밀감이란 사실을 이해하는 데 오랜 시간이 걸렸다. 남자들이 진짜 원하는 것은 섹스가 아니다. 마이클 맥길의 『남성의 친밀성에 대한 보고서』는 2,000명의 남성을 대상으로 속내를 조사했는데 흥미로운 결과가 있다.

남자들이 자기 속내를 완전히 드러낼 수 있는 상대는 여성이다. 세 명 중 한 명은 어떤 이야기든 털어놓을 수 있는 여자 상대가 있다. 남자끼리는 깊은 속내를 털어놓지 않는다. 아니 못한다. 남자들끼리 하는 얘기는 주로 정치 얘기, 골프 얘기, 회사 얘기뿐이다. 좀처럼 자기 얘기를 하지 않는다. 여자들은 여자들끼리 깊은 속내를 잘 털어놓는다. 그렇다면 남자들은 깊은 속내를 어떻게 털어놓을까?

남자들은 깊은 속내를 털어놓고 싶을 때 여성을 찾는다. 자연스러운 현상이다.

맥길 교수도 성적관계를 갖지 않는 그럼에도 충분히 친밀하여 모든 이야기를 털어놓을 수 있는 여자친구가 있다. 성적관계를 맺지 않은 남녀 간의 친밀한 관계는 현실적으로 어려워 보이지만 그런 관계가 필요하다는 것이다. 남자는 여자를 통해서만 안전한 곳에 이를 수 있고 치유될 수 있다. 남자들은 자기가 진짜 원하는 것이 긴장완화 수단으로서의 섹스가 아니라는 사실을 깨닫기까지 헛된 시도를 되풀이한다. 아무리 섹스를 많이 해도 허전한 내면을 달랠 수 없다는 사실을 깨닫는다. 자기가 평생 찾은 것은 휘몰아치는 섹스가 아니라 편안한 친밀감이었다는 것을 알게 된다.

여자와 남자 중 누가 더 의존적일까?

젊은 후배(여자)를 볼 때마다 그들의 의존성에 놀란다. 자기뿐 아니라 자기 인생까지 짊어지고 가줄 짐꾼 배우자를 원하는 것 같다. 심지어 그 짐꾼이 능력 있고 잘 생기고 인간성마저 좋기를 바라며 그토록 드문 인간이 헌신적으로 자기를 사랑해주기를 바란다. 그녀들이 모르는 사실 하나 있다. 실은 남자들이 더욱 의존적인 존재라는 사실이다.

인간은 누구나 의존적이다. 남녀 모두 그러하다. 근데 여자와 남자 중 누가 더 의존적일까? 바로 남자이다. 여자들이 결혼하는 이유 중 하나는 남자에게 의존하기 위해서다. 여자들은 자기 삶을 의존하기 위해 남자와 결혼하지만 사실 남자들이 더 의존적이다. 수없이 많은 모임을 다니는 사람이나 별로 친하지 않은 사람의 애경사를 쫓아다니는 사람을 보라. 왜 그렇게 다니겠는가? 자기가 일을 당했을 때 와 달라는 주문이다. 기저에 깔린 마음은 불안이고 외로움이다. 사회의 큰 틀에서 벗어나면 어떡하지라는 마음이다.

떼 지어 다니는 동물은 대개 힘없는 동물들이다. 힘이 없으니까 뭉쳐 다녀야 서로 의지가 되기 때문이다. 힘센 동물들은 홀로 다니거나 가족 위주로 움직인다. 그렇게 다녀도 사는 데 지장이 없기 때문이다. 인간도 마찬가지이다. 48개의 총무를 맡은 사람이 있다. 그렇게 많은 모임을 무엇 때문에 참가할까? 그러고도 생활이 될까? 마당발을 자랑하는 사람들이 있다. 그렇게 많은 사람을 왜 알아야 하는지, 그렇게 많은 사람과 제대로 된 관계를 나누고 있는지 의심이 된다. 바로 의존성 때문이다. 그런 모임을 통해 안정감과 보호받는다는 느낌을 얻는 것이다. 그런 사람들의 불행은 의존할 대상을 찾느라 자기 스스로 힘 있는 사람이 될 기회를 놓쳐버린다는 것이다. 의존하는 단체에 헌신하느라 자기 인생을 창조적으로 살아갈 열정을 허공에 흩뿌리는 것이다.

남자와 여자의 차이 중 하나는 인맥에 관한 것이다. 남자들은 자신이 힘센 사람들과 얼마나 친한지를 얘기한다. 그런 빈도가 높은 사람은 대개 자신감이 없는 사람들이다. 여자들은 대체로 인맥에 관한 얘기를 하지 않는다. 그저 자신에 관한 얘기를 한다. 저자는 처음 문단에 나왔을 때 "문단에서 누구랑 친한가?"라는 질문을 받았다. 황당하다. 질문 자체가 불합리하고 무례하다. 내가 누구랑 친한 것이 지금 모임과 무슨 상관이 있는가? 그런 사람을 팔아서 내가 얻는 게 무엇이 있는가? 남자들이 얼마나 의존적인가를 보여주는 대목이다.

부부간 관계도 모두 다르다. 권력관계도 다르다. 의존성도 다르다. 어떤 커플은 권력을 반반씩 나누어 갖고 있다. 이들은 주도권을 놓고 계속 다툼을 벌인다. 영원한 전쟁과 평화의 악순환이다. 그럼에도 서로 존중하고 배려하면서 잘 소통하는 커플이 되면 먼 길을 함께 갈 수 있다. 아버지 역할을 하는 남편과 딸 역할을 하는 아내 커플이 있다. 재앙으로 갈 가능성이 높다. 남자에게 너무 큰 짐이 되기 때문이다. 사회생활에서 받은 스트레스를 풀 수 없다. 일은 일대로 하고 집에서는 아내의 투정을 받아야 한다. 사는 것이 쉽지 않다. 엄마 역할을 하는 부인과 아들 역할을 하는 남편이다. 나이 먹은 남자도 내면에는 아이가 있다. 죽을 때까지 모성을 그리워한다. 엄마 역할을 하는 아내는 남편과 경쟁하지 않으며 웬만한 일에는 관대하게 대처한다. 나쁘지 않다. 당신 커플은 어디에 속하는가?

남자들도 수다만 떨 수 있다면 괜찮을 것이다

남자들이 정신과를 찾는 두 가지 이유가 있다. 발기불능일 때와 정신과 치료를 받지 않기 위해서일 때다. 내 생을 통틀어 자기 내면을 토로하면서 자기에게 문제가 있다고 말하는 남자를 단 한 명도 만난 적이 없다. 남자들은 자기의 솔직한 속내를 털어놓는 것을 전장에서 갑옷과 투구를 벗는 행위쯤으로 생각한다. 맞는 말이다. 무슨 일이 있을 때 남자들은 입을 닫는다. 여자들은 온갖 수다를 떨면서 문제를 늘어놓는다. 이게 여자와 남자의 차이이다. 남자와 비교해 여자들의 문제 해결 방식이 건강에 좋은 것은 당연하다.

독일의 재상 비스마르크와 황제 빌헬름 1세는 단짝이었다. 빌헬름 1세는 후궁에 돌아오면 종종 화를 내며 물건을 닥치는 대로 집어던지고 찻잔을 깨뜨리곤 했다. 황후가 "당신, 또 비스마르크라는 늙은이로부터 욕을 먹었군요?"라고 물어보면 빌헬름 1세는 그렇다고 답한다. 왜 욕을 먹느냐는 질문에는 "그는 재상으로 일인지하 만인

지상에 있으니 자기 아래에 있는 수많은 사람의 욕을 먹어야 해요. 그가 그렇게 욕을 먹고 어디다 풀겠소? 나한테 풀 수밖에……. 황제인 나는 어디다 풀겠소? 접시를 내던질 수밖에."

이 황제와 재상 덕분에 독일은 강성해질 수 있었다. 한 마디로 맺힌 게 있으면 어딘가에 풀어야 한다는 것이다. 여자들이 건강한 이유는 수다를 통해 잘 풀기 때문이다. 남자들이 아픈 이유는 입을 꾹 닫고 혼자 문제를 해결하려고 하기 때문이다. 남자가 건강하기 위해서는 남자 안에 있는 여자를 살려내야 한다. 수다를 떨 수 있어야 한다.

술 마시지 않고 수다를 떨 수 있는 남성이 얼마나 될까? 맨정신에 자기 문제를 고백할 수 있는 남자가 있을까? 별로 없다. 저자는 수다 떠는 남자를 본 감동을 이렇게 얘기한다.

"난 남자 두 사람이 그토록 다정하게 낮은 목소리로 오래 속삭이는 광경을 그때 처음 보았다. 두 남성이 그토록 평화롭고 행복한 표정을 짓는 모습을 전에도 본 적 없다. 남자들도 수다만 떨 수 있다면 괜찮을 것이다. 우리 사회 곳곳에서 남자들이 수다를 떨고 자기 이야기를 토로하고, 가끔은 힘들다고 눈물 흘리는 모습을 보게 된 것은 고마운 일이다."

남자들만 모여 있는 남탕 모임은 재미가 적다. 여자들만 모여 있는 여탕 모임 역시 별로이다. 최고의 모임은 여성과 남성이 젊은이와 나이 든 사람이 적당히 섞여 있는 모임이다. 재미가 있는 이유는 바로 다르기 때문이다. 현재 당신은 어떤 모습인가?

우리가 변화시킬 수 있는 것은 자신밖에 없다

❖ 참으로 혼란한 세상이다. 무엇이 중요하고 무엇이 덜 중요한지 헷갈리는 요즘이다. 이렇게 살면서 미래에도 온전히 살 수 있을지 걱정이 된다. 이럴 때일수록 정신을 바짝 차려야 한다. 외부에서 벌어지는 사건 사고 대신 자신을 들여다보아야 한다. 종일 스마트폰을 보지 말고 자신을 다듬을 수 있어야 한다. 이른바 수신제가 치국평천하이다. 그런 것에 대해 중심을 잡아줄 책 하나를 소개한다. 『주역』 중 일부를 발췌해 얘기와 버무린 책 『하늘을 품어라』* 가 그것이다.

---

* 서진영, 『하늘을 품어라』, 자의누리, 2014

무너진 예의를 일으켜 세워야 한다

혼자 살면 예의고 예절이고 필요없다. 예절이 필요한 이유는 더불어 사는 세상이기 때문이다. 예절은 교통법규와 같다. 빨강 신호등은 건너지 말라는 의미이다. 만약 내가 급하다는 이유로 빨강 신호등을 무시한다면 어떤 일이 벌어질까? 단기적으로 그 사람에게는 이익이 될지 몰라도 그런 사회는 지속 가능하지 않다. 서로 엉켜서 아무도 순조롭게 건널 수 없다.

공자는 모든 예절과 덕의 출발은 효도라고 주장한다. 선조들은 부모님이 돌아가시면 3년 상을 치렀다. 사회생활을 하지 않고 부모님만을 생각하는 시간을 가졌다. 3년 상의 의미는 무엇일까? 인간은 태어나서 3년간 혼자 힘으로는 아무것도 하지 못한다. 온전히 모든 것을 부모에게 의존한다. 3년이란 시간 그 은혜에 대한 보답이다. 그렇다면 효도란 무엇일까? 『효경』은 다음의 말로 효도를 정의한다. 신체발부身體髮膚는 수지부모受之父母하니 불감훼상不敢毁傷이 효지시야孝之始也가 그것이다. 내 몸과 터럭과 피부는 모두 부모님으로부터 받은 것이기 때문에 감히 상하거나 다치게 하지 않는 것이 효도의 시작이란 말이다.

지금도 이 말은 유효하다. 부모로부터 받은 귀한 몸을 귀하게 다루는 것이 최고의 효도이다. 내가 사랑하는 몸에 담배 연기나 폭탄주를 주는 대신 좋은 음식과 충분한 휴식을 줌으로써 갈고닦는 것이 효도이다. 효도의 최고봉은 입신양명이다. 즉 성공해서 후세에 이름을 날림으로써 부모님을 높여 드리는 것이다. 다소 고루하고 진부한 얘기처럼 들리지만 곰곰이 생각하면 지금 시대에도 여전히 작동하는 기제이다.

최고의 불효는 자식이 다치거나 먼저 죽는 것이다. 자식이 다치거나 병에 걸리면 부모 가슴은 천 갈래 만 갈래 찢어진다. 최고의 효도는 자식이 잘되는 것이다. 번듯한 시민으로 제구실하면서 독립적으로 살아가는 모습을 보여주는 것이다. 지금 시대를 살리는 것 역시 효를 살리는 것에서 출발해야 한다.

『주역』에는 절節 괘卦가 있다. "절이니 형亨이라 고절苦節이면 불가정不可貞하니라"는 내용이다. 법이나 예절을 편안하게 지키면 형하다는 뜻인데 여기에서의 형은 형통하다 할 때의 형이다. 형하다는 것은 아주 번성한다는 뜻이다. 예절을 지키면 편안하고 잘 나갈 수 있다. 반대로 예절을 지키지 않으면 문제가 생길 수 있다. 남에게 불쾌감을 준 사람은 그로 말미암아 보복을 당할 수 있다는 뜻이다. 그래서 늘 내가 하는 행동이 예의에 맞는 것인지 어긋나는지를 따져봐야 한다. 남들과 있을 때 예의를 지키는 것은 기본이고 이를 넘어 홀로 있을 때조차 행동거지를 신경 써야 한다. 이게 신독愼獨이다. 누군가가 지켜보고 있다는 생각으로 신중하게 행동하란 말이다.

예절의 출발은 효도이다. 부모님에 대한 효도의 마음을 주변으로 확대하는 것이 바로 예절이다. 부모님에 대한 감사한 마음을 선생님, 친구, 동료 등으로 넓혀 여러 사람과 두루두루 잘 지낼 수 있게 한 것이 바로 예절이다. 예절은 감사의 마음으로 서로 대하는 것이다. 하지만 자신의 마음을 모두 다 행동으로 나타낼 수 없어서 이러이러하게 행동하자고 약속한 것이 예절이다. 예절은 남과 더불어 사는 공존의 지혜다. 나도 빨리 타서 자리에 앉고 싶지만 내리는 사람을 배려해 그들이 내릴 때까지 기다리는 것이 예절이다.

다음은 겸손이다

살면서 늘 세 가지를 조심해야 한다. 초년에 일찍 출세하는 것, 중년에 상처하는 것, 말년에 돈 없는 것이 그것이다. 그중에서도 초년 출세가 가장 위험하다. 별다른 고생 없이 출세하다 보면 자신을 대단한 사람으로 착각하고 거들먹거리다 한 방에 가기 때문이다. 조선시대 남이 장군이 대표적이다.

그는 로열패밀리였다. 태종 이방원과 원경왕후 사이에 태어난 넷째 딸 정선공주의 손자이다. 남이 장군의 할아버지는 태종의 사위 의산군 남휘이다. 게다가 약관의 나이에 무과에 장원 급제했다. 집안도 좋은데 머리까지 뛰어난 형국이다. 그는 1467년 함경도 이시애 난을 진압하러 나선다. 선봉으로 출정해 이 난을 평정하고 이후 여진족 정벌에서도 큰 공을 세운다. 그런 공을 인정받아 스물여덟의 나이에 병조판서가 된다. 눈부신 출세의 길을 달린 것이다. 그러다 정권이 바뀐다. 시대가 달라진 것이다. 다음 왕 예종은 왕권 강화를 위해 공신들을 제거하기 시작하는데 평소 나서기 좋아하고 겸손하지 못한 남이 장군이 표적이 된다.

남이에 대해 경계심을 갖고 있던 예종은 남이 장군을 겸사복으로 좌천시킨다. 문제는 좌천된 뒤에도 지나친 자신감을 보인 것이다. 이럴 때일수록 몸을 낮추고 겸손의 자세로 군주의 경계를 풀어야 하는데 잘못된 행보를 보인 것이다. 결국 남이의 최측근 유자광이 장군을 역모죄로 모함해 목숨을 잃는다. 참으로 안타까운 일이다.

『주역』에는 지산겸地山謙이란 겸괘謙卦가 있다. 땅 아래 산이 있는 형국이다. 높은 산이 땅 아래 있으니 그게 바로 겸이다. 사람은 실력만으로는 살 수 없다. 실력이 높아질수록 겸손해야 한다. 겸손하지 않으면 사람들의 시기와 질투를 사면서 불행한 일을 당할 가능성이 높아진다. 잘 나가던 사람이 한 방에 가는 이유는 대부분이 교만 때문이다. 사람들이 눈에 들어오지 않고 뭐라도 된 것 같은 착각이 비극을 부른 것이다. 교만은 패망의 선봉인 셈이다. 잘 나갈수록 겸손해야 한다.

겸손을 통해 살아남은 사례가 있다. 『논어』에 나오는 맹지반의 고사이다. 맹지반은 자랑하지 아니하는 사람이다. 전투하다 후퇴해서 달아날 때 가장 위험한 자리는 맨 끝자리이다. 적의 공격을 막아내야 하기 때문이다. 진격할 때와는 반대이다. 맹지반이란 장수는 맨 뒤에서 적을 뿌리치면서 후퇴를 한다. 근데 들어올 즈음 그는 말에 채찍질하면서 이렇게 말한다.

"내가 늦게 오고 싶어서가 아니라 말이 잘 달리지 못해 할 수 없이 뒤에 처진 것이다."

정말 겸손하고 현명한 사람이다. 사람들은 무언가 성취를 하고 나면 자랑을 하고 싶어 몸이 근질거린다. 남들이 그 얘길 하지 않으면 자신이 나서서 자랑질을 한다. 그래야 직성이 풀린다. 이를 조심해야 한다. 내가 잘한 일이 있다면 남들도 다 안다. 설혹 남들이 알아주지 않아도 할 수 없는 일이다. 최고의 경지는 열심히 일하고 거기에 대해 노코멘트하는 것이다. 남들이 몰라줘도 개의치 않는 것이다. 이것이 바로 노겸勞謙이다. 힘쓸 노勞에 겸손할 겸謙이다. 부지런히 노력해 큰일을 성취했지만 겸손한 것을 뜻한다. 만약 남이 장군이 노겸을 알았다면 그의 인생이 어떻게 되었을까?

퇴계 이황도 이를 잘 실천한 사람이다. 퇴계의 묘와 퇴계 맏며느리 묘는 불과 50미터 밖에 떨어져 있지 않다. 시아버지와 며느리 묘가 왜 이렇게 가까운 곳에 있는 것일까? 이런 사연이 있다. 퇴계는 1570년 12월 8일 숨을 거두었고 며느리 봉화 금씨는 이듬해 1571년 2월 눈을 감았다. 퇴계 사후 두 달 만의 일이다. 며느리의 유언으로 묘를 이렇게 가까이 쓴 것이다. 당시는 퇴계 집안보다 금씨 집안 지체가 높았다. 퇴계가 문과에 급제해 예문관을 지냈지만 윗대에서는 이렇다 할 벼슬이 없었기 때문이다. 퇴계 자신 일찍 아버지를 여의고 홀어머니 밑에서 어렵게 자란 터라 금씨 문중 눈에 차지 않았던 것이다. 당연히 금씨 문중에서는 퇴계를 푸대접했고 심지어 그가 앉았던 마룻바닥을 물로 말끔히 씻어내고 대패로 문지르는 일까지 벌어졌다. 그러자 이번에는 퇴계 집안사람들이 분개했다. 퇴계는 흥분한 집안사람들을 이렇게 설득한다.

"사돈댁에서 무슨 말을 했든 우리가 관여할 일은 아니다. 가문의 명예란 문중에서 떠든다고 높아지는 것도 아니고, 남들이 헐뜯는다고 낮아지는 것도 아니다. 상대가 예를 갖추지 않았다고 우리도 예를 갖추지 않으면 정말 형편없는 가문이 되는 것이다. 귀한 집안에서 며느리가 왔는데 며느리 얼굴을 봐서라도 마음을 추슬러야 한다."

퇴계는 이 사건을 불문에 부치고 며느리의 건강까지 직접 챙긴다. 몸이 약한 며느리에게 약을 지어 보내고 세심하게 며느리를 보살핀다. 수시로 편지를 써서 며느리의 건강을 묻기도 한다. 이런 시아버지 사랑을 듬뿍 받은 봉화 금씨는 뒷날 숨을 거두며 이런 유언을 남긴다.

"내가 시아버님 살아 계실 적에 여러 가지로 부족해 극진히 모시지 못했다. 죽어서라도 다시 아버님을 정성껏 모시고 싶으니 내가 죽거든 반드시 아버님 묘소 가까이에 묻어주도록 하여라."

핵심은 이렇다. 퇴계는 가문이 한미하다는 이유로 사돈으로부터 모욕을 당했으나 오히려 며느리를 감싸주었다. 이에 감동한 며느리는 죽어서도 시아버님을 모시고 싶다는 유언을 남긴 것이다. 이게 겸손의 힘이다. 만약 퇴계가 자신을 무시했다는 이유로 며느리를 구박했다면 어떤 일이 벌어졌을까?

다음은 희생정신이다

휴가철이면 엄청난 사람들이 외국여행을 떠나고 있다. 예전 같으면 상상할 수 없는 일이다. 우리의 이런 풍요는 누구 때문일까? 우리가 잘 나서 그런가? 아프리카 사람들은 굶주림에 고통받고 있다. 그들이 게을러서일까? 참으로 판단하기 어려운 주제이다. 확실한 한 가지 사실은 지금의 풍요가 선배들의 피와 땀의 결실이란 사실이다. 그들의 희생 덕분에 우리가 잘살고 있다는 사실이다. 희생은 낯선 단어다. 하지만 희생 없이 얻어지는 것은 없다. 희생이란 어떤 의미가 있을까? 안동에서 다음과 같은 노래가 전해 내려온다.

그럭저럭 나이 차서 십육 세에 시집가니,
청송 마평 서씨 문에 혼인은 하였으나
신행 날을 받았어도 갈 수 없는 딱한 사정
아배는 안 오시고, 신행 때 농 사오라
시댁에서 보낸 돈, 그 돈마저 가져가서
어느 노름판에 날리셨나

우리 아배 기다리며 신행 날 늦추다가
집안 어른 의논 끝에 농 살 돈은 못 구하고,
큰 어매 쓰던 헌 농, 신행발에 싣고 가니
주위에서 쑥덕쑥덕
그로부터 시집살이 주눅 들어
안절부절 못하였구나

시집살이 삼 년 동안 시댁식구 우환 있고

손세 귀한 무남독녀 노심초사하는 중에
삼 년 동안 태기 없자 끝내는
오동나무 헌 농에 귀신 붙어 왔다 하여
강변 모래밭에 신행농 꺼내다가
부수어 불태우니, 오동나무 삼층장이
불길은 왜 그리도 높던지
새색시 타는 간장 말로서 어이하랴

무능한 아버지 때문에 애가 끓는 새색시의 사연이다. 주인공은 김용환이고 그는 유명한 학봉 김성일의 장손이다. 학봉 집안은 대대로 의병을 많이 배출한 것으로 유명하다. 이 노래를 부른 사람은 김용환의 무남독녀 외동딸 김후웅 여사다.

학봉 김성일은 임진년 10월 진주대첩을 승리로 이끌었다. 선조실록은 "바다에는 이순신, 육지에는 김성일"이라고 기록하고 있다. 그의 11대 후손이 김흥락인데 구한말 일본의 침탈에 항거한 행적을 갖고 있다. 사촌동생 김회락이 의병활동을 하고 있었는데 1896년 6월 12일 왜병들이 의병을 찾으러 학봉 종가로 쳐들어온다. 이들은 다락에 숨어 있던 김회락을 찾아내고 종손 김흥락 등을 무릎 꿇게 한다.

이때 그 광경을 생생하게 보고 있던 열 살 소년이 있었는데 그가 바로 김용환이다. 존경받던 큰 어른이 왜병에게 무릎 꿇는 기막힌 광경을 보고 그는 "우리 할배 살려달라고" 수없이 애걸복걸한다. 김회락은 "내가 죽거든 자식들에게 원수를 갚으라 가르치라"고 소리를 지르며 죽는다. 처절한 마감이다. 이 사건은 이 지역 유림과 학봉 문중 사람들에게 결코 잊을 수 없는 치욕이자 한이 되었다.

손자 김용환에게도 큰 사건이다. 근데 그랬던 그가 파락호가 된 것이다. 학봉 종택 대대로 내려오는 전답 13만 평과 종택 등 현재 시가로 280억이 넘는 돈을 노름판에서 날린 것이다. 하지만 실은 노름판에서 날린 것처럼 해서 독립자금으로 보낸 것이다. 일제 감시를 벗어나기 위해 철저하게 노름꾼으로 위장한 것이다. 얼마나 완벽했는지 이 사실을 아는 사람은 아무도 없었다.

그는 1946년 죽을 때까지 그 사실을 함구한다. 최측근 하중환이 죽기 전 얘기하라고 했지만 그는 "안 되네. 새삼 그럴 필요가 없네. 이제는 독립도 되었고 다 내가 좋아서 한 일이고, 선비의 후손으로 당연히 할 일을 한 것이니 말하지 말게, 끝까지 비밀로 하게"라고 말했다. 하중환은 삼년상을 끝내는 마지막 날 제문을 지어 그의 독립운동 사실을 처음으로 밝힌다. 대단한 일이 아닐 수 없다. 광복 50주년이 되던 1995년 김용환 선생은 건국훈장을 추서받는다. 그러자 딸은 「우리 아배 참봉 나으리」란 제목의 시를 짓는다.

이 모든 것 저 모든 것 우리 아배 원망하며
별난 시집 사느라고 오만 간장 녹였더니
오늘에야 알고 보니 이 모든 것 저 모든 것
독립군 자금 위해 그 많던 천 석 재산 나 바쳐도 모자라서
하나뿐인 외동딸 시댁에서 농 사오라 보낸 농값
그것마저 바쳤구나

을유년 팔일오에 광복을 맞이하여
삼천리 금수강산 내 나라를 찾았어도
우리 아배 지난 이력 자랑 한번 아니하매
영문을 알지 못해 팔십 평생 살다 보니 이런 영광 보는구나
그러면 그렇지 우리 집이 어떤 집인데

우리 선조 학봉 할배 의병대장 서산 할배
왜놈이면 원수인데
왜놈에게 나라 뺏겨 우리나라 되찾는데
천 석인들 아까우랴 만 석인들 아까우랴
높은 뜻 알고 나면 어느 누가 원망하랴
자랑스런 우리 아배 학봉 종손 참봉 나으리

대단한 반전 스토리이다. 평생 파락호 소리를 들었던 김용환이 애국지사로 바뀐 것이다. 평생 그를 원망하던 딸이 아버지를 찬양하는 시를 지은 것이다. 이게 바로 희생정신이다. 나라를 위해 개인의 인생을 온전히 바친 희생정신이다. 희생정신을 표상하는 괘가 바로 박괘剝卦이다. 산지박山地剝이다.

산 아래 땅이 있다. 박괘는 벗겨내는 형국이다. 욕심을 채우면 불리하니, 자기 욕심을 채우는 것이 아니라 반대로 자기를 희생하고 버려야 영원한 생명을 얻는다는 것이 박괘이다. 줄기와 잎은 자신을 희생해서 꽃을 피우고 꽃은 열매를 위해 자신을 희생한다. 부모들의 희생으로 자식을 키우는 것도 비슷한 이치이다. 자식을 위한 어머니의 희생이 그렇다.

이 세상에 메시아는 없다. 어느 날 멋진 정치인이 나타나 썩어빠진 세상을 구해주는 그런 일은 쉽게 일어나지 않는다. 우리는 모두 자신을 제외한 모든 것이 문제라는 생각을 하고 있다. 하지만 정반대다. 우리 자신이 모든 문제의 원인일 수 있다. 또 변화시킬 수 있는 유일한 것도 자신밖에는 없다. 잃어버린 예의를 되찾는 것, 잘 나갈수록 겸손한 것, 후대를 위해 희생을 하는 것 등이 그것이다.

WHO LEADS THE FUTURE?

인생의 수많은
문제들에 대한
답을 찾는다!

2장

누가 이기는가

삶의 승부는 지치지 않는 부단함에서 난다

최고에게 한 가지씩만 배우자

난 보지 못하지만 옆 사람은 잘 보는 경우가 있다. 그때 옆 사람이 한마디 하면 결정적으로 도움이 된다. 골프가 그렇다. 나처럼 오랫동안 골프를 친 사람이 스윙을 바꾸기는 쉽지 않다. 하지만 캐디가 한 마디 해주는 것, 동반자의 원 포인트 레슨은 큰 도움이 된다. 경영도 그렇다. 다들 자신만의 방식이 있고 스타일이 있기 때문에 그들에게 이래라저래라 하기는 쉽지 않다. 하지만 고수들의 한마디를 듣고 그중 자신에게 맞는 것을 골라 적용하는 것은 가치가 있다. 고수들과의 인터뷰를 통해 그들의 노하우를 모은 책 『최고의 한 수』*를 소개한다.

---

* 박종세, 『최고의 한수』, 모멘텀, 2015

땀을 믿으면 흔들리지 않는다

배구감독 얘기로 시작한다. 삼성화재의 신치용 감독은 우승제조기이다. 그의 우승 비결은 시즌 시작 전에 있다. 살짝 그의 말을 들어본다. 근육이 기억하는 훈련을 해야 한다. 팀 훈련을 잘하는 동시에 개인적으로도 훈련해야 한다. 그는 매일 아침 6시 30분에 선수들 체중을 단다. 선수들 컨디션을 가장 잘 보여주는 것이 체중이기 때문이다. 만약 체중에서 500그램 이상 차이가 나면 밤에 무얼 했는지 물어본다.

승리를 위해서는 실수가 적어야 한다. 범실이 10개를 넘으면 이길 수 없다. 용병을 뽑을 때는 절실함이 있는지를 가장 먼저 본다. 일단 뽑은 뒤에는 용병이 팀을 위해 헌신하도록 노력한다. 그는 솔직함으로 소통한다. 에둘러 얘기하지 않고 직설적으로 말한다. "메뉴얼대로 해"라는 말을 많이 한다. 작전타임 때 처음에는 온갖 설명을 쏟아냈다. 근데 그게 아니었다. 선수들이 느끼도록 해줘야 한다고 생각했다. 일방적으로 시키는 데는 한계가 있다. 선수들 스스로 자신이 왜 배구를 하는지, 뭘 얻어야 하는지, 잘하려면 뭘 해야 하는지 깨닫고 자발적으로 해야 한다.

그는 선수 시절 유명하지 않았지만 레프트, 세터, 센터를 두루두루 모두 해 봤다. 그게 지도에 도움이 된다. 화려하게 자기 중심적으로 경기를 해보지 않아 선수들 심리도 잘 알고 있다. 잘하는 여섯 명도 중요하지만 일곱 번째, 여덟 번째, 아홉 번째 선수도 잘 다뤄야 한다. 웜업존 안에서는 시합을 다 볼 수 있다. 그들은 자칫 불만세력이 될 수도 있기 때문에 관리가 중요하다. 그들은 뛸 수도 있고 뛰지 못할 수도 있다. 그러므로 보듬고 다독이고 밀어주어야 한다. 난 땀을 믿는다는 의미의 신한불란信汗不亂이란 말을 좋아한다. 땀을 믿으면 흔들리지 않는다. 경기 전 훈련이 미래를 결정한다. 그래서 미래에 철저히 대비해야 한다.

출발선의 작은 차이가 큰 차이로 연결된다

『티핑 포인트』『아웃라이어』의 저자 말콤 글래드웰은 세상을 다른 눈으로 본다. 매우 독특한 시각을 갖고 있다. 그는 권위주의에 대해 비판적이다. 대한항공의 괌 추락사고가 조종실 내 권위주의 때문이라는 진단을 내렸지만 처리해야 할 정보가 적고 많은 결정을 할 필요가 없을 때는 권위적인 문화가 필요하다는 것이다. 미국의 시티은행이 부패한 것은 역시 기업문화가 문제라는 것이다. 적절한 리스크 관리에 대한 인식이 없고 직원들은 조직의 이익 대신 개인의 이익에 따라 움직였는데 이럴 때는 권위적 모델이 필요했다는 것이다.

그는 『아웃라이어』에서 "무릇 있는 자는 받아 풍족하게 되고 없는 자는 그 있는 것까지 빼앗기리라"는 마태의 법칙을 주장한다. 캐나다 아이스하키 선수 중에는 1, 2월생이 압도적으로 많은데 빨리 태어난 아이는 체격이 크고 운동선수로 뽑힐 확률이 높기 때문이다. 운동선수로 뽑히면 대회 출전기회가 많아지면서 그러면서 경기를 더 잘할 수밖에 없다. 출발선의 작은 차이가 큰 차이로 연결되는 것이다. 그래서 사람들에게 성급하게 실패 딱지를 붙여서는 안 된다. 누구나 재능과 가능성을 꾸준히 계발할 수 있는 여건과 문화를 조성해야 한다.

자수성가했다고 떠드는 사람도 잘 들여다보면 사실은 자수성가가 아닌 경우가 많다. 형과 아버지가 미국 대통령이었고 할아버지가 상원의원이던 젭 부시 플로리다 주지사조차 자신이 자수성가했다고 말한다. 그들은 대부분 다른 사람의 도움으로 성공한 것이다. 성공이란 것은 개인 노력보다 그룹 프로젝트인 경우가 많다. 유전자보다 환경적 요인이 더 크다. 빌 게이츠나 마크 저커버그의 성장에는 남보다 유리한 환경을 제공해준 부모가 있다. 성공은 저절로 얻어지는 게 아니다. 성공하려면 많은 사람이 여러 차원에서 적극 개입해 도와야 한다.

아이디어는 머리가 아닌 손에서 나온다

팀 브라운 IDEO 대표의 얘기는 어떨까? 아이디어는 머리가 아닌 손에서 나온다. 머리보다는 발, 눈, 손으로 생각해야 한다. 그래서 브레인스토밍하다 아이디어가 떠오르면 현장에 있는 물건을 활용해 즉석에서 프로토타입을 만들어본다. 그가 생각하는 대표의 역할은 심플하다. 비전과 가치를 제공하는 것, 조직을 외부 기대에 부응하게 하는 것, 예측하기 어려운 미래의 불확실성을 이해하는 것, 역량과 신뢰를 증대하는 것 등이다.

그가 생각하는 디자인적 사고의 5단계도 알아두면 도움이 된다. 첫째는 관찰이다. 미행하기, 행위맵핑, 소비지 여정 쫓아가기, 카메라 일기, 극단적 사용자 인터뷰, 스토리텔링, 다양한 의견수렴 등의 방법이 있다. 둘째는 브레인스토밍이다. 판단을 늦추고 나의 아이디어를 발전시키는 것이다. 거친 아이디어도 장려하고 쓰고 그린다. 많을수록 좋지만 주제를 벗어나면 안 된다.

셋째는 프로토타입을 만들어보는 것이다. 뭐든 만들어보라. 비디오를 이용하라. 시나리오를 만들고 직접 몸으로 체험하라 등이 키워드이다. 넷째는 가능성이 적은 아이디어를 솎아내는 과정이다. 초점에 맞춰 시험용 모델을 만들고 최적의 해답을 찾는 과정이다. 최종 후보 선정 과정에는 고객도 적극 참여시킨다. 마지막은 실행이다. 그러고 보면 디자인에서도 머리보다는 손과 발을 믿고 아이디어를 눈에 보이는 것으로 만들어보는 프로세스가 중요하다.

자신이 잘 아는 분야에 있는 작은 기회를 활용하라

제임스 챔피는 리엔지니어링 전문가다. 그는 20년 전보다 지금 리엔지니어링이 더 유효하다고 주장한다. 1999년 취미로 승마를 즐기던 베키 마이나드가 말을 산다. 그 말은 영양상태가 나쁘고 눈병까지 앓고 있었다. 말을 진단한 수의사는 약과 영양보조제를 먹이라고 했다. 하지만 말은 낫지 않았다. 돌봐야 할 말이 많았던 마구간 관리자가 약을 정확히 주지 못했기 때문이다. 먹이를 줄 때마다 다른 약이 든 100가지 약통을 열어 정확한 양을 주어야 하는데 쉽지 않아 착오가 많았던 것이다. 그는 말에게 먹일 약과 영양제를 배송하는 스마트팩이란 회사를 창업했다. 말 목장에서 약과 영양제를 인터넷으로 주문하면 하루 복용량을 개별 포장해 정기적으로 발송했다.

많은 기업인들이 새로운 먹거리를 찾아 여러 곳을 헤매고 있다. 근데 그럴 때 이해하지 못하는 비즈니스에는 진출하면 안 된다. 작은 기회를 무시해도 안 된다. 아이디어 실용화에 성공한 기업은 모두 자신이 잘 아는 분야에 있는 작은 기회를 잘 활용했다. 중요한 것은 모든 신성장동력은 시간이 걸린다는 것이다. 새로운 아이디어를 발굴해 성장시키려면 몇 년은 걸린다. 근데 대부분 기업이 1, 2년 내 성과가 나지 않으면 사업을 접는다. 성장은 작게 시작할 수밖에 없는 속성이 있다.

누구에게나 잠재력이 있고 해답은 그 사람 내부에 있다

존 휘트모어는 코칭 전문가이다. 코칭을 통한 변화를 주장한다. 성과 뒤에는 일과 조직에 만족하는 개인이 있다. 테니스를 할 때 내 머릿속 적이 네트 건너편 적보다 훨씬 무섭고 위협적이다. 중요한 시합에서 질지도 모른다고 생각하면 몸이 굳고 두려움에 빠진다. 코칭의 목표는 정신적 불안감이 성과를 방해하지 않도록 하는 데 있다. 사람 모두가 지금보다 더 잘할 수 있는 잠재력이 있음을 믿는 것이다. 그런 잠재력을 발휘하려면 외부에서 밀어 넣을 게 아니라 억누르는 뚜껑을 열어 안에서 밖으로 흘러나오게 해야 한다. 여기서 뚜껑은 성과를 방해하는 정신적 불안이다. 이게 코칭과 가르침의 차이다. 가르침은 뭔가를 안으로 밀어넣는 것이고 코칭은 안에서 밖으로 끄집어내는 것이다.

코치는 개인의 현재 모습을 진단하고 의사결정에 힘을 실어주거나 문제를 해결하도록 지원한다. 코칭의 핵심은 의식Awareness과 책임Responsibility이다. 어떤 사안에 대해 통찰력과 의식을 발휘함으로써 스스로 해법을 찾아내고 그것을 책임지게 하는 것이다. 일방적으로 지시하고 조언하면 직원들 의식에 진전이 없는 것은 물론 책임은 상사에게 있고 직원은 시키는 대로만 하는 수준에 머문다. 메리케이 화장품의 매리 케이 애시 회장은 이렇게 말한다.

"상사가 아무리 훌륭하고 면밀한 계획을 제시해도 부하직원에게는 하나의 지시일 뿐이다. 하지만 처음부터 직원이 아이디어에 이바지하게 하면 그 일은 직원의 사명이 된다. 어떤 문제가 발생했을 때부하직원을 질책하고 훈계하면 상사는 속이 시원하고 자신이 뭔가 중요한 역할을 한 것처럼 느끼는데 이는 심리적으로 자신의 에고를 충족시켰기 때문이다."

코칭은 상대를 무언가 결함이 있는 존재가 아닌 잠재력이 풍부한 인간으로 보는 데서 출발한다. 누구에게나 잠재력이 있고 필요한 해답은 그 사람 내부에 있다. 그러나 그 해답을 이끌어내는 데는 파트너가 필요하다.

경기가 좋지 않을 때 많은 경영자들은 지금 회사가 얼마나 힘든지를 알리는 데 많은 에너지를 쓴다. 자신이 느끼는 온도와 직원이 느끼는 온도 차 때문에 답답해하기도 한다. 근데 위기감 조성을 어떻게 해야 할까? 존 코터는 올바른 방법으로 위기감 조성을 해야 한다고 주장한다. 잘못된 위기감은 무사안일보다 나쁘다는 것이다. 무엇이 진정한 위기감일까? 위기감 조성을 통해 무엇을 얻고자 하는가? 위기를 통해 더 많은 기회를 보는 것이 제대로 된 위기감 조성이다.

잘못된 위기감은 위기 속에서 두려움과 공포를 보고 거기에 압도당하는 것이다. 지나친 공포는 사람을 주눅 들게 하고 여유를 빼앗는다. 진정한 위기감을 느끼면 위기의 실체를 현실적으로 파악하는 데 주력하고 그 속에 있는 틈새와 기회에 주목한다. 이에 따라 일정 수준의 안도감과 안정감 속에서 미래를 더 차분하고 정확하게 볼 여유를 찾는다. 진정한 위기감은 그런 최소한의 안도감을 확보하는 것이다. 위기감 자체를 부인하는 것이 아니다. 위기감을 정확히 정의내리는 것이 올바른 변화를 이끌어내는 데 필수적이다.

변화의 출발점은 위기감을 공유하는 것인데 그게 제일 힘들다. 위기감을 공유하기는 절대 쉽지 않다. 위기감은 높이되 공포감을 앞세운 위기감은 경계해야 한다. 자주 불타는 갑판 얘기를 하는데 이는 위험하다. 관객이 꽉 찬 극장에 불이 난 것과 비유할 수 있다. 극장 뒤편에서 누군가 갑자기 "불이야"라고 소리를 지르면 어떤 일이 벌어질까? 아수라장이 되면서 깔려 죽는 사람이 발생할 것이다. 조직을 일깨웠다면 곧바로 두려움을 긍정적인 힘으로 바꾸어 주어야 한다.

아이들에게는 잠재력이 있고 또 그것을 달성할 힘이 있다

KIPP knowledge is power program와 TFA는 현재 미국교육을 바꾸는 두 축이다. KIPP는 저소득층 학생들을 학교에서 더 많이 공부시키자는 운동이다. 5학년 교사였던 마이크 파인버그와 데이브 레빈이 1994년 휴스턴 중학교에서 처음 실행했다. 그들의 목표는 간단하다.

"배움엔 지름길이 없다. 열심히 가르치고 열심히 공부하게 하는 수업밖에 없다."

그들은 대부분 차터스쿨이다. 공립학교이면서 교과 과정과 운영에서 자율성을 인정받는 일종의 대안학교이다. 그들은 교사개혁에 중점을 두고 있다. 교장은 교사를 뽑고 해고할 권한이 있다. 그들의 가장 중요한 업무는 훌륭한 교사 물색과 엉터리 교사 퇴출이다. 현장은 에너지로 넘친다. 거의 12시간을 학교에서 보내지만 다들 재미있어한다.

그들의 또 다른 목표는 "남을 돕고 규칙을 지키는 시민"이 되는 것이다. 7년간 학생들이 싸운 것은 단 한 차례뿐이다. 규칙을 어긴 학생에겐 정학처분을 내리지만 그저 노란색 셔츠를 입힐 뿐 똑같이 공부한다. 단, 정학 중에는 누구도 그 학생에게 말을 걸어서는 안 된다. 그들은 학생이 스스로 해법을 발견할 때까지 기다린다. 다소 시간이 걸리더라도 학생 스스로 창의적인 방법을 동원하고 시행착오를 통해 배우도록 한다.

또 다른 축은 TFATeach for America이다. 교사들의 평화봉사단을 만들어 빈민지역 공립학교에서 가르치는 것이다. 1990년 프린스턴 대학 졸업반 웬디 코프가 만들었다. 엄격한 심사를 거쳐 선발된 명문대 졸업생들은 5주간 집중훈련을 받고 미국 내에서 가장 가난한 지역에 배치돼 2년간 학생을 가르친다. 연봉이 적은데도 무려 10대 1의 경쟁을 보인다. 왜 그럴까? 여기에서의 경험은 학생뿐 아니라 교사의 인생도 근본적으로 바꿔놓는다.

공교육 개혁 바람을 일으킨 미셸 리는 여기서 일한 경험이 자신의 신념을 굳게 했다고 고백한다. 아이들에게는 잠재력이 있고 또 그것을 달성할 수 있다. 문제는 아이가 아닌 어른이다. 고된 노력은 마술이다. 그들은 기부금을 모아 예산을 확보하는데 그중 75퍼센트는 뛰어나고 열정적인 선생을 원하는 커뮤니티에서 제공한다. 명문대생들이 모이는 이유는 큰 변화를 만들고 싶어하는 열망 때문이다. 교육 불평등을 해결하는 것이 가장 중요한 시민운동이라고 생각한다. 그들은 이렇게 말한다.

"여러분의 에너지를 큰 변화를 일으킬 수 있는 이 일에 쓰라."

그들은 데이터에 따라 경영한다. 연구원들은 교사평가회의를 주재하고 각종 설문조사와 인터뷰를 하며 교사와 지원팀 간 반성회의도 정기적으로 한다. 가장 효과적인 교수법을 위해 학생들의 학습 관련 데이터를 분석해 교실에서 어떤 일이 벌어지는지 연구한다.

그뿐 아니다. 교실에서 학생과 교수들이 실제 상호작용하는 모습을 찍은 비디오를 활용해 교수법을 생생하게 보여준다. 자신을 반성하고 나은 교수법을 습득하려고 노력한다. 그들은 지독한 데이터 지향이다. 무엇이 제대로 돌아가고 무엇이 그렇지 못한지 매년 모델과 프로세스를 바꾼다.

 신중하게 뽑고 일단 채용했다면 믿고 맡겨라

스탠포드의 제프리 페퍼 교수는 인사전문가이다. 그는 채용의 중요성을 강조한다. 뽑을 때는 신중하게 뽑고 일단 채용했으면 믿고 과감하게 맡기라는 것이다. 이병철 회장의 인사 철학 "의심되면 뽑지 말고 뽑았으면 과감하게 쓰라는" 것과 일치한다. 그는 늘 사실과 증거에 기반을 둬서 얘기할 것을 주장한다. 사실과 증거를 토대로 하지 않은 모든 정의와 가설에 반기를 든다. 쉽게 구조 조정하는 미국 기업인들에게 감원의 두려움을 없애고 안정적인 직장을 만들 것을 주문한다. 가능한 채용한 직원은 오랫동안 붙들어두라는 것이다. 대신 채용단계부터 회사 문화에 맞는 사람을 신중하게 고르고 일단 채용하면 직원에게 권한을 위임해 자율성과 창의성을 발휘하게 하라는 것이다.

대표적인 회사가 SAS인스티튜트란 소프트웨어 회사이다. 이 회사는 스톡옵션과 인센티브를 제공하지 않지만 놀라운 성과를 보인다. 초과근무, 해고, 정년은 없고 직장 내 아기뿐 아니라 노인을 위한 보호시설까지 있다. 퇴근 시간을 정확히 지킨다. 지식노동자의 수요는 매우 높다. 일하기 좋은 직장이라고 소문이 나도 특정한 사람을 뽑는 데 어려움을 겪는다. 훌륭한 인재를 채용하는 일은 쉽지 않다. 이들을 뽑으려는 것은 그들이 회사에 혜택을 주기 때문이다. 일하고 싶은 100대 기업 상위에 있는 기업 주식을 사두면 실패하지 않는다. 재무제표는 볼 필요도 없다.

좋은 리더가 되려면 유명세를 조심해야 한다. 엉뚱한 곳에 시간을 빼앗길 수도 있고 자칫 구설에 휘말리기도 쉽기 때문이다. 미국에선 운동선수들이 『스포츠일러스트레이티드』란 잡지에 등장한 뒤 좋은 않은 일이 생기는 걸 두고 스포츠일러스트레이티드의 저주라고 한다. 『포천』의 저주도 있을 수 있다. 『포천』의 표지모델로 등장한 뒤 나쁜 일이 생길 수 있다는 말이다.

그렇다면 좋은 리더의 특징은 무엇일까? 첫째, 진실을 말하는 것이다. 이는 생각보다 어렵다. 대부분 CEO는 거짓말을 잘한다. 요즘 어떠냐고 물으면 매우 잘하고 있다고 하고 감원하지 않을 것이라고 답한다. 하지만 현실은 그렇지 않다. 둘째, 모를 때 아는 척 꾸미지 말아야 한다. 아는 것은 안다고 하고 모르는 것은 모른다고 당당하게 밝혀야 한다. 정직이 최선의 정책이다.

셋째, 인간 중심의 핵심 가치체계를 갖고 있어야 한다. 부즈앨런해밀턴 보고서를 따르면 비싼 돈을 들여 영입한 CEO는 대부분 오래가지 못한다. 도요타에서 10년간 일하다 최근 미국 트럭회사로 옮긴 사람에게 뭘 배웠느냐고 묻자 이렇게 말한다. "그 친구들은 스마트하지 않아요. 그게 성공의 비밀입니다"고. 이건 시스템으로 움직인다는 말이다. 평범한 사람들이 비범한 결과를 만들고 있다면 그건 시스템으로 움직인다는 것이다. 많은 경우 비범한 사람들이 아무 결과를 내지 못한다. 시스템이 없기 때문이다. 좋은 사람을 뽑는 것 못지않게 그 사람들이 성과를 낼 수 있는 시스템 구축이 중요하다.

돈 댑스콧은 협업의 중요성을 강조한다. 그는 늘 이렇게 말한다. "협업하거나 망하거나Collaborate or Perish." 보통 신차 개발에는 수천억의 개발비가 든다. 개발과정도 철저하게 숨긴다. 가끔 길에서 천막 같은 걸로 두른 차는 대부분 개발과정 중인 차다. 사막 경주용 자동차 랠리파이터는 반대의 과정을 거친다. 이 차를 만드는 로컬모터스는 직원이 열두 명뿐이다. 컨베이어도 조립로봇도 없다. 조금 큰 차고에서 일일이 수작업으로 차량을 조립한다.

심지어 자동차를 구매한 소비자가 직접 공장에 들러 회사의 엔지니어들과 함께 자동차를 조립한다. 웹사이트에는 수많은 디자이너와 엔지니어가 숱한 아이디어를 낸다. 18개월이 안 되는 기간에 전 세계에 흩어진 500여 명의 인원이 온오프라인에서 협업을 통해 만들었다. 이 회사는 협업을 통해 혁신을 이루었다. 보잉도 그렇다. 보잉은 단순한 비행기 제조업체가 아니다. 그들은 단순 제조에서 시스템 통합자로 변신했다. 주요 부품을 가장 잘하는 회사가 각자 만들고 보잉은 전체적인 지휘와 통합만 한다.

요즘 같이 복잡하고 급변하는 세상에서 모든 것을 내가 다 하고 다른 사람이 개발한 것은 무시하는 NIHNot Invented Here는 더는 통하지 않는다. 대신 많은 것을 공유하고 다른 사람의 아이디어를 중시하는 PFEProudly Found Elsewhere가 대세이다. 내부 인력이 했든 외부인이 했든 관계없이 보상해준다. 그게 문화이다. 이를 성공적으로 적용한 기업은 P&G, BMW, 골드코프 등이다. 이 중 어느 것이 당신의 가슴을 울렸는가? 울린 것이 있다면 당장 적용해보길 권한다. 그게 신의 한 수가 되길 희망한다.

밖을 보기에 앞서
자신을 돌아보라

사람은 자기 그릇 사이즈만큼 산다. 조직은 그 조직을 다스리는 수장의 그릇만큼 성장한다. 누구도 부인할 수 없는 사실이다. 그래서 뭔가 문제가 생겼을 때는 밖을 보기에 앞서 자신을 돌아볼 수 있어야 한다. 남 탓을 하기 전에 자신에게 무슨 하자가 없는지를 살필 수 있어야 한다. 동양은 예로부터 수신제가 치국평천하를 금과옥조로 생각했다. 자신을 갈고닦고 가정을 잘 다스린 후 천하에 나가 일을 해야 한다는 의미이다. 참으로 옳은 말이다. 이것이 반대로 되면 비극이다.

자신을 갈고닦아 자기 그릇 사이즈를 키워라

자기 몸 하나 제대로 닦지 못하는 사람이 사람을 이끌고 조직을 다스리겠다고 나서면 서로에게 불행한 일들이 생긴다. 그런 면에서 수신만큼 중요한 건 없다. 자신을 갈고닦아 자기 그릇 사이즈를 키우는 것을 말한다. 그런 것을 다룬 책이 중국인 팡차오우이가 쓴 『나를 지켜낸다는 것』*이다. 동양학 고전에서 수신 관련 내용만을 뽑아 정리한 책이다. 아홉 가지 영역으로 나누어 설명한다. 수정, 존양, 자성, 정성, 치심, 신독, 주경, 근언, 치성이 그것이다.

수정, 고요히 앉아 마음속을 들여다보아라

첫째, 수정守靜이다. 수정은 고요히 앉아 마음속을 들여다보는 힘을 뜻한다. 현대인은 너나 할 것 없이 바쁘지만 마음은 늘 불안하다. 혼자 있는 시간을 견디지 못한다. 고요함을 힘들어한다. 하지만 사람은 혼자 있을 때 발전한다. 늘 사람들과 어울려 지내고 혼자만의 시간을 갖지 못하는 사람은 발전하지 못한다. 잔잔한 물에서만 달과 별을 볼 수 있는 것처럼 마음이 평온해야 인생의 오묘한 이치를 깨달을 수 있다. 정좌靜坐와 정양靜養은 학문의 필수과정이다. 조용하게 차분히 앉아 있을 수 있어야 한다. 이것이 수양의 기본이다.

장자는 허정虛靜을 추앙했다. 텅 비어 고요하고 욕심 없이 담박하며 적막하게 아무것도 하지 않는 것을 말한다. 성인은 허정을 통과해야 비로소 작은 사물도 통찰할 수 있는 경지에 이른다. 주희도 하

---

* 팡차오후이, 『나를 지켜낸다는 것』, 박찬철 옮김, 위즈덤하우스, 2014

루의 반은 책을 읽고 반은 정좌해야 한다고 주장했다. 초학자는 먼저 정좌를 하고 일정 시간이 흘러 마음이 안정되기를 기다린 후 성찰극치를 가르쳐야 한다. 왕양명의 학문법이다.

고요함 뒤에 안정이 오며 안정해야 생각할 수 있고 생각해야 얻을 수 있다. 정靜, 안安, 여慮, 득得이다. 진정한 평안이란 마음이 평온해지는 것이다. 정靜은 생명의 근본이고 동動은 근본의 확장이다. 움직임이 극에 이르면 고요해지고 고요함이 극에 이르면 다시 움직임이 생기고 한 번의 움직임과 고요함이 서로 뿌리가 된다. 동만 있고 정이 없으면 생명의 근본을 잃는 것이다. 움직이기 위해서는 쉬어야 하고, 쉬어야 움직일 수 있다.

늘 텔레비전을 틀어놓고 지내는 사람이 있다. 차에는 늘 라디오가 켜져 있는 사람도 있다. 등산할 때도 라디오를 목에 걸고 무언가를 틀어놓고 산을 오르는 사람이 있다. 잠시의 침묵도 견디지 못하고 무슨 얘기라도 해야 하는 사람이 있다. 왜 그럴까? 조용함을 견디지 못하기 때문이다. 왜 조용함을 못 견딜까? 자신과 마주 대하기가 두렵거나 자신이 처한 현실을 직면하는 것이 불편하기 때문이다. 그래서는 수신을 할 수 없다. 수신은 자신을 들여다보는 것에서 출발한다. 조용한 곳에서 가만히 앉아 마음을 들여다볼 수 있어야 한다.

정좌는 단순히 가만히 앉아 있는 걸 뜻하지 않는다. 한가롭게 쉬는 것이 아니라 안으로 힘을 쓰는 과정이다. 정좌 전 마음의 준비를 하고 일정한 목표를 갖는 것이 좋다. 자기 마음을 어떻게 안정시킬 것인지, 내 문제가 뭐고 이 문제를 어떻게 극복할 것인지 등등. 수신은 정좌만으로는 해결되지 않는다. 하지만 정좌의 습관을 지니면 분명 도움이 된다.

존양, 마음을 쏟아 자신을 길러라

둘째, 존양存養이다. 마음을 쏟아 자신을 기르는 힘을 뜻한다. 생명은 목적 실현을 위한 수단이 아니라 목적 그 자체다. 양생養生은 생명을 보존하고 생명에 양식을 공급하는 행위이다. 양생은 생명의 리듬을 파악하고 심신이 조화로운 상태를 유지하게 하는 것이다. 존양이란 존기심存其心 양기성養其性에서 나온 말이다. 존은 보존한다는 뜻이고 양은 양생한다는 뜻이다. 말, 행동, 음식, 생활 모두에는 심오한 양생의 원리가 포함되어 있다. 양생의 도를 이해하면 지금 같이 과도하게 소진하는 삶의 방식을 선택하지 않는다. 한계를 넘어서는 일로 건강을 해치지도 않는다. 옛사람들은 수련을 통해 생명의 리듬을 파악하여 심신의 조화를 꾀하고 몸을 쾌적하게 하며 성정을 온화하게 했다.

수신 중 하나는 수양이다. 수양이란 수修와 양養 두 글자의 합이다. 수는 수신修身, 수기修己 등 자신을 갈고닦아 인격을 가다듬고 연마하는 것을 의미한다. 양은 존양, 양심, 양성인데 본뜻은 음식물을 공양하는 것이다. 양羊과 식食으로 구성되어 있다. 인격 성장은 생명의 성장과 같은 원리다. 충분한 시간과 과정이 필요하고 항심과 의지력이 필요하다. 아이를 키우려면 의식주가 필요하고 인내심이 필요하고 시간이 필요하다. 갑자기 세 살짜리 어린애가 20세 성인이 될 수는 없다. 이상적 상태에 도달하려면 시간과 인내가 필요하다. 순차적이고 점진적으로 성장해야 한다. 병도 그렇고 인격도 그렇다. 맹자는 말했다.

"진실로 잘 기르면 자라지 않는 것이 없고, 진실로 기르지 않고 내버려두면 사그라지지 않는 것이 없다."

마음을 다스리는 것은 존심存心이고 양심養心이다. 존심은 마음을 보존하는 것이다. 의식적으로 붙잡아 잃지 않으려는 행위다. 양심은 마음에 영양분을 공급하는 것이다. 존심과 양심의 목표는 건전한 인격 배양이다. 핵심은 습관이다. 습관은 오랫동안 형성되었기 때문에 하루아침에 어떻게 할 수 없다. 날마다 조금씩 고쳐야 한다. 그래서 양이 필요하다. 자기 마음을 한 그루 나무로 여기고 키우고 기르는 법을 배워야 한다.

양에는 두 가지가 있다. 자신을 기른다는 의미의 양기養己와 남을 기른다는 의미의 양인養人이다. 나를 기르고 남을 기른다는 의미이다. 이상적인 인간관계를 위한 전제는 이선양인以善養人이다. 선善으로써 다른 사람을 기르는 것을 뜻한다. 선으로써 사람을 복종시킨다는 이선복인以善服人이 아니다. 남을 억지로 굴복시킬 수는 없다. 마음이 움직여 자발적으로 추종할 수 있어야 한다. 결코 쉬운 일이 아니다.

화化는 사람에게 영향을 미친다는 뜻이다. 바람처럼 부드럽게 사람을 다스리는 법이다. 교화敎化가 그렇다. 화는 한 사람은 서 있고 다른 사람은 거꾸로 서 있는 글자에서 유래했다. 사람은 교육을 통해 변화한다. 인격이 높은 사람은 자연스럽게 타인을 교화시킨다. 풍화는 강제와 억지 없이 서서히 부지불식간에 변화되는 것을 가리킨다. 다른 사람에게 좋은 영향을 끼치면 마치 봄바람을 맞는 것처럼 함께 있던 사람들에게 부지불식간 변화가 발생하는데 이것이 화의 과정이다. 군자의 이상적 인간관계는 자신의 인격을 통해 새로운 생명을 양육하는 과정이다.

자성,
나를 허물고 한계를 뛰어넘어라

셋째, 자성自省이다. 나를 허물고 한계를 뛰어넘는 힘이다. 하루 세 번 반성하라. 그러면 나아질 수 있다. 자신을 돌아보는 현대인은 별로 없다. 바쁘기 때문이다. 의미 있는 인생을 살기 위해서는 자신을 돌아볼 수 있어야 한다. 바쁜 생활 속에서도 짬을 내어 자신을 반성하고 점검할 수 있다면 잘못을 저지를 확률은 줄어든다. 병은 남이 보지 못하는 곳에서 생기지만, 남들이 볼 수 있는 곳으로 드러난다. 밝은 곳에서 죄를 얻지 않으려면 어두운 곳에서 죄를 짓지 말아야 한다. 문제의 근원은 마음속 깊은 곳에 숨어 있으며 그것이 드러날 때쯤이면 문제는 이미 걷잡을 수 없이 커진 후이다. 그래서 수시로 내 마음을 들여다볼 수 있어야 한다.

"눈이 흐려져서 눈앞이 어른거릴 때는 무엇을 보아도 잘못 보게 되고, 귀에 병이 있어 귀 울림이 있을 때는 무엇을 듣더라도 잘못 듣게 된다. 어떤 사물에 대한 선입견이 있을 때는 무엇을 처리하든 잘못 생각을 하게 된다. 즉 마음이 비어 있지 않고 선입견으로 가득 차게 되면 자연히 자신의 문제를 제대로 볼 수 없고 마음속 병의 근원을 발견할 수 없다는 것이다."

명대 유학자 여곤이 신음어에서 한 말이다.

정성,
고난 속에서 나를 지켜라

넷째, 정성定性이다. 고난 속에서 나를 지키는 힘이다. 현대인은 탈진burnout에 시달린다. 탈진은 개인의 능력과 자원을 넘어서는 외부 세계의 과도한 요구에 시달릴 때 나타난다. 몸과 마음이 무너지면서 의욕상실, 무관심, 성취감 저하 등의 현상으로 나타난다. 정성은 고난 속에서 나를 지키는 힘이다. 정신없이 바쁜 와중에도 태연자약하고 흔들리지 않는 심성을 유지할 수 있는가에 대한 것이다. 이를 위해서는 멈춤이 필요하다. 멈춤이 있어야 정함이 있다.

현대인은 멈춤을 알지 못한다. 인생의 네 가지 덫을 조심해야 한다. 재색명위財色名位가 그것이다. 번뇌는 주로 이 네 가지로부터 나온다. 첫째, 재물이다. 사람은 재물 때문에 죽고 새는 먹이 때문에 죽는다. 사기에 나오는 말이다. 둘째, 색이다. 살면서 남녀관계와 애정문제는 회피할 수 없는 문제이다. 셋째, 명이다. 유명해지고 싶어하는 심리를 말한다. 누구나 어느 정도 명리를 추구한다. 넷째, 위치이다. 직위, 지위, 신분을 말한다. 한 자리 차지하고 싶은 욕구이다.

유가는 이를 거부하라고 주장하지 않는다. 다만 적절하게 대응하라고 말한다. 욕망을 다스리지 못하면 결국 자신이 상한다. 먹고 마시지 않고 살 수는 없다. 먹고 마시는 것과 폭음과 폭식은 다른 얘기이다. 핵심은 절제다. 재색명위도 같은 맥락에서 생각해야 한다. 기업 경영을 위해서는 현실적 문제와 대면하지 않을 수 없다. 이를 해결하기 위해서는 절제하고 일을 통해 갈고닦는 재사상마在事上磨의 자세가 필요하다. 일을 통해 갈고닦는다는 말이다.

치심,
자신을 살펴 하늘의 기운을 얻어라

다섯째, 치심治心이다. 자신을 살펴 하늘의 기운을 얻는 힘이다. 성공을 위해 자유를 포기한 사람들이 있다. 심장질환으로 사망률이 급격하게 상승하게 된다. 몸만 피로한 것이 아니라 마음의 피로는 훨씬 심각하다. 슈퍼맨 증후군이다. 남에게 뒤지지 않으려는 심리가 마치 전갈처럼 매 순간 엘리트들의 정신을 물어뜯고 심신을 고달프게 한다.

"마음이 편안하면 누추한 집도 평온하고 정서가 안정되면 나물국도 향기롭다. 세상 일이란 고요한 가운데 바야흐로 드러나고 사람의 정이란 담백한 가운데 비로소 자라난다."

『명심보감』에 나온 말이다. 안정된 마음으로 살펴야 인생의 오묘함을 깨달을 수 있다. 명리를 위해 몸을 희생하고 정신을 소모하느니 마음을 고요히 하고 자신이 진정 좋아하는 일을 하는 것이 낫다.

배움의 목표는 잃어버린 마음을 찾는 것이다. 어느 사회나 생존 스트레스와 격렬한 경쟁이 있다. 다만 똑같은 상황에서 다른 처리 방식을 갖고 있을 뿐이다. 속세를 벗어나 안빈낙도하라는 게 아니다. 바쁜 속에서 좋은 심성을 유지하고 유유자적하고 초탈한 마음으로 일할 수 있어야 진정한 성취를 이룰 수 있다는 것이다. 마음이 왜 피로한지 분석해보라. 대부분 근심을 떨쳐 버리지 못하기 때문이다. 근심을 버리지 못하는 건 세속적인 욕망과 스트레스 때문이다. 본심을 잃었기 때문이다. 학문의 목표는 본심을 다시 찾는 데 있다.

"사람이 닭이나 개를 잃어버리면 곧 찾을 줄 아나 잃어버린 마음은 찾을 줄 모른다. 학문의 도는 다른 것이 아니다. 그 잃어버린 마음을 찾는 것뿐이다."

맹자가 주장하는 구방심求放心이다. 방심은 잃어버린 마음이다. 학문의 도는 다른 것이 아니라 잃어버린 마음을 찾는 것이다.

신독,
철저하게 자신과 마주하라

여섯 번째, 신독愼獨이다. 철저하게 자신과 마주하는 일이다. 현대인의 병은 혼자 있지 못하는 데서 유래한다. 혼자 있는 시간도 없고 혼자 있어도 자신과 대면하지 않는다. 당연히 자기 내면세계에 대해 진지하고 꼼꼼하게 반성하지 않는다. 내면의 문제를 그때그때 해결하지 못한다. 어린 시절부터 오냐오냐 자라왔고 모든 일이 순조로웠다. 시간이 흐르면서 문제가 생겨 스스로 선택할 시기가 됐을 때는 이를 직접 대면할 능력이 없다. 현실적 욕망에 밀려 인생의 진실한 방향을 잊어버린 것이다. 『중용中庸』에서 중中의 의미는 불편불의不偏不倚이다. 어디에도 치우치지 않는 것이다. 용庸은 보편적 도리와 원리를 뜻한다. 중은 고요함을 나타낸다. 마음에 사사로움과 욕심이 없으면 인성의 진실한 본원이 드러난다.

신독은 중용, 대학, 순자 등에 나오는 말이다. 남들이 알지 못하지만 자신만 아는 내면세계를 대할 때 신중해야 한다는 뜻이다. 사람의 생명에는 축양畜養이 있어야 한다. 모으고 기르는 것이다. 어둠 속에서 은밀히 힘을 기르고 정신을 모으고 기르는 것이 신독이다. 벌레는 앞으로 나가기 위해 먼저 자기 몸을 수축한다. 뱀은 겨울잠을 자야 다음 해에 활동할 수 있다. 활발한 정신적 활동을 위해서는 혼자만의 시간이 필요하다. 혼자 돌아보고 힘을 기르고 생각해야 한다. 정신적 축양이 신독이다.

주경,
나를 아끼고 사랑하라

일곱 번째, 주경主敬이다. 나를 아끼고 사랑하는 힘이다. 선善을 행하기 위해서는 주경 사상을 이해하면 된다. 주경이란 생명에 대한 경외심을 뜻한다. 타인에 대해 항상 경외하는 마음을 품고 자기 결점에 대해서는 걱정과 두려움을 갖는 것을 말한다. 사람은 잘 나갈 때 조심해야 한다. 잘 나가는 사람은 아집이 강하다. 자신만을 중시한다. 자기 외에 다른 사람은 눈에 들어오지 않는다. 미운털이 박히기 시작하면서 다른 사람의 표적이 된다. 늘 앞서고자 하는 사람에게는 반드시 그를 밀치는 사람이 있고 사사건건 이기고자 하는 사람에게는 반드시 그를 좌절시키는 사람이 있게 마련이다.

주경사상은 모든 사람을 고객으로 생각하는 사상이다. 문 밖을 나서면 모두가 고객이고 스승이다. 집 밖에 나가 누군가를 만나면 그가 고관대작이든 평범한 백성이든 귀빈을 대하듯 공경하라. 한 지역을 다스리는 관리가 되어 백성을 이끌 때 초심을 잃지 말고 큰 제사를 지낼 때 엄숙하고 진지하게 하듯이 조금도 소홀함 없이 책임을 다하라. 그게 생명을 경외하는 공자의 사상이다.

근언,
절제하여 신뢰를 잃지 마라

여덟 번째, 근언謹言이다. 절제하여 신뢰를 잃지 않는 힘을 뜻한다. 언행은 군자의 입신과 행사의 가장 중요한 절차이다. 일생의 영욕과 성패는 언행에 의해 결정된다. 나이가 들수록 직급이 올라갈수록 말을 줄여야 한다. 말에 신중함이 있어야 한다. 그게 근언이다. 근언이란 말을 하기 전이나 말을 한 후 항상 자성하는 자세를 말한다.

부주의한 말을 내뱉거나 잘난 척하고 다른 사람의 시간을 존중하지 않고, 다른 사람의 이해를 구하려 하지 않고, 남의 스승 노릇 하기를 좋아하면 상대의 반감을 살 수 있다. 눈을 감아야 정신을 가다듬을 수 있고 입을 닫아야 재앙을 예방할 수 있다. 닫는 게 이렇게 중요한데 우리는 항시 열려고 한다. 군자는 말을 한 후 항상 조용히 되돌아본다. 말하기 전에 늘 세 개의 체로 쳐보아야 한다. 진실의 체, 선의의 체, 중요함의 체가 그것이다.

치성,
지극한 정성으로 자신을 완성하라

아홉 번째, 치성致誠이다. 지극한 정성으로 자신을 완성하는 힘이다. 지극정성은 언젠가 밝혀진다. 많은 문제들에 반드시 저항해야 하는 건 아니다. 인생에서 겪는 억울함 역시 꼭 벗어야 하는 것은 아니다. 누명을 벗고 싶어도 벗을 수 없는 때도 있고 벗으려고 애쓸수록 더욱 누명이 깊어질 수도 있다. 근데 이 어려움을 넘어설 수 있다면 새로운 단계로 올라설 수 있다. 사람을 시험하는 것이기 때문이다. 굴욕을 참아내는 것도 일종의 경지라 할 수 있다. 중국 역사에서 탁월한 성취를 이룬 영웅치고 뜻밖의 누명을 당하지 않은 사람은 없다. 지극한 정성이 있는 사람은 그 힘이 신과 같다.

경영에 어려움을 겪고 있는가? 사람들이 당신 말을 듣지 않고 마음대로 행동하는가? 자식이 속을 썩이는가? 그럴 때일수록 조용히 앉아 자신의 모습을 들여다보라. 자신이 남을 다스릴 만한 사람인지 살펴보라. 핵심은 수신이다. 자신을 갈고닦아라. 하루아침에 되지 않는다. 시간과 꾸준함과 정성과 관심이 필요하다. 어떤 면에서 인생은 계속해서 자신을 수신하는 과정의 연속일지 모른다.

이미 존재하는 것들을 새롭게 편집하라

✣ 창조란 무엇일까? 하늘 아래 새로운 것은 없다. 세상 어디에도 없는 것을 갑자기 만들어낼 수는 없다. 창조는 기존에 있던 것들을 구성하고 해체하고 재구성한 것의 결과물이다. 세상의 모든 창조는 이미 존재하는 것들의 또 다른 편집이란 뜻이다. 창조는 편집이다. 정보의 홍수 속에서 양질의 정보를 선별하고 그것을 바탕으로 새로운 지식을 만드는 것이 창조이다. 이 책 『에디톨로지』* 는 그런 편집에 관해 다루고 있다.

* 김정운, 『에디톨로지』, 21세기북스, 2014

창조의 본질은 낯설게 하기이다

창조를 위해서는 지식, 정보, 자극에 대한 새로운 정의를 내려야 한다. 관계를 새롭게 정의해야 한다. 지식이란 무엇일까? 지식은 정보와 정보의 관계다. 새로운 지식이란 정보와 정보의 관계가 달라지는 것을 의미한다. 한번 구성된 지식은 다른 지식과 연결되어 메타 지식을 구성한다. 메타의 메타, 메타의 메타의 메타 식으로 단위가 높아질수록 전문적 지식이 된다. 지식을 구성하는 정보란 무엇일까? 정보는 의미가 부여된 자극이다. 인간은 자신이 필요로 하는 자극만 받아들인다. 받아들인 자극에 의미를 부여한다. 적극적으로 해석한다. 해석은 곧 의미부여의 행위이다.

생각이란 무엇일까? 심리학자 피아제는 생각의 본질을 표상Representation으로 정의한다. 보여주다Presentation란 말에 반복을 뜻하는 re를 붙였다. 다시 보여준다는 뜻이다. 생각이란 어디서 본 것을 머릿속에 다시 떠올리는 것을 뜻한다. 따라서 생전 듣도 보도 못한 것을 떠올리는 일은 불가능하다. 우리는 언제부터 생각한 것일까? 피아제는 지연모방deferred imitation이란 개념을 꺼낸다. 흉내를 내기는 하되, 한참 지난 후에 하는 것을 뜻한다. 내적 표상을 끄집어내 모방한다는 것이다. 생각의 본질은 어디선가 본 것을 다시 떠올리는 것이다. 창의적 사고는 남들과 다른 방식으로 사물을 보는 데서 시작된다. 창조적 사고는 당연한 일상 경험에 대한 의심에서 시작된다. 이를 낯설게 하기라 정의한다. 예술의 목적은 일상의 반복과 익숙함을 낯설게 해 새로운 느낌을 만드는 데 있다.

우리 생각은 문장인가, 그림인가? 그림이다. 심상心象이 먼저이고 문장은 그다음이다. 복잡한 일이 있을 때만 문장으로 생각한다. 그래서 풀리지 않는 문제가 있을 때 혼잣말을 중얼거린다. 문장으로 사고하기 때문이다. 논리적 사유는 언제나 2차적이다. 미네르바의 부엉이는 언제나 해가 진 다음에 난다는 헤겔의 문장은 논리적 사유는 항상 2차적일 수밖에 없다는 말이다. 그래서 성찰을 직업으로 하는 지식인은 비겁할 수밖에 없다. 치열한 싸움이 다 끝나고 해가 진 다음에 어슬렁거리며 나타나기 때문이다. 비겁함은 지식인의 존재적 본질이다.

현재의 지식권력은 편집자가 가지고 있다

지식인은 누구일까? 지식인은 정보와 정보의 관계를 잘 엮어내는 사람이다. 천재는 정보와 정보의 관계를 남들과 전혀 다른 방식으로 엮어내는 사람이다. 지식에는 두 종류가 있다. 계층적 지식과 네트워크적 지식이 그것이다. 대학에서 배우는 지식은 계층적 지식이다. 전공을 위한 커리큘럼, 논문, 학위, 학회와 같은 제도를 통해 유지된다. 대학의 지식권력은 법적으로 보장받는다.

전문학술지의 심사위원은 지식권력의 꽃이다. 학술진흥재단에서 인정하는 등재지에 논문이 실리는 일은 교수직 유지를 위한 필수조건이다. 근데 그것이 사회에 얼마나 영향을 끼치느냐는 별개의 문제다. 지금 지식권력은 이동하고 있다. 예전에는 대학이 지식을 독점했지만 더 이상은 아니다. 현재의 지식권력은 편집자가 갖고 있다. 포털사이트 헤드라인에 기사를 선택하는 사람이 권력을 가졌다. 신문데스크의 힘을 다 합한 것보다 세다.

인터넷이 보편화되고 마우스가 생기면서 계층적 지식과 전혀 다른 지식 체계가 나타났다. 네트워크로 연결된 지식이다. 날아다니는 생각을 마우스와 터치로 잡아내는 하이퍼텍스트의 시대에 맞는 지식체계가 출현한 것이다. 그게 네트워크 지식이다. 네트워크 지식은 다르다. 인터넷에는 관심이 있는 사람들이 모여 생각을 펼치고 나누는 곳이 있다. 비슷한 취향을 가진 사람들이 모인다. 그런 과정을 통해 형성되는 지식이 네트워크 지식이다.

황우석 논문의 문제를 파헤친 곳은 대학이 아니다. 인터넷 취미 공간이다. 그들은 황 교수의 논문이 생명과학 기술이 아닌 포토샵 기술이란 사실을 찾아냈다. 미네르바 사건도 그렇다. 2008년 서브프라임 사태로 경제위기가 닥칠 것이란 경고의 글이 인터넷에 돌기 시작했다. 환율변동과 주가지수의 변화 등을 기막히게 예언했다. 알고 보니 전문대 출신의 무직자였다. 그건 단순한 짜깁기가 아니다. 실제 경제 현실에 적용하여 검증된 아주 정당한 지식편집이었다.

공부는 데이터베이스 관리다

공부는 데이터베이스 관리다. 독일에서 철학이 발달한 것은 자료 축적의 문화 때문이다. 그는 도서관의 데이터를 정리해 찾기 쉽게 만들었다. 생각이 떠오를 때마다 검색하면 관련 데이터들이 마구 올라왔다. 그 데이터를 정리하다 보면 또 다른 생각이 떠올랐다. 네트워크적 지식의 생성이다. 간단한 리포트는 새롭게 분류된 데이터를 정리하기만 하면 됐다. 정보와 정보의 관계로서의 지식을 마음대로 분리, 합체, 변신할 수 있게 된 것이다.

이런 것이 가능하려면 사용 가능한 데이터가 풍부해야 한다. 그 데이터를 자유롭게 연결할 때 얻어지는 메타언어에 익숙해져야 한다. 그게 공부다. 데이터를 축적하고 정리하는 과정에서 메타언어는 익혀진다. 일명 커닝페이퍼 효과이다. 커닝페이퍼를 준비하다 보면 어느새 내용을 다 숙지한다. 정작 사용할 필요가 없어진다. 데이터베이스를 만들며 나름의 개념 체계를 만들다 보면, 어느새 전혀 다른 차원의 생각을 할 수 있다.

온라인과 오프라인은 다르다. 온라인은 관심의 공유가 중요하다. 지식과 정보를 공유할 수 있어야 한다. 핵심은 공부하고 싶어야 한다는 것이다. 지금까지의 지식은 대학에서 주로 만들어냈다. 앞으로는 아닐 것이다. 그렇다면 앞으로의 지식은 어떻게 될까? 앞으로 이런 계층적 지식을 가진 대학이 생존할 수 있을까? 어떤 식으로 변해야 살아남을 수 있을까? 마우스는 지식의 세상을 바꾼 중요한 도구이다. 마우스를 사용하기 시작하면서 생각이 날아다니기 시작했다. 마우스에 대한 특허권을 갖고 있던 스탠퍼드 연구센터는 4만 달러를 받고 특허권을 애플에 넘겼다. 잡스가 위대한 건 아무도 몰랐던 발명품의 진가를 알아본 것이다.

자연과학의 기초는 실험이다. 실험결과가 받아지려면 다음 조건을 충족해야 한다. 객관성objectivity, 신뢰성reliability, 타당성validity, 표준화standardization, 비교가능성comparability 등이 그것이다. 과학적 주장은 주관적 의견을 배제한다. 주관성은 과학의 최대 적이다. 김용옥은 모든 학술적 담론을 항상 자기자랑으로 끝냈다. 그는 늘 자기 생각을 말했다. 그게 가능했던 이유는 크로스텍스트적 사유 때문이다. 해석의 근거가 되는 텍스트가 확실하기 때문이다. 아울러 텍스트를 둘러싼 콘텍스트가 항상 변하기 때문이다. 같은 이야기도 콘텍스트가 바뀌면 전혀 다른 얘기가 된다. 맥락에 따라 다르게 편집된다는 말이다. 해석학의 본질은 에디톨로지이다. 자기 텍스트를 써야 제대로 학문을 하는 거다. 한국은 콘텍스트에 맞는 텍스트 구성의 전통이 없어서 시원치 않다. 김용옥의 크로스텍스트, 이어령의 하이퍼텍스트 둘의 공통점은 바로 자기 이야기를 한다는 데 있다.

노트와 카드의 차이는 무엇일까? 바로 편집 가능성이다. 카드는 필요에 따라 다양한 편집이 가능하지만 노트는 편집이 불가능하다. 카드 맨 위에 키워드를 적고 그 밑에는 그것과 연관된 연관 검색어를 적고, 출처와 날짜를 적는다. 그리고 카드 앞뒤에 내용을 빼곡히 요약한다. 한국학생보다 독일학생이 우수한 이유는 자기 생각이 있다는 것이다. 독일 학생들은 모은 카드를 자기 생각에 따라 다시 편집한다. 편집할 수 있기 때문에 카드를 쓴다.

발달이라는 개념과 관련된 프로이트, 피아제, 비고츠키, 융의 이론을 자기 기준에 따라 다시 정리한다. 우리는 엄청난 양의 카드를 보며 외운다. 그저 남의 이론을 익히고 외울 뿐이다. 새로운 이론 구성이 가능하려면 편집할 카드가 많아야 한다. 편집 재료가 많아야 한다. 고작 카드 몇 장으로는 뒤섞어봐야 거기서 거기다. 편집 가능성이 있어야 좋은 지식이다. 지식인이 되기 위해서는 나름의 정보수집 방법과 편집방법을 갖고 있어야 한다. 김정운 교수의 방법이다.

"일단 자료를 계층적으로 분류해 저장한다. 책 잡지 신문을 읽을 때 중요한 내용은 스마트폰으로 사진을 찍거나 갤럭시 노트의 스크랩 기능을 잘라내 저장한다. 글쓰기 아이디어가 부족할 때면 이런저런 검색놀이로 시간을 보낸다. 이렇게 생성된 지식은 일부 살아남기도 하고 바로 지워버리는 경우도 많다.

내 에버노트에는 현재 수천 개의 노트가 저장되어 있다. 에버노트를 사용해 공동 작업을 하면 정말 효율적이다. 데이터 공유 기능을 이용해 자료를 공유하고 아이디어를 교환하면 시간만 절약되는 게 아니다. 집단지성이 가능하다."

공부는 본래 삶을 즐기기 위한 기술 배우기이다

1960년대 하버드 대학원생 마사 매클린톡은 기숙사 근처 상점에 생리대를 사러 가면 매번 물건이 동나는 것을 이상하게 생각했다. 이 의문을 집요하게 추적해 생리주기의 동조화 현상이란 것을 발견해 1971년 『네이처』에 발표했다. 함께 생활하는 여학생들의 생리주기가 시간이 흐를수록 비슷해지는 현상이 그것이다. 일명 매클린톡 효과이다. 이런 발견은 연역적 혹은 귀납적으로는 발견할 수 없다. 논리적으로는 한계가 있다.

이런 발견이 가능하기 위해서는 제3의 추리법인 유추법abduction이 필요하다. 혹시 그런 게 아닐까 하는 "아마도maybe"와 "창조적 추론innovative inference"을 뜻한다. 아마도란 의문을 갖고 검색하는 것은 능력이고 실력이다. 공부는 그런 것이다. 남이 시켜서 하기는 싫은데 먹고 살려고 하는 것이 공부가 아니다. 공부는 본래 삶을 즐기기 위한 기술 배우기를 뜻한다. 실제 가장 행복한 것은 공부하는 거다. 노후에 가장 중요한 것 역시 공부다.

좌표가 잡히지 않는 공간은 공포다. 도무지 내가 어디 있는지 모르기 때문이다. 어디로 흐르는지 알 수 없는 시간은 더 큰 공포이다. 존재의 본질은 불안이다. 하이데거의 세계 내 존재란 공간에 아무 대책 없이 내던져짐을 의미한다. 내던져짐을 한자로 표현하면 피투성被投性이다. 아무것도 없고 아무 곳에도 없다는 불안의 존재는 피투성이의 삶을 살 수밖에 없다는 뜻이다. 시간에 대한 불안을 없애기 위해 시간을 분절화시켰고 그것이 달력이다. 일 년 365일, 하루 24시간 이렇게 잘라놓고 반복된다고 믿는 것이다.

반복되는 것은 하나도 안 무섭다. 다시 돌아오기 때문이다. 공간에 대한 공포는 재현이란 방식으로 없앴다. 3차원을 2차원 평면으로 무한한 공간을 유한한 공간으로 바꾼다. 땅의 지도를 갖게 되면서 무한한 공간의 공포에서 해방된다. 지도는 공간에 질서를 부여한다. 규칙이 있으면 통제할 수 있다. 재현가능성은 반복 가능하단 뜻이고 반복 가능성은 통제 가능하단 뜻이다. 규칙과 질서를 부여해 무한의 공포에서 벗어나려는 인간의 시도는 시간과 공간 두 영역 모두에 해당된다. 그러나 시간의 경우, 달력의 규칙성과 반복성만으로 시간의 공포가 극복되는 건 아니다. 늙어가고 언젠가는 모두 죽는다는 것을 알기 때문이다. 그래서 시간과 관련된 축제와 제의가 그토록 요란한 것이다.

시선은 권력이다. 권력을 가진 자만이 시선을 소유할 수 있다. 왕의 의자는 가장 높은 곳에 있다. 대통령의 의자는 가장 높고 가운데 있다. 모든 상황을 시선으로 통제할 수 있어야 한다. 별장을 소유하는 것도 시선을 소유하기 때문이다. 지하방은 반대이다. 먹고 살기 바쁠 때는 시선 자체에 별 관심이 없다. 조망권도 비슷한 개념이다. 높은 산을 오르려는 것도 그렇다. 박정희의 라이방이 주는 의미는 무엇일까? 난 너희들을 본다. 그러나 너희들은 난 볼 수 없다는 것이다. 연예인은 약한 존재이다. 사람들은 그를 다 알아보지만, 그는 보는 사람들이 누군지 모른다. 시선의 지배가 구체화된 공간은 감옥, 학교, 군대, 병원이다.

공간을 바꾸면 생각이 바뀐다. 천장 높이를 조금만 높여도 창조적이 된다. 미네소타 대학의 마이어스 레비 교수는 30센티 높일 때마다 사람의 문제 해결 능력에 변화가 생기는 걸 발견했다. 공간편집에 따라 인간 심리가 달라진다. 토론식 수업이 불가능한 이유는 강의실 구조 때문이다. 책상을 둥그렇게 배치하면 심리가 달라진다. 배치 과정에서 학생들끼리의 소통은 이미 시작된다. 학생들끼리의 시선 공유가 가능하다. 교수가 어설픈 설명을 하면 바로 지루한 표정을 한다. 학생들이 강의를 들으며 도대체 무슨 생각을 하는지 감을 못 잡는 교수는 절대 살아남을 수 없다.

백화점도 편집의 산물이다. 예전에는 물건을 사려면 각각 흩어져 있는 가게들을 일일이 찾아다녀야 했다. 참으로 번거로운 일이다. 백화점은 한곳에 여러 물건을 다 모아 놓았다. 백화점이 가져온 문화 충격은 진열과 전시방식에 있다. 백화점은 계층적이고 편집숍은 네트워크적이다.

모차르트가 천재가 된 건 절대군주제에서 시민사회로의 이행이라는 사회 문화적 구조 때문이다. 안정된 사회에서는 천재가 나타나기 어렵다. 안정된 사회란 발달과정이 정형화한 사회이기 때문이다. 천재는 한 사회에서 다른 사회로의 이행기에 집중해서 나타난다. 피카소의 표상으로서의 미술이 사진이라는 기계적 수단에 의해 위협받던 시대의 산물이고, 스티브 잡스는 아날로그와 디지털의 경계가 아주 우연하게 한 개인에게 깔때기처럼 모인 결과이다.

포스트모더니즘의 핵심은 피로사회이다. 한병철의 주장이다. 타인에 의한 착취가 아니라 자발적 가치 착취다. 끊임없이 발전해야 한다는 일원론적 발달과 성장에 대한 강박 때문에 주체는 죽을 때까지 안정된 자아에 도달하지 못한다. 번아웃과 우울증으로 이어진다. 주체의 자율성이 극대화된 성과 사회의 본질은 긍정성이다. 노력하면 무엇이든 이룰 수 있다는 미국식 개인이다. 능력의 무한 긍정은 독일식 개인의 금지와 부정성보다 훨씬 더 위협적이고 위험하다. 끝 모르는 자기 착취로 이어지기 때문이다.

자기계발서와 성공 처세서의 핵심은 단순하다. 열심히 하면 넌 무엇이든 할 수 있고 무엇이든 될 수 있다고 속삭인다. 아니 도대체 얼마나, 어디까지 열심해 해야 하는 것인가, 넌 뭐든 할 수 있다는 건 넌 아무것도 할 수 없다는 뜻이다. 결국 한도 끝도 없는 이런 종류의 자기 긍정성은 우리 모두를 피로하게 만들고 맥 빠지게 한다. 이런 것이 우울함으로 이어진다.

콤플렉스Komplex란 단어의 뜻은 아주 단순하다. 말 그대로 그냥 복잡한 것이다. 한마디로 분명히 정의하기 어려운, 이것저것이 마구 섞인 심리상태다. 그런데 이 복잡한 것이 내면에 숨어 있어 수시로 마음을 불편하게 한다. 수천 년간 인간의 이 괴로운 심사를 콤플렉스란 단어로 깔끔하게 설명한 사람이 프로이트다.

자막을 넣는 것은 전적으로 피디의 책임이다. 수십 대의 카메라가 녹화한 화면을 오직 하나의 화면으로 편집하는 피디나 영화감독은 이 시대 최고의 편집자다. 뛰어난 에디톨로지적 능력을 발휘해야만 살아남을 수 있다. 무한도전의 김태호 피디가 만드는 자막은 이제까지 우리가 봐왔던 예능의 자막과는 질적으로 다른 차원을 보여준다. 그래서 그토록 인기가 있는 거다. 일본 망가가 영상적 편집방식을 만화에 도입했다고 한다면, 요즘의 예능은 만화적 편집방식을 텔레비전 화면으로 끌고 들어온 것이다.

유레카의 순간이 찾아오도록 매일 노력하라

❖ 새로운 것은 어떻게 만들어질까? 위대한 예술 작품이나 신기술은 어떻게 탄생하는 것일까? 창조적인 사람이나 창조적인 조직이 되기 위해서는 어떤 노력을 해야 할까? 오랫동안 많은 사람들이 고민하는 주제이다. 사물인터넷이라는 개념과 용어를 만들어낸 케빈 애슈턴이 쓴 책 『창조의 탄생』* 은 그런 것을 담고 있다. 창조하면 연상되는 신화 같은 얘기들이 존재한다. 갑자기 영감이 떠오르고 꿈속에 계시를 받고 별다른 노력을 하지 않았는데 한순간에 뭔가 탄생한다는 식이다. 보통 사람들은 할 수 없고 창조적인 소수만이 할 수 있다는 식이다.

창조적이 되기 위해선 경치 좋은 곳에서 충분한 시간을 갖고 유유자적해야 한다는 것이다. 조직으로 말하면 출퇴근 시간도 제한하

* 케빈 애슈턴, 『창조의 탄생』, 이은경 옮김, 북라이프, 2015

면 안 되고 뭐든 그들이 원하는 것을 충분히 지원하면 언젠가 창조적인 그 무엇이 나온다는 주장이다. 결론부터 얘기하면 그런 신화는 잘못이고 완전한 허구이다. 이 책의 저자는 최초로 사물인터넷이란 용어를 만들고 오랫동안 매우 창조적인 일을 한 사람이다. 그가 주장하는 창조란 무엇일까?

창조는 종일 매일매일 매진한 결과이다

창조의 핵심은 노동이다. 한 가지 주제를 갖고 꾸준히 노력할 때 결과물로 나오는 것이 창조이다. 창조행위는 많은 시간이 필요하다. 종일 매일매일 매진해야 한다. 창조는 내킬 때만 하는 행위가 아니다. 습관이고 강박이고 집착이고 사명이다. 모든 창조자들은 가진 시간 거의 전부를 창조를 위한 노동에 사용한다. 하룻밤 사이에 일어난 성공은 드물다. 창조는 프로세스이다. 갑자기 점프업을 하는 것이 아니라 단계를 거쳐 창조에 이른다.

별다른 고민 없이 가만히 있었는데 번쩍하며 아이디어가 떠오르는 일은 있을 수 없다. 그건 말도 되지 않는 일이다. 20세기 음악에 대변혁을 일으킨 이고르 스트라빈스키는 매일 아침 피아노로 바흐의 「푸가」를 연주했다. 그다음 10시간 일을 했다. 점심 전에 작곡했고 점심 후에는 오케스트라 편곡을 했다. 그는 영감이 찾아오길 기다리지 않았다. 처음에는 영감을 인식할 수 없지만 작업 그 자체가 영감을 준다. 창조를 위해서는 일정하게 혼자 있는 시간이 필요하다. 창조를 이루는 주성분은 시간이다. 최고품질의 시간을 창조에 사용하라.

아르키메데스가 경험한 유레카 순간의 의미는 무엇일까? 그는 오랫동안 이 왕관이 순금인지 아닌지를 밝혀야만 하는 숙제에 시달렸다. 한번도 해본 적 없는 과제를 받고 이를 해결하기 위해 밤낮으로 고민했다. 그러던 어느 날 목욕탕 물이 넘치는 걸 보면서 번쩍 스파크가 튄 것이다. 만약 아무런 고민도 숙제도 없는 사람이 물 넘치는 걸 보고도 그런 생각을 할 수 있었을까? 있을 수 없는 일이다. 1865년 화학자 아우구스트 케쿨레가 벤젠링을 발견한 과정도 이와 비슷하다. 그는 벤젠 구조를 밝힌 사람으로 유명하다. 꿈속에서 얻은 계시 덕분에 구조를 알게 되었다는 것이다. 그는 이렇게 고백한다.

"난 교재를 쓰고 있었는데 진도가 나가지 않았습니다. 정신이 딴 데 팔려 있었지요. 난 난로 쪽에서 깜빡 잠이 들었습니다. 또다시 원자들이 뛰어다니고 있었지요. 이번에는 비교적 작은 원자단이 배경에 자리하고 있었습니다. 이런 광경은 익숙해 여러 형태를 지닌 더 큰 구조를 구별할 수 있었습니다. 길게 늘어선 열이 때로는 엇물려 뱀같이 움직이고 휘감겨 얽혀 있었지요. 그때 원자 무리 중 하나가 자기 꼬리를 붙잡고 내 눈앞에서 비웃듯 빙글빙글 돌았습니다. 번쩍 번갯불을 맞은 듯 잠에서 깼습니다. 그날 밤 난 가설의 결론을 알기 위해 시간을 보냈습니다."

꿈에서 벤젠링 구조를 갑자기 발견한 것이 아니다. 그는 이미 오랫동안 벤젠링 구조를 밝히기 위해 많은 고민을 해왔던 것이다. 유레카의 순간은 아무에게나 오는 것이 아니다. 한 가지 주제에 대해 오랫동안 공부하고 고민하고 문제를 해결하기 위해 애를 쓰고 있는 사람에게 결과물로 오는 것이다. 창조란 노동의 결과물이다.

창조는 고통이고 인내이고 끈기이다

창조는 반짝 하는 아이디어만으로는 충분치 않다. 그것을 하나의 결과물로 전환하기 위해서는 수많은 시행착오를 거쳐야 한다. 스파크가 바로 가시적인 성과물로 바뀔 수 있다면 세상에 창조적이지 않은 사람은 없을 것이다. 날개 없는 선풍기, 먼지 봉투 없는 진공청소기를 만든 다이슨이 그렇다. 그는 평범한 사람이다. 그는 먼지 봉투가 꽉 차 흡입력을 잃은 진공청소기를 볼 때마다 분노를 느꼈다. 이 문제를 해결할 방법이 없을까를 늘 고민했다. 그러던 어느 날 원심분리 원리로 작동하는 집진기를 보고 집진기를 이용한 청소기를 만들면 어떨까 생각한다. 집진기는 필터가 없어서 흡입력을 떨어뜨릴 요인이 없다. 메커니즘은 단순하다. 누구나 생각할 수 있다.

근데 개발은 간단치가 않았다. 그는 바로 시제품을 만들면서 실험에 들어갔다. 제약이 많았다. 세상에서 가장 작은 집진기를 만들어야 하고, 100만 분의 1미터 크기의 집 먼지를 흡입할 수 있어야 하고, 가정용 및 대량생산에 적합해야 한다는 것이다. 개발과정은 험난했다. 개발에 무려 5년 이상의 시간이 걸렸고 5,000개 이상의 시제품을 만들어야 했다. 보통 사람 같으면 포기했겠지만 그는 끈기를 갖고 버텼고 개발에 성공했고 그 제품은 50억 달러 이상의 부를 가져다주었다. 그는 이렇게 고백한다.

"나는 매일 포기하고 싶었다. 세상이 자신을 적대하는 듯 보일 때 많은 사람들은 포기하지만 그때야말로 조금 더 밀고 나가야 한다. 계속 될 수 없을 것처럼 보이지만 고통의 극한점을 통과하는 순간 끝이 보이면서 괜찮아진다. 대개 모퉁이를 돌고 난 후 해결책이 등장한다."

창조는 고통이고 인내이고 끈기이다. 창조에는 수많은 장애물이 있다. 그중 으뜸은 관성이란 장애물이다. 움직이던 물체는 계속 움직이려 하고 정지해 있는 물건은 계속 정지해 있으려 한다. 그게 관성의 법칙이다. 이는 물리학에만 적용되지 않는다. 우리 일상을 꽉 잡고 있다. 사람들은 눈에 익은 것, 익숙한 것, 기존의 것을 지키려 한다. 새로운 것을 원하지만 새로운 것이 나타나면 우선 거부반응을 보인다. 그래서 거부반응을 예상해야 한다.

산욕열이란 병이 그랬다. 1846년 오스트리아 빈 종합병원에서 출산 중인 산모와 신생아가 산욕열로 계속 죽는 사건이 있었다. 무언가에 감염되어 죽는 것이다. 이 병원에는 두 개의 병동이 있었는데 그중 한 곳에서만 이런 사건이 일어났다. 당시 이 병원 의사들은 시체 해부 수업 후 분만실에 들어가는 경우가 많았다. 이그나츠 제멜바이스라는 헝가리 의사는 이게 문제의 원인이라고 생각했다. 시체에서 산모로 무언가 전염된 것으로 의심했던 것이다.

물론 실험이나 임상 데이터는 없고 추측뿐이었다. 제멜바이스는 의사들에게 분만 전 손을 씻으라고 설득했고 결과는 즉시 나타났다. 손을 씻기 전 한 달에 57명의 산모가 죽었는데 손을 씻은 후 여섯 명만이 죽었던 것이다. 이후 2년 동안 단순히 손을 씻는 것만으로도 500명의 산모와 아이들 목숨을 구했다. 하지만 동료들은 제멜바이스의 의견에 반대했다. 신성한 의사의 손이 질병을 옮긴다는 것은 가당치 않다고 생각했던 것이다. 의학계는 제멜바이스의 아이디어를 거부했다. 결국 그는 이 일로 일자리를 잃고 정신질환 증세까지 나타내다 얼마 후 사망했다. 의사들이 손 씻기를 중단한 후 사망률은 600퍼센트까지 증가했다.

왜 이렇게 사람들은 새로운 아이디어를 거부하는 것일까? 현상유지라는 관성이 작동하기 때문이다. 정말로 새로운 무언가를 내놓고자 한다면 단단히 대비해야 한다. 창조에서 가장 힘든 것은 아이디어를 내는 것이 아니다. 자신도 보호하고 아이디어도 보호하는 것이다. 근데 반대나 거부가 나쁜 것만은 아니다. 거부는 당연한 것이다. 거부를 예상해야 한다. 거부는 포기를 위한 입장권이 아니다. 그 작업이 나쁘다는 것도 아니고 우리가 나쁘다는 것은 더더욱 아니다. 거부는 정보가 된다. 거부는 다음에 무엇을 해야 할지 보여준다. 거부에서 독성을 빼고 남은 부분은 더욱 유용해진다.

실패도 일종의 거부다. 남들이 보지 못하는 곳에서 일어나는 거부의 일종이다. 위대한 창조자는 자신을 가장 혹독하게 비판하는 사람이다. 그들은 자신이 한 일을 다른 사람보다 더 유심히 살피고 실험한다. 다른 사람들이 거부하기 전에 스스로 거부한다. 위대한 창조자는 자세히 조사하고 분석하고 평가하고 잘못과 오류를 발견한다. 거부는 변화하기 위한 일보 후퇴일 때가 잦다. 거부는 교육하고 실패는 가르친다.

자신의 눈을 믿지 마라

창조는 새로운 눈으로 보는 것이다. 남들이 못 보는 것을 볼 수 있어야 하고 남들도 모두 보는 것은 새로운 눈으로 볼 수 있어야 한다. 오스트레일리아의 로빈 워런은 병리학자이다. 그는 환자의 위에서 박테리아를 관찰했다. 그동안 위 속에서는 어떤 박테리아도 성장할 수 없다고 사람들은 믿고 있었다. 위는 산성이고 무균이기 때문이다. 박테리아는 크루아상처럼 꼬여 있었다. 하지만 그도 이 박테리아가 어떤 의미인지는 몰라 보고서에 이렇게 썼다.

"그 조직은 수많은 박테리아를 함유하고 있다. 박테리아는 활발하게 성장하고 있는 듯한데 오염물질은 아닌 듯하다. 얼마나 중요한

지는 알 수 없으나 좀 더 조사할 가치가 있다."

그는 2년 동안 자료를 수집한 후 자신과 같은 생각을 하는 동료 배리 마셜을 만날 수 있었다. 그들은 해당 박테리아를 가진 환자의 90퍼센트는 궤양이 있고 십이지장궤양을 앓고 있는 모든 환자는 그 박테리아를 갖고 있다는 사실을 밝혀냈다. 그들은 이 신종 박테리아에 헬리코박터 파일로리라는 이름을 붙였고 학술지에 이렇게 썼다.

"신종으로 보이는 이 박테리아는 만성위염, 십이지장궤양, 혹은 위궤양을 앓고 있는 거의 모든 환자에게 존재하며 질병의 중요 원인일 수도 있다."

두 사람은 이를 증명하는 데 많은 시간을 투자했고 2004년 마셜은 이 공로를 인정받아 노벨생리의학상을 수상했다. 근데 이 박테리아를 이들이 처음 본 것은 아니다. 오랜 세월 많은 사람들이 이 박테리아를 보았다. 하지만 아무도 그것이 어떤 역할을 하는지 의심하지 않았다. 창조란 이런 것이다. 남들이 그냥 관습적으로 지나쳐 보는 것, 믿는 것을 의심하는 것이다. 창조를 위해서는 자신의 눈을 믿어서는 안 된다. 특히 무주의맹시와 선택적 주의의 함정을 조심해야 한다. 무주의맹시inattentional blindness란 이렇다.

"다른 사람의 문제라고 생각하기 때문에 볼 수 없거나 보지 않도록 하는 대상이 있다. 뇌는 그 대상을 바로 삭제한다. 사각지대 같다. 그 대상을 똑바로 보고 있어도 그 대상이 무언지 알 때까지 그것을 보려 하지 않는다. 운전 중 통화가 위험한 것도 비슷한 이유이다. 통화를 하면 뇌로 들어가는 감각 정보량이 절반으로 줄어든다. 대상을 보지만 정보의 대부분이 불필요하다고 판단해 삭제한다."

선택적 주의는 보고 싶은 것만을 뽑아서 보는 것을 말한다. 창조를 위해서는 초심을 가져야 한다. 초심은 전문지식이 일으키는 선택과 맹시를 넘어 아무것도 추정하지 않고 모든 것을 새롭게 보려는 마음이다. 초심은 신비롭거나 종교적이지 않고 실용적이다. 창조는 주목하는 것이다. 새로운 문제를 보고 눈에 띄지 않는 대상을 인식하고 무주의맹시에 숨겨진 부분을 찾는 행위다.

초심자가 되어라

예술의 진정한 비결은 언제나 초심자가 되는 것이다. 예상치 못한 것을 보려면 아무것도 예상하지 말아야 한다. 전문가의 마지막 단계는 초심으로 가는 첫 단계이다. 지각하는 것과 보는 것은 같지 않다. 보는 것을 실제라고 믿고 싶겠지만 절대 그렇지 않다. 인간의 감각기관은 불완전하다. 초심은 전문지식의 정반대처럼 들리지만 그렇지 않다. 확신을 조심해야 한다. 확신을 적으로 만들고 의심의 친구가 되어야 한다. 확신은 망상보다 만들기 쉽다.

창조는 영감이 아니다. 영감과는 관련이 별로 없다. 그래서 영감이 찾아오기를 기다려서는 안 된다. 영감을 받았을 때만 창조할 수 있다면 영감을 받지 않았을 때는 창조할 수 없다. 우디 앨런은 1965년에서 2014년 사이 감독, 각본, 배우로서 영화 66편 이상에 이름을 올렸다. 세 가지 역할을 맡은 경우도 흔하다. 엄청난 생산성이다. 그는 작가의 장벽에 관해 두 가지 진실을 말한다. 첫째는 시간의 중요성이다.

"나는 한시라도 허투루 보내는 것이 질색입니다. 아침에 어느 곳을 걷고 있을 때도 무엇을 생각할지, 어떤 문제와 씨름할지 계획을 세웁니다. 오늘 아침에는 제목을 생각할 예정입니다. 샤워할 때도 그 시간을 활용하려고 애씁니다. 시간의 상당 부분을 생각하는 데 씁니다. 그것이 이런 글쓰기 문제를 공략하는 유일한 방법입니다."

작가가 장벽에 부닥치는 가장 큰 이유는 훌륭한 글만을 쓰려고 하기 때문이다. 치료책은 명확하다. 형편없다고 생각하는 글을 쓰는 것이다. 작가의 장벽은 계속 최상의 성과를 낼 수 있다고 믿는 착각에서 비롯된다. 최상은 계속될 수 없다. 최상은 태생적으로 예외적이다. 잘 풀리는 날이 있고 그렇지 않은 날이 있다. 가장 나쁜 일은 "하지 않는 것"이다. 위대한 창조자는 내키든 내키지 않든, 기분이 좋든 그렇지 않든, 영감을 받건 그렇지 않건 일을 하는 것이다. 단기적이 아니라 장기전에 임하는 것이다. 성공은 갑자기 찾아오지 않는다. 조금씩 쌓인다.

"글쓰기는 쉽지 않아요. 정말로 어렵고 고통스러운 작업이고 목숨을 걸어야 하는 일이죠. 한참 후 나는 톨스토이가 말했다는 펜을 피에 담가야 한다는 말의 의미를 알게 됐습니다. 나는 아침 일찍 글을 쓰기 시작해 몰두하고 계속 쓰고 다시 쓰고 다시 생각하고 쓴 글을 찢어버리고 처음부터 다시 시작하곤 합니다. 이렇게 강경한 접근법을 찾아냈습니다. 나는 결코 영감이 찾아오기를 기다리지 않습니다. 언제나 틀어박혀서 글을 씁니다. 억지로 해야 합니다."

장벽에 관한 두 번째 진실은 창조의 가장 큰 동기는 내적 동기라는 사실이다. 무언가 보상을 바라고 하는 행위는 오래갈 수 없다. 그보다는 그냥 하고 싶어서, 내가 원해서 일할 때 창조적인 일을 할 수 있다. 창작력은 철저하게 내부에서 시작되어야 한다. 우디 앨런은 세 차례 아카데미상을 받았고 17차례 후보에 올랐다. 하지만 시상식에 참석한 적이 없다. 왜 그는 아카데미 시상식을 피하는 것일까? 오스카상이 작품의 질을 떨어뜨릴 것이라고 믿기 때문이다. 그는 이렇게 말한다.

"상 자체가 어리석어요. 난 타인의 평가에 따를 수 없어요. 사람들이 상 받을 자격이 있다는 걸 받아들이면 상 받을 자격이 없다고 말할 때도 받아들여야 합니다."

상이 창조에 대한 보상이 되지는 않는다. 때로는 창조를 억제하고 손상한다. 앨런이 시상식에 불참하는 이유는 외부영향력에 흔들리고 싶지 않기 때문이다. T. S. 엘리엇도 그랬다. 그는 노벨문학상을 원하지 않았다. 지인이 축하하자 다음과 같이 말했다.

"너무 이릅니다. 노벨상은 장례식으로 가는 입장권입니다. 노벨상을 받은 뒤 뭔가를 이룬 사람은 없습니다."

뭔가 창조적인 일을 하고 싶다면 그것을 진심으로 원해야 한다. 타인의 평가에 연연하지 않아야 한다. 창조에서는 시작이 중요하다. 창조를 위해서는 우선 시작해야 한다. 우리는 여러 이유를 대며 시작하지 않는다. 언젠가는 무언가를 하겠다고 매일 결심하지만 그 언젠가는 영원히 오지 않는다.

바다에서 수영하기 위해서는 일단 바닷물에 몸을 담가야 한다. 머리끝부터 발끝까지 물에 흠뻑 적셔야 한다. 시작은 창조를 위한 가장 훌륭한 원천이다. 시작을 미루는 것은 몸도 담그지 않은 상태에서 수영하는 법에 대해 고민하는 것과 같다. 훌륭한 모든 작품은 시작에서 비롯된다. 모든 것은 나중에 고치거나 지우거나 재구성할 수 있다.

어린아이처럼 그냥 행동하라

창조를 위해서는 행동력이 중요하다. 마시멜로 도전이란 게임이 있다. 각 팀에 스파게티 스무 가닥을 담은 갈색 봉투, 줄 90센티미터, 마스킹테이프 90센티, 마시멜로 한 개를 주고 탑을 쌓게 하는 게임이다. 목표는 제한시간 18분 내 마시멜로 무게를 견디면서 최대한 높은 구조물을 만드는 것이다. 놀랍게도 최고의 성과를 낸 것은 유치원 아이들이다. 최저 점수는 경영대학원 학생들이다.

왜 그런 일이 벌어질까? 이유 중 하나는 행동력이다. 어린이들은 회의하지 않는다. 미리 논의하지 않는다. 바로 탑을 쌓기 시작하고 행동하면서 얘기하고 답을 찾는다. 어른들은 권력다툼과 계획수립에 많은 시간을 낭비했다. 어른들은 행동하기 전에 생각하고 애들은 행동하면서 생각한다. 숨겨진 비밀 중 하나는 마시멜로의 무게이다. 이게 생각보다 무겁다. 근데 이 사실을 알아냈을 때는 시간이 별로 없다. 창조를 위해서는 빠른 행동이 중요하다.

행동 중 하는 이야기는 유용하지만 행동에 관한 얘기는 유용하지 않다. 창조란 말하기가 아니라 행동이다. 창조적인 조직은 행동에 우선순위를 부여한다. 비창조적인 조직은 회의와 말하기가 우선이다. 회의를 통해 창조가 일어나지는 않는다. 창조는 대화가 아니라 행동이다. 조직이 창조적일수록 내부회의는 적게 한다. 참석자는 적다. 그 결과 더 많은 사람들이 창조의 제일선에서 일한다. 내부 회의는 상당 부분은 계획을 위해서이다. 하지만 계획대로 되는 경우는 별로 없다.

창조에 대한 결론은 이렇다. 창조는 번뜩임이 아니다. 갑자기 어느 날 찾아오는 유레카가 아니다. 창조는 한 가지 주제를 갖고 오랫동안 노력하는 것이다. 거기에 많은 시간을 들이는 것이다. 이를 위해서는 우선 시작해야 한다. 행동으로 옮겨야 한다. 창조는 그런 것의 결과물이다.

당신에게는 철학이 있는가, 왜 이 일을 하는가

✣ 교세라의 경영자 이나모리 가즈오는 마쓰시다 전기의 마쓰시다 고노스케, 혼다를 만든 혼다 소이치로와 함께 경영의 신으로 불린다. 최근 파산 위기에 처한 일본항공JAL 회장에 취임해 1년 만에 흑자 전환에 성공해 큰 이슈가 되기도 했다. 도대체 그는 어떤 사람일까? 어떤 과정을 거쳐 지금에 이르렀을까? 그가 생각하는 경영이란 무엇이고 사장의 도리란 무엇일까? 그가 쓴 책 『사장의 도리』*를 소개한다.

그는 1932년 일본 가고시마에서 태어나 가고시마대학 공학부를 졸업했다. 스물일곱 살 되던 1959년 지인이 출자한 자본금 300만 엔으로 교토세라믹(현 교세라)을 설립해 파인세라믹스에 관한 기술 개발력을 토대로 각종 전자 부품, 산업용 부품 등의 제조사로 성

---

* 이나모리 가즈오, 『사장의 도리』, 김윤경 옮김, 다산북스, 2014

장했다. 현재 자회사 159개, 매출액 4조 엔, 5만 8,000명의 종업원을 거느린 세계적 기업으로 성장했다. 그를 보면 "초년고생은 사서도 한다"는 말이 연상된다. 정말 지지리도 꼬인 인생이다. 중학교 시험을 두 번 떨어졌다. 대학시험도 떨어져 원하지 않는 대학의 원하지 않는 학과를 갈 수밖에 없었다.

그의 숙부 두 사람이 결핵으로 돌아가셨고 그 역시 결핵에 걸린 적이 있었기 때문에 원래는 오사카 대학 의학부 약학과에 지원했지만 불합격했다. 할 수 없이 지방대인 가고시마 대학 공학부에 입학해 약학과 조금이나마 관련 있는 유기화학을 전공했다. 졸업 후 취직도 되지 않았다. 보다 못한 주임교수가 쇼후공업이란 곳에 취직을 시켜주었는데 당시 그 회사는 법정관리 상태였다. 그야말로 되는 일이라곤 없는 그런 인생이다.

법정관리 상태니 급여와 보너스가 제때 나올 리 없다. 당연히 입사 동기 5명 중 3명은 바로 그만두었다. 그 역시 6개월 후 자위대에 지원해 합격했다. 하지만 집에서 호적초본을 보내지 않아 자위대 합격이 취소되는 바람에 눌러앉았다. 동기 중 유일하게 버틴 셈이다. 그 시절 그는 늘 불운을 탓했다. 불운은 언제까지 계속될 것인가? 결핵을 앓았고 중학을 두 번 떨어지고 대학입시도 실패했고 쇼후공업 같이 상태 안 좋은 회사에 다니고……. 그러던 어느 날 원망해봤자 소용없다는 생각이 들었다. 단 한 번밖에 없는 소중한 인생을 결코 헛되이 보내서는 안 된다는 깨달음이 왔다. 어떤 환경에서든 항상 긍정적으로 살자고 마음을 고쳐먹었다. 그러자 인생이 조금씩 달라졌다.

그동안 이 회사는 고압초자 등 중전용 세라믹을 생산했는데 앞으로는 가전용 약전 세라믹이 유망하단 판단이 들었다. 그래서 신소재 개발에 앞장섰다. 관련 지식이 없다는 점이 행운으로 작용했다. 선입견에 얽매이지 않고 자유로운 발상으로 아무 잡념 없이 연구에만 몰입했다. 재미가 있어 침식을 잊을 정도였다. 드디어 포스테라이트(fosterite, 고토감람석)라는 새로운 세라믹 재료 개발에 성공했다. 1년 전 제너럴일렉트릭이 같은 것을 개발했지만 전혀 다른 방법으로 개발에 성공한 것이다. 당시 1950년대 후반은 텔레비전 생산수량이 급격히 증가했고 그때까지 네덜란드 필립스에서 수입하던 마쓰시타는 쇼후에 부품제조를 요청했다. 그는 이 프로젝트에 투입되어 텔레비전 브라운관에 필요한 U자 게르시마 부품 개발에 성공한다. 1956년 7월의 일이다. 이 성공으로 이 회사에는 서광이 비친다.

그는 정말 열심히 일했다. 부하직원을 몇 명 뽑아 같이 일했는데 거의 육체노동에 가까웠다. 그는 매일 직원들에게 왜 일을 해야 하는지, 왜 열심히 일해야 하는지를 설명하려고 애를 썼다. "이론만으로는 세라믹의 본질을 알 수 없다. 지금 우리는 도쿄대도 교토대도 하지 못한 고도의 연구를 하고 있다. 우리가 만든 세라믹 부품이 없으면 브라운관을 만들 수 없다. 지금까지 아무 연관이 없던 우리가 이렇게 모여 함께 일하게 된 것도 인연이니 귀한 만남을 소중히 여기자 등등……." 팀원들과는 힘을 합쳐 열심히 일했지만 외부에서 시비를 거는 사람들이 많았다.

우선 노조가 그랬다. 당시 회사는 월급이 적었다. 당연히 사람들은 잔업수당을 통해 그것을 벌충하려 했다. 평상시에는 대충 일하고 일부러 근무 시간 외에 근무해서 돈을 벌려고 했다. 그는 이건 아니라고 생각했다. 그래서 직원들에게 야근 금지령을 내렸다. 밤을 새우면서 일해도 야근수당을 신청하지 않았다. 공감한 직원들도 행동을 같이했다.

당연히 노조입장에서는 눈엣가시 같은 존재였다. 1957년 봄 입사 3년째 되는 해 노조에서 파업을 결정했다. 당시 그가 이끄는 특수자기과 만이 흑자였다. 생산시설은 부족하고 수요는 많아 납품 독촉에 시달렸다. 만약 파업하면 임금 인상은커녕 내일 먹을 끼니를 걱정하게 될 것이라며 직원들을 설득했다. 결국 이 부서만 파업을 안 하기로 했다. 당연히 노조로부터 파업배신자, 회사의 개, 잘난 척하지 말란 말을 들었다.

사장으로서의 첫발

그가 독립하고 싶어한 것은 아니었다. 할 수 없이 독립할 수밖에 없는 상황이 되어 한 것이다. 한 번은 히타치 제작소에서 포스테라이트를 사용해 세라믹진공관을 만들어달라고 주문했다. 죽기 살기로 열심히 하던 어느 날 무능한 사람이 상사로 왔는데 대뜸 그에게 그 프로젝트에서 빠질 것을 요구했다. 그에게는 청천벽력 같은 일이다. 몇 번 따지다 안 되자 그는 사직의사를 밝혔다. 이런 상사 밑에서는 아무것도 할 수 없다는 판단이 선 것이다.

그러자 그를 이어 여덟 명이 같이 퇴사를 결심한다. 동료는 물론 영업과장까지 같이 그만둔다. 심지어 서른 살 많은 아오야마 씨도 같이 그만둔다. 지인들 주선으로 출자그룹을 형성해 새로운 회사에 투자를 결정한 것이다. 아무 연고도 없는 사람들이 스물여덟밖에 되지 않은 지방대 출신의 젊은 기술자에게 미래를 걸고 투자를 결정한 것이다. 정말 꿈 같은 얘기다. 그가 회사 안에서 어떤 존재였는지 짐작할 수 있다.

같이 창업한 8명은 혈서를 쓰면서 성공을 다짐했다. 창업하고 영업을 다녔는데 이름이 없으니 경쟁회사가 만들 수 없다고 포기한 작업만이 돌아왔다. 그 일을 해내려면 24시간의 한정된 시간의 밀도를 높이는 방법밖에는 없었다. 이렇게 노력한 결과 창업 한 달째부터 흑자를 냈고 1년 뒤 매출 2,630만 엔, 경상이익 430만 엔의 실적을 올렸다.

그에게는 귀인 두 사람이 있다. 한 사람 우치노 교수인데 졸업논문에 대해 좋은 평을 했다. "이나모리군, 자네는 틀림없이 기술자로서 크게 성공할 걸세. 열심히 하게나. 자네 졸업논문은 정말 훌륭해, 도쿄대학 학생 논문과 비교해도 전혀 뒤지지 않네." 이후 졸업 이후에도 힘든 일이 있으면 우치노 교수님께 상담을 청해 도움을 받았다. 교토에 올 때마다 전보를 보내 잠시라도 만나곤 했다. 한번은 파키스탄에서 급여의 20배가 넘는 자문료를 제시하며 유혹했을 때 가지 말라고 만류한 것도 우치노 교수이다.

또 한 사람은 회사조사를 나왔던 주거래은행 다이이치물산의 요시다 겐조다. 다른 부서는 맛이 갔는데 이 부서만 활기가 넘치는 것을 보고 그가 이런 말을 했다. "아직 20대 중반인데 훌륭하군. 자네는 필로소피가 있어." 사실 그때까지 그는 필로소피란 말의 뜻도 몰랐다. 나중에 사전을 보고 그것이 '철학, 신념, 인생관'을 뜻한다는 것을 알아냈다. 무언가 가슴을 강하게 울렸다.

 사장의 도리는 무엇인가?

3년째 되던 해 고졸 직원 열한 명이 피로 손도장을 찍은 요구서를 들고 왔다. 정기승급과 상여금을 보장해달라는 내용이다. 그는 3일간 대화를 하다 "목숨을 걸고 일하고 만약 내가 자네들을 속였다고 생각하면 나를 죽여도 좋다"고 약속했다. 사장의 도리가 과연 무엇인지를 생각하게 한 사건이다. 경영자인 자신도 내일 일이 보이지 않는데 직원들이 자신과 가족이 걸린 장래 문제를 요구하는 건 당연하다는 깨달음이 왔다.

처음 회사를 만든 것은 자기기술로 생산된 제품을 만들자는 목적이었지만 그것만으론 부족했던 것이다. 비로소 "회사란 무엇일까? 사장의 역할과 도리는 무엇일까?"라는 의문점이 생겼다. 사장 개인의 꿈을 추구하는 곳이 아니라 현재는 물론 미래까지 직원들의 생활을 지켜주는 곳이란 생각이 들었다. 사회의 일원으로 책임 완수도 포함되어야 한다는 생각을 했다. 그래서 "전 직원의 행복을 물심양면으로 추구하는 동시에 인류와 사회 발전에 이바지한다"라는 교세라 경영철학의 틀을 갖추게 되었다. 사장은 자신이 아닌 사원과 세상을 위해 일한다는 경영철학을 갖춰야 한다.

사장을 하기 위해서는 극과 극의 두 가지 사고가 다 필요하다. 모순처럼 보이지만 실제 그렇다. 메이지 유신의 성공에는 두 사람이 있다. 한 사람은 전 일본인이 존경하는 사이고 다카모리이다. 그는 적까지 품은 도량이 큰 인물이다. 또 한 사람은 오쿠보 도시미치이다. 같은 가고시마 사람이지만 사이고처럼 존경받진 못한다. 그의 냉혹함 때문이다. 한 예로 사쓰마에는 "고구마 덩굴"이란 말이 있다. 한 사람이 출세를 하면 집안사람이나 지인을 줄줄이 임용하는 일이 많아서 붙여진 이름이다.

근데 오쿠보는 그러지 않았다. 그에게는 통하지 않았다. 칼 같은 면이 있었다. 심지어 옛 친구가 찾아와도 만나지 않는 일도 있었다. 경영은 장래에 대한 비전과 이념뿐 아니라 합리적 조치가 병행되어야 한다. 그는 사장이 되고 난 이후 오쿠보의 훌륭한 면을 알게 되었다. 사이고 다카모리의 의지와 성실만으로는 부족하고 오쿠보 도시미치의 합리와 논리가 필요하단 사실을 깨달았다. 메이지 유신을 달성한 두 인물은 온정과 비정, 세심함과 대범함 같은 상반된 특징을 갖추고 있고 덕분에 성공한 것이다.

사장에게는 양면성이 필요하다. 때론 모든 임원이 반대해도 자기 신념을 밀고 나가는 결단력과 대범함이 필요하다. 어떨 때는 직원 한 사람의 말에도 세심하게 주의를 기울이고 겸허히 경청하며 필요하면 자기 계획도 버릴 수 있어야 한다. 어떨 때는 읍참마속의 심정으로 어떨 때는 부처의 따뜻한 마음으로 감쌀 수 있어야 한다. 진정한 리더가 되려면 상반된 두 가지 성향을 아울러 갖추어야 한다.

"일류의 지성은 두 개의 상반된 사고를 동시에 마음에 품고도 정상적으로 그 기능을 수행할 수 있는 능력을 말한다." 미국 작가 스콧 피츠제럴드의 말이다. 요컨대 극과 극 두 가지 사고를 함께 갖추고 상황에 따라 적절히 가려 쓸 수 있는 능력이 필요하다.

무엇보다 사장이 되기 위해서는 판단 기준이 되는 철학이 있어야 한다. 경영이나 인생은 지금까지 내린 판단이 축적된 결과이다. 그 판단 기준에는 그 사람의 사고가 깊이 반영되어 있다. 그때 올바른 판단을 하느냐 그렇지 못하느냐에 따라 경영과 인생이 달라진다. 그는 기술자로서의 경험밖에 없었다. 회사경영에 대해 짐작조차 하지 못했다. 대차대조표도 몰랐다. 그만큼 경영에 문외한이다.

그는 극히 초보적인 논리를 판단 기준으로 삼았다. 지극히 상식적인 기준이다. "옳은 일인가, 옳지 않은 일인가? 선한 일인가, 악한 일인가?" 이런 질문을 기준으로 판단했다. 정의, 공정, 용기, 성의, 겸허, 애정 등 기본적인 가치관을 존중해 판단했다. 이런 기준으로 판단하면 처음 부닥치는 일일지라도 크게 잘못되거나 착오가 생기지 않을 거라 믿었다. 돌이켜 보면 경영은 몰랐지만 기본 논리와 도덕 규범을 바탕으로 경영을 해왔기에 현재의 성공에 이를 수 있었다. 만일 어설픈 경영지식이나 경험이 있으면 올바른지 아닌지의 기준보다는 경험치나 경영방법을 기준으로 판단했을 것이다. 땀을 흘리기보다 쉽고 편하게 돈을 벌려고 했을지 모른다.

인생 또는 일의 결과는 사고방식 곱하기 열정 곱하기 능력이다. 능력에는 육체의 건강도 포함한다. 다른 것보다 가장 중요한 것은 사고방식인데 여기에는 플러스와 마이너스가 있다. 이 방정식의 핵심은 곱셈이란 것이다. 사물을 긍정적으로 보지 못하고 마이너스이면 능력이나 열의가 강할수록 결과도 심한 마이너스가 된다는 것이다. 그만큼 사장의 사고방식은 경영에 절대적이다.

그가 처음부터 이런 멋진 철학을 갖고 경영한 것은 아니다. 그야말로 수많은 사람을 만나고 사건을 헤쳐나가면서 하나씩 터득한 것이다. 한번은 너무 힘들어 노스님을 찾아가 하소연을 했더니 노스님이 이렇게 말한다. "그게 바로 살아 있다는 증거입니다. 재난이 일어난다는 것은 과거의 업이 사라지는 일입니다. 그 정도로 업이 사라진다면 기뻐해야 하지 않을까요?" 지금의 이 일이 일어난 것은 틀림없이 뭔가 원인이 있었을 것이고 지금의 힘든 일로 인해 과거의 업이 사라지니까 기뻐해야 한다는 말이다. 바로 불교의 연기사상을 얘기한 것이다.

불교에서는 사념이 업을 만든다는 말이 있다. 어떤 일을 생각한다는 것은 모든 일의 원인을 만드는 일이며 그 원인이 발현되어 나타나는 것이 현상이고 곧 결과란 것이다. 좋은 일을 생각하면 좋은 결과가 나오고 악한 일을 생각하면 나쁜 결과가 온다. 이처럼 생각한 대로 현상이 나타난다면 마음가짐에 신경 쓰지 않을 수 없다. 물론 생각이 실현될 때까지는 시간이 걸린다.

당신은 어떤 철학을 갖고 있는가? 지금의 철학이면 충분하다고 생각하는가? 리더는 먼저 고민하고 자신에 앞서 다른 사람들을 생각할 수 있어야 한다. 그의 고백이다.

"리더는 재능을 자기 개인만을 위해 써서는 안 된다. 난 이 사실을 깨달은 순간 오싹했다. 그동안은 내 재능은 내 것이며 그 결과 얻은 성과도 내 것이란 오만한 마음을 품었기 때문이다. 내 기술을 바탕으로 창업했고 밤잠도 못 자고 노력해서 경영한 회사다. 내 재능을 활용해 회사가 성공을 거둔 것이니 내가 공헌한 데 대해 합당한 보수를 받아도 되지 않느냐고 생각했다.

근데 그게 아니다. 내 재능을 사유화해서는 안 된다는 생각이다. 재능은 창조주가 우연히 나라는 존재에게 세상을 위하고 인류를 위해 사용하라고 전해준 것이다. 직원, 주주, 고객, 지역사회를 위해 내 재능을 사용해야 한다고 생각한다. 그게 리더이고 지도자이다."

당연히 리더는 재능이 아닌 판단력을 기준으로 선발해야 한다. 자기 능력을 내세우거나 자기 상황만을 우선시하고 자신만 편하게 지내려는 사람이 아니라 자기희생을 하더라도 집단을 위해 온 힘을 다하는 사람이어야 한다. 그러기 위해 리더는 사치하고 제멋대로이며 불평불만으로 가득 찬 나쁜 습관을 떨쳐버리고 상대를 배려하는 아름다운 생각을 마음속에 가득 채워야 한다.

그러기 위해서는 자신을 절제하고 한 기업이나 개인으로서의 이해득실을 초월한, 누가 보아도 올바르다고 생각되는 판단 기준을 마음속에 확립해야만 한다. 하지만 그 기준은 결코 어려운 일은 아니다. 공정, 공평, 정의, 노력, 용기, 박애, 겸허, 성실이라는, 누구나 알고 있는 소박한 마음가짐의 실천이다.

극과 극은 통한다. 서쪽 능선을 타건 동쪽 능선을 타건 정상에 오르긴 마찬가지이다. 그를 보면 경영을 하는 것은 도를 닦는 것과 비슷하단 생각을 하게 된다. 그는 험난한 과정을 겪으며 여기까지 오면서 득도를 한 것 같다. 사실 그는 불교에 입문을 한 사람이다. 머리를 깎고 절에만 들어가지 않았을 뿐 거의 스님 같은 생활을 한다.

어떤 일이 됐건 필로소피가 제일 중요하다. 음식점을 하든 선생님을 하든 군인을 하든 내가 왜 이 일을 하는지, 이 일을 통해 얻으려는 것이 무언지를 알면 지속 가능한 경영을 할 수 있다. 당신의 철학은 무언가? 왜 이 일을 하는가?

공부하는 게 재미없는 건 방법을 몰라서이다

✣ 사람들이 점점 책을 읽지 않는다. 왜 그럴까? 이유 중 하나는 책 읽는 방법을 모르기 때문이다. 책을 제대로 읽지 않으면 투자 대비 효과가 없다. 효과가 없으면 변화가 일어나지 않고 그러면서 점점 책을 멀리하게 되는 것이다. 그렇다면 책을 읽게 하기 위해서는 제대로 책 읽는 방법을 알려주면 된다.

공부도 그렇다. 예나 지금이나 공부의 중요성을 모르는 사람은 없다. 그렇지만 대부분 사람들은 공부에 재미를 느끼지 못한다. 공부법을 모르기 때문이다. 방법을 모른 상태에서 공부하니 효과가 없고 그러니 재미가 없고 변화가 없다. 지금 학교에서 사용하는 대부분의 학습 방법은 어떨까? 별로 효과적이지 않다. 여러분은 현재 어떤 방식으로 공부하는가? 어떻게 정보를 습득하고 소화하고 이를 여러분만의 지식으로 만드는가? 여러분만의 프로세스를 갖고 있는가?

벼락치기로 배운 지식은 벼락처럼 빠져나간다

『어떻게 공부할 것인가』*는 공부법을 다루고 있다. 열한 명의 학자가 10년간 수행한 '교육현장 개선을 위한 인지심리학의 응용' 연구를 집대성한 결과물이다. 쉽게 배운 지식은 쉽게 사라진다. 어렵고 힘들게 배운 공부는 오래간다. 아픈 만큼 성숙한다는 것이 공부법의 핵심이다. 한 마디로 고통 없이는 얻는 것도 없다No pain, no gain이다.

벼락치기로 배운 지식은 벼락처럼 빠져나간다. 우리가 직관적으로 생각하는 학습방법 중에는 잘못된 것이 많다. 반복해서 읽기나 집중적으로 연습하기 같은 방법이 그렇다. 이들은 생각처럼 효과적이지 않다. 뭔가를 배우려면 한 가지만을 집중해서 연습하고 또 연습해야 한다고 생각하지만 사실은 그렇지 않다. 반복해서 읽고 몰아서 연습하면 실력이 늘었다고 생각하지만 치명적 단점이 있다.

우선 시간이 오래 걸린다. 익숙함을 아는 것으로 착각하게 된다. 우리가 안다고 생각하는 많은 것들은 사실은 아는 게 아니라 익숙한 것이다. 익숙하면 안다는 착각에 빠져 부족한 부분을 놓치고 당연히 노력하지 않게 된다.

돈처럼 지식에도 빈익빈 부익부의 법칙이 작용한다. 지식을 가진 자와 갖지 못한 자의 갭이 점점 벌어진다. 지식을 가진 자는 점점 자신이 모른다고 생각해 공부하고, 지식을 갖지 못한 자는 자신이 무지하다는 사실을 인지하지 못해 공부하지 않기 때문에 벌어지는 현상이다. 무능하고 무지할수록 주제 파악을 하지 못한다. 자신의 제대로 된 모습을 알지 못한다.

---

* 헨리 뢰디거·마크 맥대니얼·피터 브라운, 『어떻게 공부할 것인가』, 김아영 옮김, 와이즈베리, 2014

아니, 무능할수록 자신이 똑똑하다고 생각한다. 하위 12퍼센트의 학생은 자신의 추론능력이 32퍼센트 안에 든다고 생각한다. 하위 25퍼센트 학생은 다른 학생 답과 자기 답을 비교하라는 과제를 주면 잘하는 학생의 답을 보고도 자기 잘못을 알지 못한다. 하위 25퍼센트 학생은 자신의 수행능력을 높이 평가했다.

왜 그런 일이 벌어지는 걸까? 첫째, 부정적인 피드백을 받지 못했기 때문이다. 둘째, 부정적인 피드백을 받아도 그걸 자기 잘못으로 생각하지 않고 상황 탓으로 돌리기 때문이다. 셋째, 태생적으로 주제 파악을 못한다. 여러분은 어떤가? 혹시 세상물리를 터득한 것처럼 생각하고 행동하는 것은 아닌가? 그래서 일 년간 책 한 권 읽지 않고도 거리낌 없이 세상을 살고 있는 것은 아닌가?

뇌를 알고 공부를 하면 훨씬 효과적이다

효과적인 학습법을 위해서는 우선 뇌를 이해해야 한다. 태생적으로 머리가 좋지만 후천적으로 머리를 쓰지 않는 사람과 타고난 머리는 별로지만 후천적인 노력을 많이 한 사람과는 어떤 차이가 있을까? 뇌는 쓸수록 좋아진다. 용불용설이 뇌에는 정확하게 작동한다. 머리가 다소 나빠도 자꾸 쓰면 좋아지지만 아무리 머리가 좋아도 쓰지 않으면 정체된다. 이게 뇌의 신경가소성이다.

뇌는 인생 경험과 의도적 학습에 의해 변화하고 재조직된다. 시각장애인을 대상으로 시각정보감지센서를 눈이 아닌 혀로 바꾸는 실험을 했다. 그 결과 피험자는 출입구를 찾고 자신에게 굴러오는 공을 잡았으며 20년 만에 처음으로 딸과 가위바위보를 했다. 뇌가 스스로 배선을 바꾸어 혀로 감지하는 정보를 시각정보로 인식하게 되었던 것이다. 노력을 들여 기억해내고 이것저것 섞어서 연습하다 보면, 뇌의 여러 부위가 활성화되어 더욱 깊이 있게 학습할 수 있다. 기억과 지식을 통합하는 해마는 새로운 뉴런을 만들어낸다.

뉴런은 손상에서 회복하는 능력 혹은 인간의 평생학습능력에서 중심역할을 한다. 연관학습(associative learning, 이름과 얼굴처럼 관련 없는 항목의 관계를 학습하는 것)이 새로운 뉴런을 더욱 많이 생성하도록 자극한다는 연구 결과가 있다. 학습하려는 의도 자체가 뇌에 영향을 끼친다. 또한 신경발생 증가는 학습활동이 끝난 후에도 한동안 지속된다. 산업국가에서 IQ 평균이 계속 상승해왔다. 인간의 잠재력은 고정된 잣대로 측정할 수 없다. 지능은 자기 노력에 의해 향상될 수 있다.

그렇다면 효과적인 학습방법에는 어떤 것이 있을까? 새로운 것을 인출하는 연습retrieval practice이다. 안다고 생각하는 것과 실제 아는 것은 다르다. 선생님에게 수업을 받았다고 아는 것은 아니다. 그건 들은 것에 불과하다. 안다고 생각하는 것을 실제 아는 것으로 연결하기 위해서는 배운 것을 인출해봐야 한다. 인출하면 배운 것을 기억에 통합하고 특정단계에서 배운 개념을 다른 것과 연결할 수 있다. 쪽지 시험, 동료가 동료를 가르치는 교수법, 협동학습은 그런 면에서 중요하다. 유능한 외과의사가 있는데 그는 인출을 통해 유능한 의사가 되었다. 그의 고백이다.

"어려운 수술을 하고 집에 돌아오면 그날 무슨 일이 있었는지, 내가 무엇을 할 수 있었는지, 예를 들면 봉합을 더 잘할 방법이 있었는지 생각해봅니다. 바늘땀을 좀 더 작게 하려면 어떻게 해야 할까? 봉합을 더 촘촘히 해야 할까? 이렇게 바꿔보면 어떨까? 다음날에는 생각했던 것을 실행해보고 효과가 있는지 지켜봅니다."

그는 반추를 통해 실력을 탄탄히 쌓았다. 공부의 핵심은 인출이다. 반추이다. 되씹어보고 곱씹어보는 것이다. 이런 과정을 통해 안다고 생각하는 것에서 실제 아는 것으로 나갈 수 있다. 안다는 건 머리가 아닌 몸이 기억하는 걸 의미한다. 실제 다급한 상황이 닥치면 생각하기 앞서 자동으로 몸을 움직일 수 있어야 한다.

한 중학교에서 학습 방법 효과를 위한 실험을 했다. 한 번은 수업이 끝난 후 일정 범위 안에서 간단한 시험을 세 차례 실시했다. 다른 한 번은 시험 대신 그 범위를 세 번씩 복습하게 했다. 한 달 후 시험을 치렀다. 학생들이 어느 범위의 내용을 더 잘 기억했을까? 시험을 보았던 범위의 평균점수는 A⁻였고 시험을 보지 않고 복습만 시킨 범위의 평균점수는 C⁺였다. 이게 인출의 힘이다.

시험은 인출을 위한 최선의 방법 중 하나이다. 배운 후 그 사실이나 개념을 머릿속에서 떠올리는 인출연습retrieval practice이 반복해서 읽는 복습보다 훨씬 효과적이다. 이는 학교에서 바로 적용이 가능하다. 보통 대학은 한 학기에 두 번 큰 시험을 본다. 중간고사와 학기말고사이다. 이보다는 수업이 끝날 때마다 간단한 쪽지 시험을 보는 것이 훨씬 효과적이다.

인출연습은 배운 것을 주기적으로 되새김질하는 것이다. 핵심내용이 무언가? 생소한 내용은? 그것을 어떻게 정의할 것인가? 이미 알고 있는 것과 어떻게 연결할 것인가? 수업이 끝날 때마다 간단한 퀴즈를 보는 것이 좋은 인출방법이다. 뭔가를 배웠는지를 그때그때 물어보고 답을 하게끔 하는 것도 방법이다. 교재 마지막에 나오는 탐구문제는 인출을 위한 연습이다.

스스로 질문을 만들고 답을 적어보는 것도 방법이다. 반복해서 외우는 것보다 인출이 훨씬 강력한 방법이다. 반복 읽기를 하면 안다고 착각할 수 있다. 이보다는 주요 내용과 주요 용어의 의미를 스스로 물어보고 답하는 것이 효과적이다. 무언가를 배우고 주기적으로 복습을 하는 것이 밤샘 공부하는 것보다 효과적이다.

시간 간격을 두고 연습하라

외과수련의 38명을 대상으로 현미경을 이용한 미세혈관 잇는 수술 교육을 했다. 한 팀은 하루 네 번 수업을 듣게 하고, 또 다른 팀은 일주일 사이를 두고 네 번 수업을 듣게 했다. 하루에 모든 수업을 듣게 한 팀이 훨씬 나쁜 평가를 받았다. 집중연습보다는 시간 차를 둔 연습이 효과적이다.

새로운 지식은 내 지식이 아니다. 이를 장기기억 속에 넣으려면 통합과정이 필요하다. 이 연결과정에는 몇 시간 내지 며칠이 걸린다. 벼락치기 공부는 벼락처럼 빠져나간다. 이는 팀장 교육에도 적용할 수 있다. 16시간 과정을 설계할 때 이를 한꺼번에 1박 2일 동안 하는 것과 4시간씩 네 번을 하는 것과 어느 것이 효과적일까? 말할 것도 없다. 근데 왜 그렇게 안 하는 걸까? 담당자들이 피곤하기 때문이다. 교육의 효과성에 대해 고민하지 않기 때문이다.

다양한 문제를 섞어서 공부하기

체육시간에 여덟 살짜리 아이들이 바구니에 콩주머니 던져넣기 연습을 했다. 반은 바구니에서 90센티미터 떨어진 곳에서 주머니를 던졌고 나머지 반은 60센티미터와 120센티미터 떨어진 곳에서 번갈아 주머니를 던졌다. 최종적으로 모두가 90센티미터 떨어진 곳에서 콩주머니 던지기 시험을 보았다.

최후의 승자는 누구일까? 60센티미터와 120센티미터를 오가며 연습한 아이들이다. 이들은 90센티 떨어진 곳에서는 한 번도 연습하지 않았지만 학습효과가 좋았다. 이처럼 시간 간격을 두고 다양한 형태를 뒤섞어서 연습하는 것이 효과적이다. 수학 교과서는 단원별 내용을 집중적으로 학습하고 그 단원에 해당하는 연습문제들을 풀어본 후 다음 단원으로 넘어간다. 기말고사는 모두 뒤섞여 출제된다.

단원별로 공부한 학생은 기말고사 문제가 어느 단원에 나오는지, 어떤 공식을 적용해야 할지 혼란에 빠질 수밖에 없다. 실제 수학의 도형문제에서 여러 유형을 뒤섞어 공부한 학생이 배울 때에는 애를 먹지만, 이후 테스트에서는 훨씬 뛰어난 실력을 발휘한다.

교육담당자로서 10가지 복잡한 내용을 가르친다면 어떻게 하는 것이 효과적일까? 하나를 완벽히 끝낸 후 다른 과목으로 넘어가는 것보다 이것저것을 왔다갔다하면서 하는 것이 효과적이다. 그럼에도 불구하고 사람들은 이 방법을 선호하지 않는다. 집중 방식보다 느리게 학습한다는 느낌 때문이다. 지지부진한 느낌이 들기 때문이다.

하지만 집중연습보다 교차연습을 할 때 숙련도와 장기적 기억 측면에서 훨씬 유리하다. 공부 계획을 세울 때 다양한 문제 유형을 교차해서 풀도록 배치하라. 보통은 한 가지를 완전 정복한 후 다음으로 넘어가고 싶어한다. 그렇지 않다. 그보다는 문제유형과 예시를 섞어 공부하는 것이 효과적이다.

새로운 지식을 기존 지식과 연결하는 것도 좋은 방법이다. 새로운 내용을 들으면서 거기서 다른 의미를 발견하는 과정이다. 새로운 내용을 이미 알고 있는 지식과 연관 짓는 것, 자기만의 표현으로 누군가에게 설명하는 것, 배운 것을 토대로 요약표를 만들어 한 장의 종이에 다양한 생물학적 체계를 그리고 그 체계들이 어떻게 서로 관련이 있는지를 나타내보는 방법도 효과적이다.

책을 읽을 때 뇌 속에서 이런 현상이 자주 일어난다. 독서란 이미 알고 있던 사실을 책을 읽으면서 다시 한번 복습하는 과정인 경우가 많다. 정답을 보기 전 미리 고민하고 문제를 풀어보는 것이 효과적이다. 수학문제를 풀다 안 되면 바로 답안지를 본 경험이 있을 것이다. 아니면 문제를 풀기도 전에 답안부터 확인하는 사람도 있다. 효과적이지 않다. 정답을 보기 전 질문에 답하거나 문제를 풀려고 시도하는 것이 효과적이다. 빠진 단어 채우기가 대표적이다. 완성된 문장을 볼 때보다 글의 내용을 더 잘 배우고 기억할 수 있다. 왜 경험이 중요할까? 사전 지식이 없는 상태에서 속수무책으로 경험하기 때문이다. 깨지고 실수하면서 계속 생각하는 것이다. 그러다 관련 책을 보거나 해법을 들으면 눈앞이 환해진다. 그렇게 배운 것은 평생 잊지 못한다.

배운 것을 검토하고 스스로 질문하는 반추 프로세스를 가져야 한다. 반추는 최근 수업이나 경험을 통해 무엇을 배웠는지를 돌이켜보는 것이다. 어떤 부분이 잘되었는지? 그 일로 어떤 일이 연상되었는지? 더 잘할 수 있었던 부분은 무언지? 더 잘하려면 무엇이 필요한지 등등……. 무엇을 알고 무엇을 모르는지 측정하는 것도 중요하다. 측정할 수 있으면 개선할 수 있다. 공부도 그러하다. 주기적으로 자신의 현재 위치를 확인해야 한다.

엄청나게 어려운 과목에서 늘 발군의 실력을 보이는 학생이 있었다. 교수는 그에게 어떻게 공부를 하는지 물었다. 그 학생은 다음과 같이 고백했는데 이 안에 효과적인 공부법의 모든 것이 들어 있다.

"전 항상 수업 전 배울 내용을 읽어갑니다. 수업자료를 읽으면서 시험문제를 예상하고 답을 합니다. 읽은 것이 기억에 남아 있는지

수시로 확인하지요. 기억나지 않는 용어를 찾아보고 다시 공부합니다. 굵은 글씨로 쓴 용어와 정의를 옮겨 적고 확실히 이해하려고 노력합니다. 교수가 내준 연습시험을 보면서 이를 통해 모르는 개념을 발견하고 확실히 공부합니다. 강의 내용을 나만의 방법으로 정리해 봅니다. 중요내용을 머리말에 붙인 다음 가끔 혼자 테스트해봅니다. 복습하는 시간 사이사이 간격을 둡니다."

웨스트포인트의 초대 교장은 실베너스 테이어Sylvanus Thayer이다. 그는 오늘날 웨스트포인트만의 독특한 학습방법을 만들었다. 그래서 테이어 방식이라 부른다. 핵심은 이러하다. 강좌마다 구체적인 학습 목표를 제공한다. 목표달성 책임은 학생들에게 있다. 수업시간마다 퀴즈와 암송이 있다. 주어진 시간에 비해 훈련의 부담이 엄청나다. 일부러 과부하를 거는 것이다. 그럼 생도들은 살아남기 위해 필수적인 부분에 집중하고 나머지는 신경 쓰지 않는다. 이 역시 훈련의 한 방식이다. 교관은 이렇게 말한다.

"교재를 다 읽었다면 뭔가 잘못된 것이다. 대충 보라는 것이 아니다. 질문으로 시작하고 답을 찾기 위해 읽으라는 것이다."

강의는 아주 적거나 거의 없다. 그들은 학습 목표와 관련한 퀴즈를 보면서 수업을 시작한다. 수업 전 읽어야 할 과제에 포함되어 있다. 시작은 칠판으로 걸어가 각자 문제를 풀어보는 것이다. 이 문제풀이 과정이 인출연습이다. 문제를 풀고 나면 집단마다 한 학생을 뽑아 답을 구한 과정을 설명하고 다른 학생으로부터 피드백을 받는다. 동료를 가르치는 것, 즉각적인 피드백을 받으면서 서로가 서로에게 배우는 것 등 학습의 주요 내용이 모두 들어 있다. 아주 효과적인 학습방법이다. 시장에서 웨스트포인트 출신을 선호하는 이유 중 하나이다.

스스로 주제를 정해 공부하자

이 책을 읽으면서 현재 학교와 기업에서 하는 교육에 대해 생각해보았다. 우선 수강생들은 별다른 니즈가 없다. 특별한 고민도 없다. 선생은 파워포인트에 멋지게 만들어 알기 쉽게 설명해준다. 선생은 수업준비를 위해 많은 고민을 하지만 정작 학생들은 별다른 고민도 노력도 하지 않는다. 학습의 핵심인 고통이 전혀 없다. 아무 생각 없이 그냥 교실에 들어와 선생이 가르치는 것을 멍하니 듣는 것이다. 전혀 학습이 이루어지지 않는다.

기존의 직업이 사라지고 있다는 건 새로운 직업이 부상하고 있다는 것이다. 이럴 때 누가 누구를 끼고 앉아 이렇게 해라 저렇게 해라 하기는 어렵다. 방법은 하나뿐이다. 스스로 주제를 정해 공부하는 것이다. 이럴 때 효과적인 공부법은 필수적이다. 이 책이 그런 우리들에게 크게 도움이 될 것이다.

3장

누가 잘사는가

삶을 끊임없이 사랑하고 몰두하라

재미있는가,
살 만한가만을 따져라

❖ 멋지게 나이 드는 모습을 보여주는 사람인 이근후의 『오늘은 내 인생의 가장 젊은 날입니다』*를 소개한다. 그는 오랫동안 이화여대 교수를 지냈고 크게 집을 지어 온 가족이 함께 사는 것으로도 유명하다.

인간은 누구나 생로병사의 단계를 거친다. 태어나고 늙어가고 병들고 죽는다. 우리는 이 과정 과정을 어떻게 생각하고 받아들이고 행동해야 할까? 과연 우리는 이 과정에 대해 준비되어 있을까? 어떻게 사는 것이 제대로 사는 것일까? 그중 하나가 선택에 대한 책임이다. 자신이 한 선택에 대해서 책임을 져야 한다는 말이다. 그게 어른이고 성숙한 사람이다. 만약 선택도 하지 않고 선택한 것에 대해 책

* 이근후, 『오늘은 내 인생의 가장 젊은 날입니다』, 샘터, 2014

임지지 않는다면 나이만 먹었지 성인이 아니다. 사람은 자기 선택에 대해 책임을 져야 한다. 그게 어른이고 성인이다.

 "재미있느냐, 살 만한가?"를 물어라

네팔의 결혼제도는 독특한데 말이 아닌 제도로써 선택에 대한 책임감을 가르친다. 결혼을 위해 신랑 아버지가 술 한 병을 들고 신부 집에 간다. 술을 권해서 신부 아버지가 술을 마시면 결혼을 허락한다는 의미이다. 신랑 아버지는 신랑을 신부 집에 놔두고 집으로 돌아간다. 일 년이 지난 후 양가 부모들이 모여 커플에게 "재미있느냐, 살 만한가?"라고 묻는다. 두 사람 모두 예스라고 답하면 계속 살게 하고 한쪽이라도 싫다고 하면 그 즉시 원상 복귀이다.

살다가 임신을 하게 되면 양가부모가 모여 또다시 좋은지, 계속 살고 싶은지를 묻는다. 그때도 역시 한쪽이라도 싫다면 원상 복귀이다. 아이를 낳은 후 또다시 모여 또다시 커플에게 어떤지 묻는다. 둘 다 예스라고 하면 비로소 결혼식을 올린다. 빨라도 일 년, 길게는 5년까지 걸린다. 아이를 낳은 상태에서 마음에 들지 않으면 애는 엄마 쪽에서 양육한다. 모계사회이기 때문이다. 근데 결혼한 후 이혼을 하게 되면 얘기는 180도 달라진다. 사회적으로 매장을 당한다.

일단 자신이 내린 결정에 대해 전적으로 책임져라

그들은 이혼한 사람을 가장 무시한다. 왜 그럴까? 시간을 두고 네 번이나 물었는데 이혼을 한다는 것을 무책임하다고 생각하기 때문이다. 여러분은 네팔의 결혼풍습에 대해 어떻게 생각하는가? 난 매우 합리적인 방법이라고 생각한다. 혼전에 동거하고 생활하면서 상대에 대해 충분히 학습하는 것이다. 단점이 있어도 받아들일 수 있으면 계속 살 수 있고, 그게 안 되면 노라고 답하면 된다. 중요한 것은 다른 사람이 아닌 자신이 결정한다는 것이다. 더 중요한 것은 일단 자신이 내린 결정에 대해 전적으로 자신이 책임을 지는 것이다. 결정에는 책임이 따른다는 것을 제도적으로 보완했으니 이것이야말로 합리적이다.

철이 들었다는 말이 있다. 여기서의 철은 계절을 뜻한다. 철이 들었다는 건 철에 맞는 행동을 하는 사람을 말한다. 성숙한 사람이란 철이 든 사람을 뜻한다. 그런 면에서 네팔 사람들은 지혜롭다. 그들은 인생을 네 단계로 나눈다고 한다. 봄에는 배우고 여름에는 적응하고 가을에는 참회하고 겨울에는 마침내 자유로워지는 것이다. 무엇보다 마지막을 자유의 계절이라 부르는 것이 신선하다.

힌두교 역시 76세 이후의 삶을 자유의 시기라고 말한다. 무엇으로부터 자유롭다는 말일까? 모든 것으로부터의 자유를 말한다. 겨울이란 사계절이 끝나가는 시기이다. 죽음이 멀지 않은 때이다. 삶과 헤어지는 시기이다. 이런 시기는 한편 섭섭하고 다른 한편으로 홀가분하다. 당연히 세상 모든 것에서 자유로울 수 있다. 자유는 평온을 뜻한다. 자유란 죽음을 맞이하는 가장 평온한 태도이기도 하다.

노인정 대화란 말이 있다. 듣는 사람은 없고 말하는 사람만이 있는 대화를 말한다. 왜 이런 일이 일어날까? 나이가 들수록 대화상대가 필요하고 들어줄 사람이 있어야 하는데 이게 마땅치 않아 일어난 일이다. 그만큼 말이 고픈 것이다. 인간에겐 무엇보다 소통이 중요하다. 불통은 곧 죽음이다. 뒷방 노인네, 독거노인이란 단어를 들으면 고립이나 단절 등의 단어가 연상된다.

독일 프레데릭 2세는 아이들이 말을 배우는 것을 신기하게 생각했다. 무슨 교과서가 있는 것도 아니고 선생이 끼고 앉아 가르치는 것도 아닌데 일정 시간이 지나면 말을 하는 것을 보고 의아하게 생각한 것이다. 그래서 한 살 정도 된 아이들을 두 그룹으로 나누어 실험했다. 두 그룹 다 보살피긴 한다. 한 그룹은 먹이고 재우고 입히기만 할 뿐 전혀 말을 걸지 않는다. 기른다기보다 사육에 가까운 것이다. 딱 기본만 하고 말을 주고받지 않는 것이다.

결과가 어땠을까? 말을 주고받지 않은 그룹의 아이들은 6개월이 지나면서 죽기 시작하더니 2년이 지나자 거의 다 죽었다. 놀라운 일이다. 소통은 생존에 필수적이다. 소통을 통해 사람을 죽일 수도 살릴 수도 있다. 그런 면에서 소통을 못 하게 하는 것이 가장 큰 고통이다. 중죄인을 독방에 가두는 것을 봐도 이를 알 수 있다. 소통이 없는 삶은 그 자체로 고통이다.

다른 사람의 신발을 신어보기 전에 그 사람에 대해 함부로 평가하지 마라

뭐든 서두르면 문제가 생긴다. 가장 빠른 길이 가장 느린 길이다. 그래서 영어속담에 급할수록 돌아가라Haste make waste가 있다. 사는 것도 그렇다. 뭐든 급하게 하면 체하게 마련이다. 사는 것도 그렇고 산에 오르는 것도 그렇다. 산은 자연 리듬에 맞춰 오르는 것이 바람직하다. 에베레스트로 가는 길목 샹보체라는 곳에 에베레스트 뷰라는 호텔이 있다. 카트만두에서 비행기로 이동해 샹보체 근처의 간이 비행장에 내려 호텔로 가야 한다.

이 호텔은 에베레스트를 정면으로 볼 수 있는 경치가 참으로 좋은 곳이다. 해발 3880미터에 있다. 세계에서 가장 높은 곳에 있는 호텔로 기네스북에 오르기도 했다. 문제는 장사가 안 된다는 것이다. 에베레스트를 보겠다고 경비행기를 타고 와 내리는 순간 고산병에 걸리기 때문이다. 가장 쉽고 빠르게 에베레스트를 보는 방법이지만 산은 그런 이를 별로 달가워하지 않는 것 같다. 일본인 주인은 객실에 산소통까지 갖다 놓고 여러 방법을 쓰지만 영 신통치 않다.

상대를 함부로 평가하고 판단하는 것도 위험하다. 사람들이 일정한 행동패턴을 보이는 것은 다 그만한 이유가 있는 법이다. 우리 눈에 네팔사람들은 게을러 보인다. 세상에 급한 게 없어 보인다. 근데 부지런하다, 게으르다는 것은 함부로 판단할 일이 아니다. 환경 탓이 크다. 히말라야는 인간이 설정한 시간에 맞추기가 어려운 곳이다. 아무리 서둘러도 자연이 허락하지 않으면 소용없는 경우가 많다.

자연의 시간을 따르지 않고 인간의 시간을 따르다가는 위험한 상황에 부닥칠 수 있다. 급하게 오르면 고산병으로 고생할 수 있다. 이렇게 높은 곳에서의 빠름은 신체의 극심한 고통을 유발하기 마련이다. 이들은 시간을 안 지키고 게으른 것은 자연특성에 맞춰 무리하지 않게 생활하다 얻은 생활의 한 방식으로 볼 수 있다. 다른 사람의 신발을 신어보기 전에 그 사람에 대해 함부로 왈가왈부해서는 안 된다.

퇴직은 직장을 그만두는 것이지 일을 그만두는 것이 아니다

여러분은 어떻게 늙어가고 싶은가? 언제까지 직장을 다닐 것인가? 은퇴 후에는 어떤 계획을 하고 있는가? 대부분 사람들이 별다른 생각을 하지 않는다. 그때 일은 그때 가서 보면 된다고 생각한다. 난

동의하지 않는다. 난 무슨 일이든 미리미리 생각 정리도 하고 준비할 게 있으면 준비해야 한다고 생각한다. 저자는 교수를 은퇴하고도 멋지게 생활을 한다. 그의 생각은 명확하다. 퇴직은 직장을 그만두는 것이지 일을 그만두는 것이 아니란 것이다.

직장을 그만둘 때 다음과 같은 마음가짐을 권한다. 첫째, 내 나이가 65세가 되었다는 사실을 가슴으로 받아들이라는 것이다. 정년이란 사실에 솔직해질 필요가 있다. 어차피 나이란 거부한다고 안 먹는 것도 아니고 젊어지려고 노력하는 동안에도 나이는 계속 들어간다. 둘째, 정년에는 연습이 필요하다. 정년을 자각했다면 그에 맞는 적응연습을 해야 한다. 그는 기쁜 마음으로 시니어패스를 발급받았다.

우리는 안 되면 되게 하라는 말을 많이 듣고 살았다. 근데 세상에는 그보다 안 되는 일이 더 많다. 나이 드는 것이 대표적이다. 가장 멋지게 나이 드는 것은 나이 든다는 사실을 받아들이고 거기에 맞게 생활하는 것이다. 자연스럽게 곱게 늙어가는 것이 가장 아름답다. 노년이 되어 성형과 시술에 집착하는 것은 열등감 때문이다. 내면의 열등감을 외면의 모습으로 극복하려는 시도는 보기 좋지 않다. 노인이 되는 것보다 노인이 된 것을 받아들이는 것이 더 힘들다.

노인 하면 두 사람이 연상된다. 잉그리드 버그만과 오드리 헵번이다. 둘 다 미모의 여배우이고 한 시대를 풍미했던 배우이다. 잉그리드 버그만은 「카사블랑카」에서 열연했고 오드리 헵번은 「로마의 휴일」에서 열연했다. 버그만은 전성기에 은퇴해서 저택 속에서 은거하면서 세상과의 접촉을 끊었다. 나이 든 자신의 얼굴을 팬들에게 보여주기 싫다는 이유에서다. 헵번은 나이 들어 주름진 얼굴로 아프리카의 굶주린 아이들을 위해 봉사하는 모습을 보였다. 아주 대조적인 삶이다. 숨어 산다고 안 늙는 것도 아닌데 말이다. 버그만은 노화보다 남의 시선을 더 두려워했던 것이다. 여러분은 어떤 사람처럼 나이 들고 싶은가?

장수의 시대가 되면서 부모 자식의 관계가 달라지고 있다

인류 최초로 부모와 자식이 같이 늙어가는 시대가 됐다. 새롭게 관계설정을 하지 않으면 서로에게 불편한 일이 생길 수 있다. 여러분이 생각하는 바람직한 부모와 자식의 관계는 어떤 것인가? 한 가지 확실한 것은 있다. 사랑은 내리사랑이란 것이다.

"한 사람의 아버지는 열 명의 자식까지 기를 수 있으나 열 명의 자식은 한 사람의 아버지도 보살피지 못한다."

가부장적 가족주의가 뿌리 깊은 이스라엘 속담이다. 그래서 예전처럼 자녀에게 노후를 의지할 수는 없다. 자녀를 키우는 것은 확실한 부모의 의무이자 책임이지만 그렇다고 자녀에게 부모 봉양을 강제할 수는 없다. "내가 너를 어떻게 키웠는데……." 같은 말은 더는 통하지 않는다. 그런 면에서 자녀를 대하는 부모의 자세가 달라져야 한다.

여기에는 세 가지 유형이 있다. 첫째, 자기 삶과 자녀 삶을 구분하지 않는 부모들이다. 자녀가 잘되면 내가 잘된 것으로 생각하고, 자녀가 잘못되면 내가 잘못된 것으로 생각한다. 전통적 부모들이다. 그들은 노후를 자식들에게 맡긴다. 자녀를 보살핀 대가를 성인이 된 후 되돌려받기를 원한다. 둘째, 자식을 독립적 존재로 인식은 하지만 조종의 끈을 놓지 않는 부모를 뜻한다. 육체적으론 독립되어 있지만 자식의 일에 사사건건 참견해야 직성이 풀리는 부모들이다. 셋째, 나의 소유물이 아닌 독립된 인격체로 대하는 부모들이다.

셋째가 바람직하다. 자녀는 내가 낳았지만 내 소유물이 아니다. 나의 인생과 자녀의 인생을 구분하고 그들을 독립된 인격체로 존중해야 한다. 처음에는 품 안의 자식이니 온전히 내가 모든 것을 보살피지만 자식이 커가면서 점차 자식의 자아를 인정하는 것이다. 사춘기가 되면 자식 주장의 30퍼센트를 인정한다. 대학에 진학하거나 직장에 들어가면 30퍼센트를 더 인정한다. 자식이 결혼하면 나머지 30퍼센트까지 넘겨준다. 90퍼센트의 주체권을 자식에게 준다. 그래도 부모와 자식이라는 10퍼센트의 끈이 남아 있다. 자식을 조종하기엔 부족하지만 연결하기에는 충분하다. 그래도 매우 끈끈한 끈이다. 부모는 절대 자식을 조종해서는 안 된다. 자녀의 삶은 내 삶이 아니다.

삶에서 행복만큼 중요한 것은 많지 않다. 오래 사는 것이 중요한 게 아니라 하루를 살아도 행복하게 사는 게 중요하다. 근데 어떻게 해야 행복하게 살 수 있을까? 내가 행복해야 남도 행복하게 할 수 있다. 우리는 나라는 존재를 중심으로 살 수밖에 없다. 근데 이상하게 내 안의 행복은 남에게서 오는 경우가 많다. 행복은 관계에서 생기는 경우가 많다. 행복은 이타심에서 오고 불행은 이기심에서 온다.

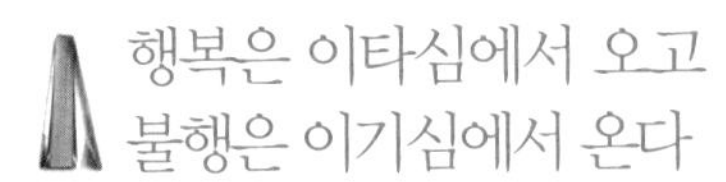

행복은 이타심에서 오고 불행은 이기심에서 온다

사실 이기심과 이타심은 분리할 수 없다. 이기심이 이타심이고 이타심이 이기심이다. 남을 위하는 것이 곧 나를 위하는 것이고 나를 위하는 것이 바로 남을 위하는 것이다. 그만큼 이타심과 이기심은 혼재되어 있다. 이타적 행동이란 넓게 보면 나 자신을 위한 것이다. 다른 사람이 나와 연결되어 있다는 사실을 알면 이타성은 싹트기 시작한다. 혼자 잘사는 것은 아무 소용이 없다. 다른 사람이 잘살아야 나도 잘살 수 있다는 사실을 깨달아야 한다. 그런 면에서 이타심은 성숙한 이기심이다. 순서는 내가 먼저 건강하고 행복한 것이다. 내가 건강하고 행복하지 않은데 남을 행복하게 할 수는 없다. 내 안의 넘치는 행복감이 남에게 전달되는 것이 이타심이다. 내가 행복해야 더불어 남을 행복하게 할 수 있으며 남의 행복이 나에게 전해지는 선순환이 이루어진다. 나 없이 남을 도울 수 없다.

행복에는 먹는 것도 큰 역할을 한다. 그래서 사람들은 먹는 게 남는 것이란 얘기를 자주 한다. 배우는 것도 그렇다. 뭔가를 배워두면 그건 온전히 내 것이 된다. 때로는 남에게 긴요하게 나누어줄 일도 생긴다. 중국의 유명한 석학 후스는 주미대사를 지냈다. 근데 부인은 무학에 전족의 풍습을 따른 옛날 사람이다. 그가 미국대사로 임명되자 외교 관련자들은 부인 때문에 많은 걱정을 했다. 주미대사라는 무거운 직책을 무학의 부인이 잘해낼까 걱정했던 것이다.

우려와 달리 후스의 아내는 외교가에서 큰 인기를 끌었다. 그녀는 친정에서 가져온 무쇠 가마솥에 중국 전통 음식을 만들어 주변 사람들을 극진하게 대접했다. 덕분에 성공적인 대사 역할을 할 수 있었다. 임종을 앞둔 후스는 남편들을 향해 삼종사덕의 말을 남겼다. 세 가지를 따르고 네 가지 덕을 베풀라는 것이다. "부인이 외출할 때 꼭 모시고 다녀라, 부인 명령에 무조건 복종하라, 부인이 아무리 말 같지 않은 말을 해도 맹종하라"는 것이 삼종이다. "부인이 화장할 때 불평하지 말고 끝날 때까지 기다려라, 부인의 생일을 잊지 마라, 부인에게 야단맞을 때 말대꾸하지 마라, 부인이 쓰는 돈을 아까워하지 마라"는 것이 사덕이다. 여필종부를 생각하던 우리들에겐 충격적이지만 일리 있는 말이다.

나는 밖에서 힘을 쓰고 안에서는 아내의 말에 절대복종하는 남자를 이상적이라고 본다. 이근후 교수는 정신과 의사이다. 그가 본 환자들 대부분은 가정에 문제가 있는 사람들이다. 가족 안에 가해자가 있고 가족의 병이 환자를 만든 것이다. 환자는 가족을 대표해서 병을 앓았던 것이다. 우리 사회는 극도의 혼란을 겪고 있는데 이유 또한 가정 때문이다. 그 말을 뒤집으면 가정을 치유하면 사회도 치유할 수 있다는 것이다.

유언은 가장 적극적인 삶의 계획이다

인생은 생로병사의 연속이다. 그중에서 병은 피할 수 없다. 그래서 미리 생각을 해두는 것이 좋다. 병을 편안하게 다스릴 것이냐, 아니면 병과 싸울 것이냐는 개인의 선택이다. 하지만 병 자체로 힘들게 살고 싶지는 않다. 병은 고통도 주지만 동시에 통찰도 준다. 죽음 앞에서 마지막으로 치르는 구도이기도 하다. 잘 죽기 위해서는 유언도 준비해야 한다. 유언은 가장 적극적 삶의 계획이다.

사람들은 자신은 절대 죽지 않으리란 믿음을 갖고 있다. 입으로는 죽음에 대해 말하지만 실제 속으론 영원히 살 것으로 생각한다. 노욕이나 노추는 그런 것에서 연유한다. 잘 죽기 위해서는 미리미리 유언해야 한다. 유언하기 위해서는 자신이 죽을 것이란 사실을 받아들여야 한다. 그의 유언이다.

"장례식에 오는 분들을 소홀히 하지 마라. 화장으로 처리해달라. 장례비용을 최소화하라. 모든 것을 아내에게 주고 싶다."

지혜란 무엇일까? 받아들일 수 있는 것과 없는 것을 구분하고 받아들일 수 있는 것은 받아들이는 것이다. 사는 것이 그렇고 나이 드는 것이 그렇다.

내 인생을 망치는 것은 남이 아니라 나다

✣ 이승에서 천국을 경험하고 싶은가? 가정을 그렇게 만들면 된다. 역으로 이승에서 지옥을 맛보고 싶으면 가정을 그렇게 만들면 된다. 그만큼 가정은 삶에서 결정적 역할을 한다. 난 가정에서의 성공을 최우선 순위로 살고 있다. 다른 모든 것에서 성공해도 가정에서 대접받지 못하고 가족들과 친밀감을 확보하지 못한다면 그처럼 딱한 인생도 없고 그런 인생을 성공한 인생이라 부르기도 어렵다.

많은 사람들이 그렇게 생각하고 있지만 그게 쉬운 일이 아니다. 아니 가장 어려운 일일 수 있다. 그 이유 중 하나는 가정은 별다른 노력 없이도 저절로 잘 굴러가는 것으로 생각하기 때문이다. 가족과의 관계가 소원해도 나중에 언제든 쉽게 회복될 수 있다고 생각하기 때문이다. 부인이 나를 오해해도 날을 잡아 풀어주면 다 풀릴 것으로 생각하기 때문이다. 착각 중 착각이다. 대인관계 중 가장 어려운 것이 가족관계이다. 한번 어긋난 관계는 회복하기 쉽지 않다. 이번에는 그런 것에 관한 책 『가족의 발견』* 을 소개한다.

착한 사람이 되려고 할수록 불행해진다

상담을 받으러 오는 사람들은 대부분 착한 사람들이다. 착하다는 건 무슨 뜻일까? 착한 아이는 착한 아이로 태어난 것이 아니다. 주변환경과 어른들 요구에 자신을 그렇게 맞춘 것이다. 그들은 타인의 시선으로 자기를 바라보는 습관을 갖고 있다. 자기 생각보다는 다른 사람이 나를 어떻게 보고 나에게 무엇을 기대하는지에 신경을 쓴다. 그들은 갈등을 회피한다. 착한 사람들이 갖는 지나친 겸손, 조심성, 소극적 태도는 종종 능력을 발휘하는 데 장애가 된다.

부모 말씀 잘 듣고 형제끼리 싸우지 않고 예의 바르고 겸손한 인간으로 성장하는 것은 내가 원하는 것이 아닐 수 있다. 부모의 바람에 적응하기 위해 가짜 나를 만들고 있을 수 있다. 이처럼 부모가 제시하는 역할에만 맞추면 타인의 견해에 쉽게 동조하는 사람이 된다. 가짜의 나 대신 진짜 내가 되어야 한다. 진짜 내가 된다는 것은 스스로를 독립적이고 자율적인 한 사람으로 받아들이고 자기 목소리와 생각을 존중하는 것이다. 뭔가 지나치게 참거나 억누르는 것은 위험하다. 무작정 열심히 일하다 보면 집중력을 잃고 지적 에너지도 상실한다.

그래서 일할 때도 쉬고 싶은 욕구를 어느 정도 충족시켜야 효과적이다. 가족 안에서도 마찬가지이다. 너무 바른 것만을 강조하거나

* 최광현, 『가족의 발견』, 부키, 2014

너무 공부만을 주장하면 한 방에 훅 가는 수가 있다. 내면의 압력이 너무 쌓이면 터질 때 건잡을 수 없다. 평생을 착한 딸로 살았고 결혼 후에도 착한 아내와 엄마로 사는 여성 중 뜻밖에 우울증과 무기력에 쌓여 사는 사람이 많은 이유이다. 자신의 감정과 욕망을 누르고 타인에게 맞추는 노력은 내면에 긴장과 불안을 유발한다.

분노도 조심해야 한다. 대학 중퇴 후 10년 동안 게임만 하면서 산 남자가 있다. 그는 자기감정, 생각, 욕구를 조금도 표현하지 않았다. 여러 인형 중 하나를 선택하라고 했더니 돌고래 인형을 선택했다. 이유를 묻자 자기 처지가 수족관 돌고래와 비슷하다고 생각했기 때문이란다. 도대체 무엇이 당신을 10년 동안 집 안에 갇혀 살게 되었느냐는 질문에 분노라고 답했다. 그는 스무 살 때까지 대학 앞에서 자취생활을 했다. 부모는 매일 게임만 하는 그의 모습에 충격을 받고는 3개월 동안 그를 정신병원에 보냈다.

감정을 억누르기만 하면 폭발해서 자신과 상대를 파괴하게 된다

그는 정신병원으로 끌려가면서 너무 억울하고 분한 나머지 "내 인생을 완전히 망쳐 버리겠다"고 결심한다. 3개월은 지옥이었다. 수치스럽고 두렵고 무서운 경험이었다. 이후 자신을 망치기 위해 10년을 보냈다. 이처럼 억압된 분노는 독이 될 수 있다. 은둔형 외톨이, 등교 거부, 게임을 비롯한 중독, 비행, 자살, 자해, 폭력 등과 같은 문제는 자기표현에 대한 결핍이 그 원인일 수 있다. 일상에서 자연스럽게 자기 욕구와 분노를 드러낼 수 없었던 사람들의 비뚤어진 자기표현이다.

가족이 의사소통에 서툴고 미숙한 태도를 보이고 있으면 가족 구성원은 감정을 지나치게 억압하고 표출하지 못해 분노가 쌓이게 된다. 분노의 표현이 허락되지 않는다는 것은 욕구 자체를 허용하지 않는다는 의미이다. 욕구와 분노가 표출되지 못한 채 내면에 쌓이면 분노는 부패되고 변질되어 원망이라는 감정으로 변한다. 분노는 사랑, 관심, 이해를 원하는 감정이지만 원망은 파괴를 원하는 감정이다. 상대를 파괴하거나 자신을 파괴하려 한다. 이를 회복하기 위해서는 자기감정을 읽고 이를 표현할 수 있어야 한다. 출발점은 자기 내면에 쌓여 있는 감정의 정체를 알아가는 것이다.

마음의 병을 가진 사람들의 공통점은 무기력이다

다음은 가족과 주변 사람들을 이해하는 것이다. 여자친구 문제로 고민이 큰 남자가 있다. 이런 문제이다. "여자친구는 두 달 이상 남자를 사귀지 못한다. 자신만이 유일하게 2년 넘게 사귀고 있다. 그녀는 결혼 이야기만 나오면 잠적하거나 심각해진다. 물론 사정이 있다. 그녀의 엄마는 일찍 이혼하고 집을 나갔다. 알코올중독자인 아버지와 함께 살았고 독립하기까지 끔찍한 경험을 했다." 한 마디로 그녀는 결혼을 두려워한다. 사랑한다는 말에 제대로 대응하지 못한다.

여러분이 이 남자라면 이 문제를 어떻게 해결하겠는가? 누가 열쇠를 갖고 있을까? 그녀에게 필요한 건 현재의 자신을 있는 그대로 받아줄 수 있는 남자다. 이전의 남자들은 모두 그녀를 변화시키려 했고 그게 잘 안 되자 떠나갔다. 관계의 문제는 상대가 주도권을 쥐고 있는 것 같지만 실은 자기가 주도권을 쥐고 있다. 그녀를 있는 그대로 받아들이면 많은 문제가 해결될 수 있다. 대인관계가 힘든 이유는 무엇일까? 자신이 할 수 있는 일이 별로 없다고 생각하기 때문이다. 근데 대부분 해결의 열쇠는 우리가 쥐고 있다.

모든 인간은 권력을 추구한다. 가족문제도 권력과 관련이 있다. 권력이 없으면 무기력해진다. 평생 다른 사람 밑에서 일하며 지루한 표정으로 하루하루를 보내다간 인생이 망가진다. 남의 눈치를 보지 않고 스스로 선택과 판단에 따라 인생을 살 수 있다면 얼마나 행복할까? 실제 오늘날 권력을 상실하고 삶의 주도권마저 빼앗긴 사람들은 무기력에 빠지며 동시에 마음의 병을 앓고 있다.

폭력은 무기력에서 발생한다. 마음의 병을 가진 사람들의 공통점은 무기력이다. 무기력하다는 자기 인식이 더욱 무기력한 상황을 불러온다. 무기력이 원인과 결과가 되어 지속적인 불안을 겪게 된다. 실제 가족 안에서 권력도 없고 주도권도 없다고 생각하는 여성은 자녀에게 집착한다. 자녀의 주도권을 허용하지 않는 엄마가 된다. 더 나아가 자녀와 한편이 되어 남편에게 대항하기도 한다. 주도권을 잃은 남성은 우울, 분노, 폭력, 무관심과 지나친 냉담함으로 가족을 힘들게 한다. 가족 문제의 모든 어려움은 권력문제에서 비롯된다. 가족 치료사 제이 헤일리는 이렇게 말한다.

"자살 충동은 고통을 주는 환경 문제보다는 어떤 선택도 할 수 없다는 무력감 때문이다."

삶의 주도권을 빼앗기고 자살을 선택한 자매들이 있다. 겉으로 보기엔 아무 문제 없고 평온해 보이는 가정이다. 근데 애지중지 키운 두 딸이 교대로 자살을 시도했다. 문제는 지나친 통제였다. 부모는 자녀의 일상을 속속들이 감시하고 있었다. 조금이라도 통제범위를 벗어나면 못 견뎌했다. 한 번은 딸이 친구와 제주도를 갔는데 옆방에 투숙하면서 딸을 내내 감시했다. 자녀의 블로그와 카톡까지 모든 것을 검열했다. 이 집에선 어떤 비밀도 허용되지 않았다. 딸들은 부모의 지나친 통제에 지쳐갔다. 모든 결정 또한 부모가 내렸다. 문제해결을 위해서는 자신이 주도권을 쥐어야 한다. 아기들도 배고프면 밥을 달라고 우는데 성인은 말할 것도 없다.

수치심의 원인은 수치심이 내재된 가족에게 있다

트라우마가 많은 문제를 만들어낸다고 생각한다. 하지만 진짜 고통은 트라우마 그 자체가 아니다. 트라우마로 인한 수치심과 죄책감이다. 수치심과 죄책감은 분노, 원망, 슬픔보다 괴로운 감정이다. 한 번 만들어지면 평생을 괴롭힌다. 남에게 책임을 돌리기보다 자신에게 책임을 돌리는 것이 낫기 때문에 만들어진 감정이다. 이를 내면화한 사람은 심각한 불안과 공포를 느낀다. 자신을 통제하지 못하는 병리적 상태로 진입한다. 라캉은 이를 "자기 안에 3인칭 존재가 들어 있다고 느끼는 것"이라고 하였다. 자신이 얼마나 수치스럽고 형편없는 존재인지 잊을 만하면 다시 일깨워주는 또 다른 나를 갖고 있는 것과 같다. 참으로 고통스런 일이다.

수치심의 원인은 수치심이 내재된 가족에게 있다. 수치심은 어린 시절 세상과 사람에 대한 신뢰보다는 불신이 더 강해져서 발생하는 것으로 가족이나 부모와 신뢰관계를 형성하지 못한 사람들에게서 발생한다. 이를 떨치기 위해서는 그런 감정이 현재의 것이 아니라 과거의 것이라는 사실을 인식해야 한다. 그게 출발점이다. 다음은 용서이다. 용서는 과거의 고통을 분리시킬 수 있는 힘이다. 분노를 똑바로 보는 것이다. 내게 상처를 준 사람을 용서하는 것은 힘들지만 가능한 일이다. 그러나 자신을 용서하는 것은 상당히 어렵다.

"행복한 가족은 엇비슷하고 불행한 가족은 불행의 이유가 제각각 다르다."

러시아 문호 톨스토이의 말이다. 가족 문제를 해결하기 위해서는 문제의 원인보다는 문제의 패턴을 찾는 데 집중해야 한다. 가족문제는 일정한 패턴이 있다. 가족 불행을 불러오는 3종 세트가 있다. 돈만 벌어오는 가장, 중독, 무기력이 그것이다. 이 세 가지에는 공통점이 존재한다. 상처의 원인과 결과를 인식하기 어렵다는 것이다. 중독을 일으키는 것에는 알코올, 게임, 주식, 도박, 섹스 등이 있다. 이들은 모두 쉽게 구분할 수 있다.

무서운 것은 숨은 중독, 보이지 않는 중독이다. 일명 오피스 중독이다. 이들 중 상당수는 명문대 출신에 사회적으로 성공을 이뤘지만 중독에 의존하여 살아가는 사람들이다. 알코올 중독자는 자신에게만 피해를 주지만 오피스 중독자는 가족, 직장, 사회에 긴장과 갈등을 가져오고 다음 세대에 트라우마를 안겨준다. 이들은 인격과 성품보다 효율성을 중시하고 과정보다는 결과를 중시하는 사회에서 좋은 평가를 받는다. 하지만 이들이 가진 내면적 취약성은 가족에게 심각한 상처를 준다.

무기력은 자신감과 삶의 주도권을 잃어버린 사람에게 나타난다. 자기학대적 우울증세를 보이거나 폭력을 행사하거나 절대적인 가부장 역할을 한다. 가족 안에서 힘을 보상받으려 한다. 사사건건 시비를 걸고 꼬투리를 잡아 화를 내고 아내와 아이들에게 위압적으로 대해 가족들을 꼼짝 못하게 한다. 무기력한 사람은 자신의 무기력을 숨기고 폭력, 폭언, 통제, 간섭을 통해 가족 안에 친밀감이 형성되지 못하게 한다. 자신이 겪는 적개심, 분노, 무기력, 우울을 가족 모두가 경험하게 한다.

누구나 내면에 쌓인 그림자를 갖고 있다. 여자들은 수다를 떨면서 이런 문제를 해결한다. 남자는 뾰족한 방법이 없다. 대부분 투사를 통해 해결한다. 자기 집 쓰레기를 스스로 처리하지 않고 남의 집에 갖다 버리듯 자신의 부정적 감정을 아내와 아이에게 무단 투기하는 것이다. 다음은 자신에게 날린다. 그렇게 행동한 자신을 부끄러워하고 수치스러워한다. 술과 여자로 위로를 받는 형태도 있다. 프로세스는 이렇다. 마음의 상처가 있다. 부정적 감정이 발생한다. 스스로 해결 시도한다. 안 되면 투사를 한다. 남을 공격하거나 자신을 공격한다.

부모의 문제는 고스란히 아이들에게 전해진다. 부모 사이에 문제가 있을 때 자녀는 문제행동을 보일 뿐 아니라 특정한 신체적 증상도 보인다. 거식증, 폭식증 같은 식이장애가 대표적이다. 거식증에 걸리는 사람은 반항적이거나 공격적인 사람이 아니다. 남에게 싫은 소리를 못하고 피해도 주지 않는 유형이다. 주위를 신경 써서 가능한 문제를 일으키지 않고 남의 말을 잘 듣는 착한 사람들이다.

아이들이 이렇게 되는 것은 가족 간 갈등이 생겼을 때 자신이 완충제가 되고 싶기 때문이다. 자기 몸을 던져 가족을 지키려는 행위이다. 자신에게 문제가 생기면 기존의 갈등이 덮인다고 판단하기 때문이다. 음식 거부는 가장 강력한 저항과 거부의 행동이다. 거식증을 유발하는 전형적인 가족의 특징은 부부관계에 문제가 있다는 것이다. 불안하고 침울하고 건드리면 폭발할 것 같은 가족 관계 속에서 아이는 엄마의 안색을 살피고 아빠의 비위를 맞추는 고달픈 나날을 보내게 된다. 식이장애를 호소한다는 것은 가족들에게 뭔가 호소하는 것이다.

미 해군사관학교 교수 자카리쇼어는 전후 일본 정부가 저지른 최대 실수를 특수위안시설협회를 만들어 미국 군인들에게 합법적인 매춘을 제공한 것이라고 꼽는다. 일본 정부는 사창가를 만들어 한 회당 15엔을 받았다. 담뱃값도 안 되는 비용으로 매춘을 제공한 것이다. 역사적으로 점령군을 위해 자발적으로 위안부 시설을 제공한 나라는 일본이 유일하다. 왜 그랬을까? 일본은 태평양 전쟁 중 그들이 점령한 아시아 국가들에게 수많은 성범죄를 저질렀다. 그래서 미군들 역시 자기들처럼 행동할 것으로 생각했다. 불안했던 것이다. 그래서 보통 여성을 성범죄로부터 구할 의도로 합법적인 매춘을 조장한 것이다. 이처럼 사람은 자신을 보면서 남을 판단한다. 자신이 그렇게 생각하면 남도 그렇게 생각할 것으로 생각한다. 많은 문제는 여기서 유래한다.

부부간 성격차이로 갈등을 빚는다. 근데 성격차이란 무엇일까? 성격차이는 성격이 다른 것을 뜻하지 않는다. 너무 비슷하기 때문에 성격차이가 생기는 것이다. 사람은 자신과 비슷한 사람을 미워한다. 우리가 일본을 미워하는 것은 달라서가 아니라 우리와 비슷하기 때문이다. 작은 차이가 큰 차이보다 더 큰 적의와 분노를 일으키는 것이다. 깊은 갈등은 언제나 이질적인 두 존재보다 가장 유사한 두 존재, 두 집단, 두 문화 사이에서 발생한다. 상대도 나와 같은 생각을 할 것이라는 믿음은 수많은 실망과 갈등을 낳는다.

최악의 부모는 자녀에게 그림자를 짊어지게 하는 사람이다

인간에게는 성장과 독립이라는 중요 과제가 있다. 여기서 제일 중요한 것은 정서적 독립과 분리이다. 배우자보다 부모를 우선시하는 태도는 결혼을 파멸로 이끈다. 결혼하면 그동안 충성하던 대상이 바뀌고 부모와의 관계도 달라져야 한다. 그러기 위해서는 먼저 부모로부터 정서적 독립이 필요하다. 근데 자녀의 독립을 방해하는 부모가 많다. 정서적 독립은 자녀만의 문제가 아니다. 이를 가장 힘들어하는 것은 바로 부모들이다. 허전함과 아쉬움을 느낀다.

군대에 간 아들이 훈련 중 어머니라고 부르며 눈물을 글썽이는 모습은 익숙하다. 독일 사람들은 이를 이해하지 못한다. 왜 저기서 엄마를 찾나요? 왜 울지요? 되묻는다. 부모와 자녀의 강한 애착 관계는 한쪽으로는 친밀감과 연대감을 주지만 다른 측면에서 정서적 독립을 어렵게 한다. 부모들은 대놓고 독립을 반대하지는 않는다. 상반된 이중신호를 보낸다. 네가 원하는 삶을 살아라. 미래를 열심히 준비해서 너의 인생을 개척하고 결혼해서 독립하라. 하지만 나는 네가 독립하는 것을 허락하지 않을 것이다. 나의 품을 떠나지 말고 여전히 정서적으로 의존하라고 말한다.

최악의 부모는 자녀에게 그림자를 짊어지게 하는 사람이다. 부모가 이루지 못한 소망과 욕구를 자식에게 안기는 사람이다. 일명 투사라 부른다. 문제아는 그 가족 그림자 투사의 희생인 셈이다. 자녀에게 줄 수 있는 최고의 선물은 부모의 그림자를 주지 않는 것이다. 방법은 균형 잡힌 삶을 사는 것이다. 가족은 하나의 감정 덩어리이다. 한 사람이 불행하면 다른 사람들이 행복할 수 없다는 말이다. 아빠의 한숨 소리에 다 같이 우울해질 수도 있고 반대로 엄마의 웃음소리에 모두가 행복해질 수도 있다. 부부 간 갈등은 실망, 자책, 불안, 후회 등 수많은 부정적 감정을 가져온다. 이 감정은 가족이라는 피뢰침이 모두 흡수해버린다.

가족 중 한 사람이 어둡고 긴장된 표정으로 집에 들어왔을 때 집에 있던 가족이 순식간에 그의 감정상태를 알아채고 영향을 받는 식이다. 긍정적 측면은 가족 한 사람의 부정적 감정을 가족 전체가 여과장치가 되어 걸러주고 완화해준다. 가족은 감정적으로 얽혀 있는 하나의 감정 덩어리이다. 가족은 살아 있는 하나의 유기체이다. 구성원이 따로 독립된 존재가 아닌 끊임없이 상호작용을 하는 공동체의 일원으로 존재한다는 의미이다. 건강한 개인이 건강한 가정을 만들고 그런 것이 모여 건강한 사회를 만든다. 요즘 우리 사회가 어지러운 것은 바로 가정이 흔들리기 때문이다.

어떻게 하면 평생 늙지 않고 젊음을 유지할까

대학 졸업 때까지만 혹은 학위취득 때까지만 공부하고 이후는 완전 공부와는 담을 쌓고 사는 사람과 별로 배운 건 없지만 평생 책을 손에서 놓지 않고 공부하는 사람이 있다면 둘 중 누가 성공 가능성이 높을까? 당연히 후자이다.

사람들은 공부하지 않으면서 무언가 멋진 성과를 기대한다. 마치 야구선수가 아무 훈련 없이 계속 3할대 타자가 되려는 것과 같다. 주변에 쉰 살도 되기 전에 회사를 잘린 사람들이 흔하다. 아직은 잘리지 않았어도 조만간 그만두어야 하고 이 문제로 고민하는 사람들이 많다. 이런 문제는 국가와 기업이 해결할 수 있는 문제가 아니다. 개인이 해결해야 할 문제이고 해법은 "끊임없는 공부"이다. 이번엔 일본 메이지대 사이토 다카시 교수가 쓴 『내가 공부하는 이유』*를 소

* 사이토 다카시, 『내가 공부하는 이유』, 오근영 옮김, 걷는나무, 2014

개한다.

공부하지 않으면 고집불통이 되고 만다

사람들은 학교 문을 나서는 순간 공부와는 담을 쌓는다. 재미도 없고 효용성도 없는 공부에 넌덜머리가 나기 때문이다. 누군가 공부하는지 안 하는지 평가하지도 않고 몇 년 책을 읽지 않는다고 표가 나는 것도 아니기 때문이다. 하지만 공부하는 사람과 공부하지 않는 사람 사이는 건널 수 없는 강이 존재한다. 이미 그것이 겉으로 드러날 때쯤이면 어떻게 해볼 도리가 없다.

공부란 무엇일까? 공부는 자신의 고정관념을 계속 깨뜨려가는 것이다. 내가 알고 있는 것이 틀릴 수 있다는 사실을 알아가는 것이다. 세상에는 내가 아는 것보다 모르는 것이 훨씬 많고 그래서 함부로 자기주장을 펴는 것이 위험하단 사실을 인지하는 것이다. 그래서 공부할수록 공부할 게 늘어나고, 공부하지 않을수록 공부할 게 없어지는 법이다. 공부하면 유연해지고 공부를 하지 않으면 고집스러워진다. 자기가 아는 세계가 전부라고 착각하게 된다.

최고의 자리에 오르기 위해서는 공부를 해야 한다. 플라시도 도밍고는 역사상 가장 위대한 가수의 반열에 오른 사람이다. 1991년 베르디 오페라 「오셀로」를 공연했을 당시 80분 동안 관객의 박수를 받는 기록을 세우기도 했다. 모차르트, 베르디, 바그너 등 영역에 제한을 두지 않고 끊임없이 도전해 111개 역을 맡았고 100개가 넘는 오페라를 녹음했다. 그렇게 많은 역의 노래를 어떻게 외우느냐는 질문에 그는 이렇게 답했다.

"너무 많은 역할과 나라를 넘나들며 공연해야 해서 늘 공부를 합니다. 비행기 안에서도 악보를 읽으며 공부하고 휴가 중에도 악보를 펼쳐놓지요. 공연 시작 직전까지도 문제점을 고쳐 더 좋은 노래를 하려고 합니다."

어느 분야건 최고의 자리에 오른 사람은 자신의 재능이나 위치에 만족하지 않고 끊임없이 공부했다는 공통점을 갖고 있다.

배움의 기쁨은 삶을 충만하게 해준다

공부하면 늙지 않는다. 사람들은 호기심을 잃는 순간 늙기 시작한다. 세상을 다 아는 것처럼 착각하고 그날을 그날처럼 낭비할 때 늙는다. 정년퇴직한 남자들은 정체성을 잃고 힘들어한다. 나를 원하는 곳이 없어졌다는 생각에 외로워한다. 부자나 가난한 사람이나 돈이 있는 사람이나 없는 사람이나 마찬가지이다. 이 위기를 극복하는 유일한 방법은 바로 배우는 것이다. 배우는 기쁨을 경험하는 것이다.

배움의 기쁨은 삶을 충만하게 해준다. 공부하는 사람과 그렇지 않은 사람은 눈빛이 다르다. 배우는 즐거움을 아는 사람의 눈빛은 늘 빛난다. 허무함이나 고독은 찾아볼 수 없다. 배움에 설레는 사람은 빛이 나게 마련이다. 그런 의미에서 나이 들어 하는 공부가 진짜 공부다. 시민대학과 노인대학을 보라. 그들은 매일 새로운 걸 배우니 너무 좋다는 얘기를 한다. 그동안 겪은 삶의 지혜가 공부와 합쳐져 공부의 내용이 더욱 풍성해진다. 죽음이 가까워지고 인생이란 무언지 고민하기 시작하는 시점에서 철학이나 불교공부를 한다면 어떨까? 내 고민과 절절히 연결된 걸 느낄 수 있을 것이다. 중년 이후의 삶과 죽음, 행복, 삶의 의미 같은 인문학은 궁합이 잘 맞는다.

소년이 배우는 것은 해 뜰 때의 별빛과 같고 장년에 배우는 것은 한낮의 햇빛과 같고 노년의 배움은 어둠 속의 밝음과 같다. 노년의 공부는 어둠 속에 빛나는 촛불과 같은 존재이다. "배우기를 멈추는 사람은 스무 살이든 여든 살이든 늙은이다. 계속 배우는 사람은 언제나 젊다. 인생에서 가장 멋진 일은 마음을 계속 젊게 유지하는 것이다." 헨리 포드의 말이다.

공부하면 외롭지 않다. 사람들은 스마트폰에 목숨을 걸고 있다. 애나 어른이나 개나 소나 다 그렇다. 왜 그렇게 스마트폰에 매달릴까? 혼자 있는 시간을 견디지 못하기 때문이다. 뭔가 소외당하는 걸 참지 못하기 때문이다. 공부는 책을 펼치는 순간부터 마치는 순간까지 혼자 몰입하는 고독한 작업이다. 충실한 고독이다.

함께 공부할 수도 있지만 결국 혼자 힘으로 하는 것이 공부이다. 공부에 몰입하는 동안은 외로움을 느낄 수 없다. 배움이 주는 즐거움에 빠지게 된다. 공부하는 삶을 살면 혼자 있는 조용한 시간을 기다리게 된다. 공부는 최소의 비용으로 최대의 만족감을 느낄 수 있다. 책 한두 권을 사서 집에서 읽는다는 생각을 하면 아주 기뻐 춤이라도 추고 싶을 지경이다.

공부하면 희망이 생긴다. 공부는 하면 할수록 더 알고 싶다는 의욕과 할 수 있다는 자신감이 솟는다. 성취감과 희열을 느낄 수 있다. 공부하는 사람은 인생을 함부로 내버려두지 않는다. 1995년 미국 작가 얼 쇼리스는 빈곤에 대한 책을 쓰기 위해 죄수를 인터뷰했다. 그들에게 왜 가난한 것 같으냐는 질문을 했더니 "잘 나가는 사람들이 누리는 정신적 삶이 없기 때문이다"는 답을 들었다. 극장, 연주회, 박물관, 강연 같은 것이 그것이다.

그는 이 말에 충격을 받고는 노숙자, 매춘부, 범죄자 같은 사람들에게 인문학을 가르치는 클레멘트 코스를 만들어 플라톤과 아리스토텔레스를 가르치기 시작했다. 처음 1년 코스가 끝났을 때 31명 중

17명이 수료증을 받았다. 두 명은 치과의사가 되었고 전과자였던 여성은 약물중독자 재활센터 상담실장이 되었다. 공부가 희망이다.

공부하면 유연해진다. 공부하지 않으면 고집불통이 된다. 다른 세상을 본 적이 없어서 자기 생각이 옳고 최고인 걸로 착각하게 된다. 세상을 이해하는 폭이 좁아진다. 전방위적으로 살펴보고 종합적으로 이해해야 하는데 그것이 불가능하다. 현대사회는 너무 복잡해지는 한편 분절화되었기 때문에 전체를 읽어내는 눈이 없다면 세상을 자기 관점으로만 보고 판단하는 실수를 저지를 수 있다.

세계관이 하나인 사람은 세상을 하나의 방향으로만 이해한다. 자신과 조금만 달라도 전혀 이해하지 못하거나 받아들이지 않으려 한다. 극단적 우익이나 좌익 성향이 있는 사람들이 주변 사람을 불편하게 만드는 것도 이 때문이다. 자신만의 우물 속에 갇혀 있으면 우물 속에서 외롭게 죽을 수도 있다. 공부를 많이 하면 삶이 풍요로워진다. 다양한 나무가 자라고 있는 숲과 같다. 다른 사람을 이해하려 하고 받아들이게 된다. 자연스럽게 유연해진다.

그렇다면 어떤 공부를 할 것인가?

호흡이 깊어지는 공부를 해야 한다. 일단 학교를 졸업하고 사회에 나오면 도통 공부를 하지 않는다. 급한 일에 매달릴수록 삶의 호흡은 얕아질 수밖에 없다. 가쁜 호흡이 심장을 자극해 호흡 곤란을 일으키는 것처럼 삶의 호흡이 얕은 사람은 작은 스트레스에도 인생이 끝나는 것처럼 힘들어한다. 호흡이 얕은 공부는 일정 목표를 달성하면 끝이 나는 공부이다. 토익 900점 넘기기, 업무와 관련한 자격증 따기 등이 그것이다. 이는 능력의 증거이고 이런 공부에는 한계가 있다. 눈에 보이는 성과는 낼 수 있지만 생각의 힘을 키워주고 세상을 꿰뚫어보는 안목을 주지는 않는다. 자기계발의 한계점이다.

지금까지 공부와는 다른 공부를 해야 한다. 호흡이 긴 공부는 문학, 철학, 사학, 물리학, 음악, 미술 등 순수학문에 대한 공부를 말한다. 이것을 업으로 하는 사람들처럼 많은 시간을 들이라는 건 아니다. 무언가를 이루기 위한 수단으로서의 공부가 아니라 공부 그 자체가 목적인 공부를 하라는 것이다. 이 공부는 우리의 지식을 풍부하게 해주고 생각하는 법을 길러주며 나아가 어떻게 인생을 살 것인지 고민할 수 있게 해준다.

사람에게는 호흡이 깊어지는 공부, 내 마음과 머리를 자극하고 성장하게 하는 공부에 대한 갈증이 있다. 그 갈증을 어떻게 채우느냐에 따라 인생의 방향이 달라진다. 이를 위해서는 스스로 공부 방향과 목표를 정해야 한다. 이렇게 알아서 하는 공부가 진짜 공부이다. 어른이 된 후의 공부는 틀이 없다. 객관적이고 측정 가능한 공부법도 없다. 누가 공부를 많이 하는지 안 하는지 구분하기 모호하다. 하지만 일단 지식이 축적된 이후에는 따라잡기 어려울 수 있다. 내가 무식하다고 생각하는 순간은 때가 늦을 수도 있다.

공부는 밥 먹고 잠자는 것과 같아야 한다

세상에 쓸모없는 공부란 없다. 공부한 결과가 지금 당장 눈에 보이지 않는 것 같아도 공부한 것은 절대 사라지지 않는다. 공부는 나무의 나이테처럼 내 안에 각인되어 필요할 때 전혀 새로운 형태로 다시 나타나 뜻밖의 성과를 가져다준다. 그 깨달음이 평생 공부할 수 있게 하는 원동력이다. 공부는 운동과 같다. 몰아서 한꺼번에 확

해치우는 것보다 조금씩이라도 꾸준히 하는 것이 핵심이다. 책을 읽고 글을 쓰고 무언가를 찾아 공부하는 것이 밥을 먹고 잠을 자는 것처럼 일상이 되어야 한다. 완전 몸에 배어야 한다.

이를 위해서는 내 인생을 이끌어줄 책을 찾아야 한다. 일본 기업의 아버지로 존경받는 시부사와 에이치는 평생 『논어』를 끼고 살았다. 『논어』를 실제 생활에서 구현하기 위해 애를 썼다. 그는 에도 막부 말기인 1840년 태어나 1931년 죽을 때까지 메이지, 다이쇼, 쇼와 시대를 살면서 일본 자본주의의 기반을 닦은 인물이다. 일찍 서양에 가서 그들의 국가와 산업제도를 직접 눈으로 살피고 이런 경험을 바탕으로 일본의 조세, 은행, 금융제도를 개혁했다. 제일국립은행, 도쿄증권거래소, 태평양시멘트, 기린맥주 등을 설립하고 운영했다.

피터 드러커가 "기업의 목적이 부의 창출일 뿐 아니라 사회적 기여라는 것을 일본의 시부사와 에치이에게 배웠다"고 격찬한 인물이다. 그는 항상 『논어』를 옆에 두고 인생의 답을 찾았다. 당시 상공업은 매우 천한 것이며 『논어』 같은 학문을 공부하는 사람은 상공업에 관심이 없었다. 상인들은 자기 이익을 위해서라면 어떤 짓도 했다. 그는 한 손에는 주판을 다른 손에는 논어를 들었다. 이를 바탕으로 『논어와 주판』이란 책을 써서 공자의 사상을 지침으로 인재를 발탁하고 기업을 운영하는 것이 어떤 것인지를 구체적으로 알려주었다.

그가 존경을 받는 것은 바로 『논어』를 실생활에서 실현하려고 노력했기 때문이다. 읽고 이를 실천한다면 위기의 순간, 유혹의 순간에 행동이 달라질 것이다. 『논어』라는 책을 가까이하지 않았다면 시부사와 에이치도 다른 기업가들과 별반 다르지 않았을 것이다. 그는 다섯 명의 선생에게 논어를 배웠을 정도로 열정적이었다. 당신에겐 어떤 책이 있는가?

공부의 귀재는 공자이다. 그는 늘 자기처럼 배우기 좋아하는 사람은 없을 것이라고 말했다. 공자의 세 가지 공부원칙이 있다. 첫째, 스스로 공부하는 것이다. 배 고프지 않은 사람에게 밥을 먹여줄 수는 없다. 배가 고프면 알아서 먹는다. 스스로 분발하지 않으면 알려주지 않고 스스로 답답해하지 않으면 말해주지 않는다. 깨닫기 위해서는 스스로 공부에 대한 갈증이 있어야 한다. 둘째, 정답을 찾으려 하지 말고 자신만의 답을 찾아야 한다. 공자는 질문한 사람에 따라 다른 답을 주었다. 인仁에 대한 답이 그렇다. 어떤 이에게는 남보다 먼저 어려운 일을 하고 얻는 것은 남보다 나중에 하는 것이라 했고, 어떤 이에게는 평소 행동을 공손히 하고 맡은 일을 정성껏 하며 사람과 사귈 때 진실한 마음으로 대하는 것이라 했다. 또 어떤 이에게는 사람을 사랑하는 것이라고도 했다. 셋째, 모르는 것을 부끄러워 말라고 했다. 이른바 불치하문不恥下問이다. 아랫사람에게조차 물어보는 걸 부끄러워하지 말라는 것이다. 죽으면 어떻게 되느냐는 자로의 질문에 "삶을 알지 못하는데 어떻게 죽음에 대해 알 수 있겠냐"고 답했다. 자신이 알지 못하는 것에 대해서는 아는 척하지 않았다.

소크라테스의 공부법도 참고할 만하다. 소크라테스는 누군가를 가르친 적이 없다. 생각하는 법만을 가르쳤다. 질문을 던져 스스로 생각하게 했다. 유대인 600만 명을 학살하도록 지휘한 아돌프 아이히만은 자신은 단지 명령에 따른 것뿐이라고 억울해했다. 그의 잘못은 무엇일까? 바로 생각하지 않은 것이다. 자신에게 주어진 명령이 어떤 의미인지, 무고한 유대인을 단지 명령이란 이유로 무조건 죽이는 것이 옳은지 생각하지 않은 죄이다.

우리는 생각하며 살고 있을까? 소크라테스는 질문하는 사람이다. 상대 주장을 확인하고 논리적 틈새를 파고드는 질문을 던진다. 계속 질문하다 보면 그래서 결론은 뭔지를 생각하게 된다. 해답을 찾는 게 중요한 게 아니라 진리를 추구하는 과정 그 자체가 중요하다는 것이다. 찾든 못 찾든 이렇게 저렇게 생각하다 보면 생각하는 힘이 길러진다.

무엇보다 공부의 핵심은 독서이다. 책은 모든 공부의 시작이다. 책을 통하지 않고 공부하는 건 상상하기 어렵다. 빌 게이츠는 매일 한 시간, 주말에는 서너 시간을 도서관에서 보낸다. 『자본론』을 쓴 마르크스는 영국에 망명 후 30여 년 동안 하루도 거르지 않고 대영박물관 도서관을 찾았고 오전 10시부터 문을 닫는 오후 6시까지 자신의 지정석 G-8에 앉아 연구하고 책을 썼다. 『자본론』은 여기서 탄생했다.

하지만 사람들은 책 읽기에 재미를 붙이지 못한다. 독서가 재미없고 딱딱하게 느껴지는 것은 자신과의 연결점이 없기 때문이다. 못 찾았기 때문이다. 자신과 관계를 생각하면서 책을 읽어보라. 나와 관계있는 부분, 흥미를 유발하는 부분부터 찾아 읽는 것이다. 책을 읽은 후 인용노트를 사용하는 것도 방법이다. 책을 읽은 후 가장 좋았던 부분, 인상 깊었던 부분을 발췌해 노트에 쓰고 나의 경험 생각과 연결지어 글을 쓰는 것도 효과적인 방법이다. 무엇보다 자기 마음을 대변해주는 책을 만나는 것이 관건이다.

공부가 생활이 되어야 한다. 촌음을 아껴 책을 읽고 실천하면서 자신을 갈고닦아야 한다. 무언가를 위한 공부가 아닌 공부 그 자체에서 즐거움을 느낄 수 있어야 한다. 그럴 때 우리도 성장한다.

놓친 버스는 내가 탈 버스가 아니었을 뿐이다

❖ 악으로 이르는 길은 선의로 포장되어 있다The road to hell is paved with good intentions는 말이 있다. 좋은 뜻에서 한 일이지만 결과는 좋지 못함을 넘어서 최악이 된다는 말이다. 히틀러도 그랬고 김일성도 그랬다. 왜 그럴까? 한 가지 생각에 너무 사로잡히면 다른 생각을 받아들이지 못하기 때문이다. 그런 면에서 너무 강한 신념, 사상, 종교는 위험하다. 사람으로 하여금 생각하는 능력을 없애기 때문이다. 이 책 『생각하는 힘, 노자 인문학』*은 노자의 『도덕경』을 새롭게 해석했다. 자기 생각을 확신하지 말고 대신 경계에 서라고 주장한다.

---

* 최진석, 『생각하는 힘, 노자 인문학』, 위즈덤하우스, 2015

도라고 하는 순간 이미 도가 아니다

노자는 도가도비상도道可道非常道 명가명비상명名可名非常名이라 했다. 도라고 하는 순간 이미 도가 아니고 명이라 하는 순간 이미 명이 아니란 말이다. 뭔가를 규정하는 순간 처음 만들어질 때의 명과 실제의 명이 달라진다는 말이다. 명과 실의 불일치 현상이 벌어진다. 무언가를 규정하는 것은 중요하지만 그것에 집착하지 말아야 한다. 공자는 본질을 강조하고 노자는 관계를 중시한다.

공자의 사상은 인仁이다. 어떻게 하면 인간 본질인 인을 잘 보존하고 확장시키느냐 하는 것이다. 노자는 다르다. 그는 기준점을 부인한다. 기준을 만드는 순간 나머지 것들을 배제하고 억압한다고 생각하기 때문이다. 이게 갈등의 출발점이란 것이다. 기준이 있으면 차별하게 된다. 경직되고 자율성을 잃는다. 기준의 본질은 출발점이다. 그래서 본질 자체를 부인한다. 본질 대신 관계성을 본다. 그가 주장하는 유무상생有無相生이 그렇다. 유와 무가 서로 살게 해준다는 뜻이다. 유는 무를 살려주고 무는 유를 살려준다. 유는 무가 있기 때문에 존재할 수 있고 무 역시 유가 있기 때문에 존재할 수 있다.

유와 무는 따로 분리된 것이 아니고 같이 존재한다는 말이다. 유가 있어야 무가 있고 무가 있기 때문에 유가 있다. 무란 무엇인가? 구체적으로 존재하지 않으면서 다른 것을 기능하게 해주는 영역이다. 무언가 존재하기 위해서는 공간이 필요하다. 기능하기 위해서도 공간이 필요하다. 시작이나 출발처럼 자신의 존재성은 없으면서 구체적인 모든 것을 존재하게 하는 상태가 바로 무이다. 무는 텅 비어 없는 것이지만 유가 존재하고 쓰임새가 있도록 하는 위대한 기능이 있다.

사는 것이 힘든 이유는 가짜를 진짜로 생각하기 때문이다. 그림자를 진짜로 착각한다. 거기서 집착이 생기고 집착 때문에 힘이 든다. 그림자를 쫓는다는 것은 허무한 일이다. 잡을 수 없는 것을 잡을 수 있다고 생각하면 힘이 든다. 불교에서는 가짜가 아닌 실상을 아는 경지를 각覺이라 한다. 깨달음이다. 젊어서는 애인과 헤어지면 울고불고 난리를 친다. 사랑은 변한다는 사실을 모르기 때문이다. 나이가 들면 달라진다. 사랑은 변한다는 사실을 깨달았기 때문이다. 실상을 알면 집착하지 않고 집착에서 벗어나면 힘들지 않다. 고통에서 벗어날 수 있다.

산 것은 부드럽고 죽은 것은 뻣뻣하다

무소유란 무엇일까? 무소유는 재산을 많이 갖지 말라는 게 아니다. 자기 마음대로 어떤 형상을 지어서 그것을 진짜로 정해버리는 행위를 하지 말라는 것이다. 가버린 버스를 두고 "아이고, 저건 내가 탈 버스였는데"라고 생각하는 것은 소유적 태도이다. 대신 저 버스는 내가 탈 버스가 아니었다는 사실을 인정하고 받아들이면 된다. 버스가 무슨 억하심정으로 그를 두고 떠난 것은 아니다. 그저 시간표대로 움직였을 뿐이다.

마음대로 상상하는 것은 위험하다. 자기 생각의 틀에 자신을 가두는 것도 위험하다. 자기 생각과 실상은 대부분 다르다. 거기서 세상의 고통은 시작된다. 실상을 아는 것이 깨달음이다. 이 버스는 내가 탈 버스가 아니라고 생각하면 마음이 가뿐하다. 저 돈은 내 돈이 아니라고 생각하라. 내 자식은 내 소유가 아니고 내가 잠시 맡아 있을 뿐이라 생각하면 된다. 대장경은 한 마디로 관계의 정의이다. 이것이 있어 저것이 있고, 이것이 생겨나므로 저것이 생겨나며, 이것이 없으므로 저것이 없고, 이것이 없어지므로 저것이 없어진다. 인연이다. 관계이다. 이 세계는 실체로 존재하지 않고 관계로 존재한다.

난亂이란 글자가 있다. 글자 안에 '어지럽히다'는 의미와 '정리하다'라는 의미가 함께 있다. 어지럽혀야 정리를 할 수 있다. 나쁜 사람이 있어야 좋은 사람이 있을 수 있다. 추함이 있어야 아름다움도 존재할 수 있고 볼록이 있어야 오목도 있을 수 있다. 이처럼 사물을 볼 때 양쪽을 함께 볼 수 있어야 한다. 잠에서 깬다고 한다. 잠을 자야 깰 수 있다. 한 글자 안에 깨다와 자다라는 대립되는 의미가 동시에 들어있다.

노자사상은 자연의 질서를 인간 질서에 응용하려 했다. 텍스트란 말은 섬유를 뜻하는 텍스처와 어원이 같다. 이 세상은 직물이 짜여 있듯 교직되어 있다는 뜻이다. 있음과 없음의 교직, 이질적인 것들의 교직이 이 세상이다. 노자는 도를 현이나 새끼줄을 갖고 묘사한다. 현은 경계가 불분명하다. 상호 뒤섞여 있다. 이런 세계를 인식하는 인식능력 또한 그래야 한다. 도가에서는 지에서 명의 단계로 나아가라고 주문한다. 명明은 해와 달이 합쳐진 모양이다. 해를 해로만 이해하는 것은 지知이다.

해와 달을 한 세트로 아는 것이 바로 명이다. 해를 해만으로 보거나 달을 달만으로 볼 게 아니라 달과 해의 관계로 봐야 한다. 분리된 것을 분명하게 인식하는 것을 지知라고 한다. 해와 달을 상호 연관 속에서 인식하는 것이 명이다. 해와 달을 동시에 포착하는 능력이 명이다. 관계의 반대는 실체이다. 뉴턴 물리학에서 양자역학으로 변하고 있다. 실체 중심에서 관계 중심으로의 변화이다. 이성, 합리성, 순수성 같은 단어는 실체의 단어이다.

무식하면 용감하다. 자기 의견이 분명한 사람일수록 지적 토대가 얕다. 자기 의견이 과감할수록 지적 넓이가 좁다. 경계를 품은 사람은 과감하지 않다. 함부로 진리임을 확신하지 못한다. 어느 시대건 무식한 사람이 용감하다. 여기서 무식하다 함은 대립면을 함께 생각하지 못한다는 의미이다. 사랑을 예로 들어보자. 사랑은 좋은 감정을 갖고 서로 위하는 상태를 말한다. 근데 사실 사랑 안에는 이별이 포함되어 있다. 이별과 사랑이 한 세트이다.

강아지가 예쁘다고 난리를 치면 어른들은 "아주 예뻐 마라. 손 타서 죽는다"고 한다. 지나치게 만지는 것을 경계한 것이다. 대부분 사랑은 사랑하지 않아서 깨지는 게 아니다. 너무 사랑해서 깨진다. 하루에 전화를 수십 번 하고 문자를 하면 답이 바로 와야 한다. 모든 것을 공유해야 한다. 무엇을 하는지 속속들이 알아야 한다. 일거수일투족을 알아야 한다. 그러면서 금이 간다. 어떤 것이든 대립면의 긴장을 유지하지 않으면 깨진다.

봄날 얼음 풀리듯 하라는 말이 있다. 얼음이 풀리는 그 경계 지점은 물도 아니고 얼음도 아닌 아주 모호한 상황이다. 경계가 불분명하다. 근데 사실 그 자체가 실상이다. 검을 현玄, 밝을 명明자는 아주 높은 정신적 경지를 표현한다. 두 글자 모두 경계가 분명하게 드러나지 않은 가물가물하거나 어둑어둑한 상태를 묘사한다. 분명한 구분 없이 대립면들의 관계로 되어 있는 상태 혹은 정신적 경지를 표현한다. 이런 대립면의 긴장상태를 품고 있는 사람은 과감하지 않다. 광신하지도 않는다.

광신은 대개 협소한 믿음에서 온다. 광신하는 사람은 대개 헛똑똑이다. 충혈된 눈으로 과감하게 말하는 사람, 굵은 팔뚝을 휘저으며 주장하는 사람, 깃발을 들고 소리치는 사람, 머리띠를 하고 내달리는 사람, 서둘러 충고하려 덤비는 사람이 대개 헛똑똑이라는 말이다. 헛똑똑이들이 판치는 세상은 거칠고 갈등이 심하고 선명성 경쟁이 하늘을 찌른다. 세계가 대립면의 긴장으로 되어 있다는 것을 아는 사람은 진중해질 수밖에 없다.

정호승의 「거미줄」이란 시가 있다. "산 입에 거미줄을 쳐도 거미줄이 가장 아름다울 때는 진실은 알지만 기다리고 있을 때다. 진실에도 기다림이 필요하다. 진실은 기다림을 필요로 한다. 조용히 조용히 말하고 있을 때다." 어떤 것이 진실이라고 확신할 때 그 진실이 진실이 아닐 수도 있다는 반대편의 힘과 함께 작동하지 않으면 그 확신은 광신이기 쉽다. 대립면의 긴장이 주는 탄성을 잃은 모든 일은 광신이 되기 쉽다. 자기가 진실이라고 믿는 어떤 것이 진실이 아닐 수도 있다고 생각하고 긴장을 유지할 때 오히려 폭발력이 터져 나온다. 이게 진정한 진실의 힘이다. 확신하지 않는 힘이 바로 내공이다.

산 것은 부드럽고 죽은 것은 뻣뻣하다. 살아 있는 나무는 바람에 흔들린다. 죽은 나무는 흔들리지 않는다. 살아 있어야 흔들리고 살아 있는 것만이 흔들린다. 마음속에 하나의 기준을 갖는 것, 전체 사회가 하나의 이념으로 묶이는 것은 뻣뻣해지는 것이다. 이념을 가지면 뻣뻣해진다. 유가사상은 여기 있는 내가 이상적인 곳을 향해 부단하게 전진해가는 과정을 그렸다. 내가 우리로 바뀌는 과정이고 개별성이 집단성으로 변하는 과정이고 개별성이 보편성을 확보하는 과정이다.

좋은 일이 아니라 좋아하는 일을 하라

유가는 구분을 긍정한다. 본질을 기반으로 세상을 설명한다. 본질은 어떤 것을 다른 것이 아니라 바로 그것이게 하는 성질이다. 거기에는 반드시 동일성과 배타성이 함축되어 있다. 노자는 다르다. 구분을 싫어한다. 좋아하는 일은 따로 있는데 좋아하지 않는 일을 한다면 미칠 것이다. 하고 싶은 일을 하지 못하고 하기 싫을 일을 한다면 어떨까? 바라는 것과 바라지 않는 일 사이에서 벌어지는 갈등은? 인생이 고달프다. 삶에 재미가 없다. 큰 성취를 이루기 어렵다.

그는 바람직한 것을 없애는 것이 더 낫다고 생각했다. 해야 하는 일보다 하고 싶은 일을 하는 다양한 사람들로 이뤄진 사회가 더 강하다고 생각했다. 바람직한 일, 해야 할 일, 좋은 일을 구분하는 것을 좋지 않게 보았다. 사냥하듯 이런 목표물을 향해 내달리도록 구조화된 사회는 사람을 미치게 할 수 있다고 본 것이다. 다이아몬드와 고구마의 가치는 때에 따라 달라진다. 정해져 있는 것이 아니다. 어떤 조건에 의해 정해지는 것이다.

주인의식 같은 것도 새롭게 인식할 필요가 있다. 다들 주인의식을 강조한다. 근데 과연 그게 진리일까? 주인의식이 좋기만 할까? 모두 주인처럼 행동하면 어떻게 될까? 노자는 이 세계가 모든 손님들의 연합으로 되어 있다고 본다. 노자는 성공 대신 공성功成을 쓴다. 공은 우리가 이루는 것이지만, 공성은 이루어지는 것이다. 공으로 드러난다는 것이다. 혼탁과 맑음, 가만히 있음과 생기는 함께 공존함을 이룬다.

맑아진 물은 혼탁함이 고요함이란 절차를 통해 드러난 것이다. 이런 이치를 지키는 자는 꽉 채우려 들지 않는다. 오직 채우지 않기 때문에 자신을 흐리멍덩하게 하지 특정한 모습으로 완성치 않는다. 자신을 흐리멍덩하게 한다? 대립면의 경계를 품은 사람은 자신을 특정한 모습으로 확정 짓지 않는다. 다른 말로 하면 특정한 신념이나 이념에 의해 지배되지 않는다. 이것이 바로 유무상생의 원칙을 체득한 사람이다.

41장에는 대기만성大器晩成이란 말을 한다. 큰 그릇은 특정한 모습으로 완성되지 않는다는 뜻이다. 보통은 대기만성으로 읽는다. 보통 큰 그릇은 늦게 만들어진다고 해석한다. 이 말 앞에는 대방무우大方無隅, 즉 큰 사각형에는 모서리가 없다는 말이 있고 뒤에는 대음희성 대상무형大音希聲 大象無形이란 말이 있다. 큰 음에는 소리가 없고 큰 형상은 모습이 드러나지 않는다는 뜻이다. 그런 맥락에서 보면 대기만성보다는 대기면성이 더 그럴 듯하다.

보고 싶은 대로 보려는 사람은 앞으로 나가지 못한다

72장에서는 도상무위이무불위道常無爲 而無不爲라고 했다. 도란 늘 무위하지만 이루어지지 않음이 없다란 뜻이다. 여기서 무위는 어떤 이념이나 기준을 근거로 하여 행하지 않는다는 말이다. 유위는 특정 기준이나 신념 혹은 가치관의 지배하에 하는 행위를 말한다. 유위적인 사람은 세상을 자기 기준에 따라 본다. 무위적인 사람은 그런 기준이 없어서 보이는 대로 본다. 훨씬 유연하다. 보이는 대로 보는 사람은 앞으로 나갈 수 있다. 선입견이나 고정관념이 없기 때문이다.

보고 싶은 대로 보려는 사람은 앞으로 나가지 못한다. 과거에 사로잡혀 있다. 아무 사심 없이 사물을 본다는 것은 일정 경지에 올라야 가능하다. 위학일익爲學日益 위도일손爲道日損이란 말도 했다. 배움이란 보태는 것이고 도란 덜어내는 것이란 말이다. 『논어』의 첫 글자는 학學이다. 『도덕경』의 첫 글자는 도道이다. 공자의 철학은 학學과 반복훈련을 뜻하는 습習으로 이루어져 있다. 학습이 사명 완수에 가장 중요한 장치가 된다. 유학은 기본적으로 쌓아가는 것이다. 성인의 말씀을 듣고 자신을 바꾸어 간다. 하루하루 더해 간다.

노자 생각은 다르다. 덜어내는 것이다. 빼기 더하기의 빼기가 아니다. 이미 있는 지식, 이념, 신념을 약화시키면서 지배력을 줄이는 것이다. 그러면서 자기 내면을 드러낸다. 덜고 또 덜어내다 보면 무위의 지경에 이른다. 도를 무위이무불위無爲而無不爲라고 했다. 무위를 실천하면 안 되는 일이 없다는 것이다. 무위에서 멈추지 않고 무위를 지나 무불위에 가서 멈춘다. 노자는 무불위를 지향한다. 자신을 내세우지 않는 태도나 자신을 도외시하는 태도는 전형적인 무위의 태도이다. 자기 입장을 강하게 주장하지 않는 태도를 말한다. 자신을 내세우지 않음으로써 오히려 앞서게 되는 것이다.

유학은 필연적으로 가치론에 빠진다. 세상 변화보다는 기준을 따르려는 의지가 확고하다. 노자는 반대다. 어떤 가치론이나 체계를 무력화시키고자 한다. 무위의 반대는 유위이다. 유위란 이념이나 신념과 같은 가치론적 근거를 갖고 세상과 관계한다. 그 기준에 따라 세계를 본다. 어떤 프리즘을 갖고 세상을 보는 사람과 보이는 대로 보는 사람 중 누가 세상을 정확하게 볼까? 보고 싶은 것만 보는 사람과 두루두루 다 보는 사람이 경쟁하면 누가 이길까? 인간이 살아가는 과정은 지식이 쌓이고 경험이 축적되는 과정이다. 경험과 지식의 축적을 없애라는 말이 아니다. 다만 경험과 지식에 지배되지 않는 눈으로 세상을 보라는 것이다.

과거 영화는 재미가 없었다. 관객이 느낄 부분까지 감독이 다 정해줬기 때문이다. 감독이 관객의 수준을 신뢰하지 않기 때문이다. 부모와 자식 간 갈등은 왜 생길까? 부모가 자식을 불신하기 때문이다. 왜 효를 강조하는가? 강조하지 않으면 효도하지 않을까 걱정하기 때문이다. 부모와 자식 간에는 믿어주고 사랑해주고 기다려주면 된다. 부모님 말씀 잘 들으라는 말은 사라져야 한다. 부모가 시키는 대로 했더니 성공했다는 말은 어딘가 이상하다. 나이 마흔 된 사람이 부모 말을 그대로 순종한다는 건 어딘가 이상하다. 좋은 정치 역시 무위를 실천해야 한다. 정부가 모든 것을 좌지우지하지 말라는 것이다. 내 자식을 내 틀 안에 가두지 말라는 것이 무위의 실천이다. 무위의 실천은 이 세상이 특정한 본질 위에 서 있지 않고 대립면의 공존으로 되어 있다는 것을 깨닫는 것에서 출발한다.

가장 높은 단계의 선비는 도를 들으면 성실하게 실천한다. 중간 단계는 반신반의한다. 낮은 단계는 도를 듣고 비웃는다. 그런 부류가 비웃지 않으면 도라 하기 어려운 것이다. 자기 입으로 스스로의 선을 말하는 사람이 있다. 나는 진실하다, 나는 선하다, 선한 세상을 만들고 싶다고 한다. 스스로의 틀과 기준을 갖고 말하는 것이다. 자기 기준으로 상대를 재단하고 사회를 평가한다. 그 일 자체가 이미 폭력이다. 양쪽을 다 보는 사람은 특정 방향으로 내달리지 않는다. 역설을 내재화해야 한다. 스스로 착하다고 하면서 착함을 추구하는 사람은 그 착함이 기준이 되고 권력이 된다. 그 착함으로 폭력을 행사하고 판단하는 실수를 하게 된다.

이쪽저쪽을 구분하는 대신 경계에 서라

왜 혁명이 완수되지 못하는가? 혁명을 하는 혁명가들이 스스로 혁명되지 않았기 때문이다. 자신은 혁명되지 않은 채 사회의 혁명만 부르짖었기 때문이다. 거대한 것은 그다지 어렵지 않다. 작고 구체적인 것이 어렵다. 실제 존재하는 것은 이념이 아니라 일상이다. 뇌물 문제를 제도로 해결할 수 없다. 한계가 있다. 개인 스스로가 뇌물을 거부할 수 있어야 한다. 근데 그런 힘은 어디서 나올까? 자신에 대한 존중심에서 나온다. 자기 삶에 대한 자부심이 있어야 한다. 윤리적 규정이 많다고 윤리적 사회가 되지는 않는다. 자신의 자발성에 집중하지 않는 사람은 늘 시선이 외부를 향한다. 역설을 내면화해야 한다. 이쪽저쪽을 구분하는 대신 경계에 서야 한다. 선악을 구분하지 말아야 한다.

무소유의 철학이 있다. 무소유는 소유한 후 일어나는 것이다. 가진 것이 없는 사람은 버릴 것도 없다. 혼란이 있어야 안정이 있을 수 있고 안정이 길어지면 혼란이 생긴다. 모든 것에는 순서가 있고 상호보완이 있다. 그런 점에는 난 공자철학과 노자철학은 퍼즐같이 딱 맞는다는 생각이다. 공자는 기준점을 제시했고, 노자는 기준점을 부인하면서 관계를 중시했다. 기준점이 없다면 구분할 수 없다. 일단 구분해야 구분을 없앨 수 있다. 여러분 생각은 어떠신지?

다른 사람이 지루하지 않도록 간결하게 말하라

❖ 주의력 결핍장애ADHD는 현대인의 상징이다. 애 어른 할 것 없이 모두 스마트폰에 얼굴을 파묻고 24시간을 보내고 있다. 회의할 때도, 식사할 때도, 대화할 때도 스마트폰에서 손을 떼지 못한다. 지금 같은 정보의 홍수 시대에 정보란 어떤 의미가 있을까? 그렇게 많은 정보가 필요하기는 한 것일까? 우리에게 쏟아져 들어오는 정보를 보면 마치 소방 호스로 물을 마시는 것과 같다.

전문직들은 하루 평균 304통의 이메일을 받는다. 이메일을 처리하는 데 일주일에 28시간을 쓴다. 하루 평균 150번 스마트폰을 확인한다. CEO는 하루 시간의 85퍼센트를 회의 혹은 공식행사에 사용한다. 어디서나 외부와 연결되어 있다. 이렇게 분주하고 정보가 쏟아지는 현대인에게 가장 중요한 덕목은 무엇일까? 바로 간결함이다. 이 책 『브리프』*는 그런 간결함에 대해 다루고 있다.

뭐든 지나치면 좋지 않다. 약간 부족한 게 좋다. 정보도 그렇다. 정보 과잉은 집중력과 우선순위 결정력을 떨어뜨린다. 여러 일을 동시에 처리할수록 정보나 매체에 집중하기 어렵다. 멀티태스킹을 자주 하는 사람들은 다양한 정보 중 지금의 목표와 무관한 것을 걸러내지 못한다. 불필요한 정보로 말미암아 업무수행 능력이 떨어진다. 집중력은 근육과 같다. 집중할수록 근육이 강해지고 집중하지 못할수록 근육이 줄어든다.

 간결함은 실력이다

과잉연결, 과잉정보, 과잉 끼어들기는 집중력을 떨어뜨린다. 거기다 말까지 길고 핵심이 빠진다면 어떤 일이 벌어질까? 그 말을 주의 깊게 들을 수 있을까? 쉽지 않다. 커뮤니케이션에서는 내가 무슨 말을 했느냐는 전혀 중요하지 않다. 상대가 무슨 말을 들었느냐가 중요하다. 만약 메시지가 전달되지 않았다면 그건 듣는 사람의 책임이 아니다. 말한 사람의 책임이다. 그렇게 많은 정보 사이를 비집고 나의 메시지를 상대에게 전하는 최선의 방법은 바로 간결함이다.

간결함이란 무엇일까? 짧게 말하지만 핵심을 정확하게 상대에게 전하는 기술이다. 반대는 길게 말하면서 핵심이 빠진 것이다. 끝난 후 상대로 하여금 "그래서 결론이 뭐야? 하라는 거야, 말라는 거야?"라는 생각을 하게 만드는 것이다. 간결함은 시간의 문제가 아니라 상대가 어떻게 느끼느냐의 문제이다. 간결함이란 무조건 짧아야

* 조셉 맥코맥, 『브리프』, 홍선영 옮김, 더난출판사, 2015

하는 것이 아니다. 주어진 시간을 최대한 효과적으로 잘 활용하는 것이다. 주어진 시간에 필요한 메시지를 충분히 잘 전달해 상대 마음을 움직이는 것이다. 간결함은 필요한 말만을 의미하는 것은 아니다. 타이밍의 문제이기도 하다. 필요한 말을 제때 할 수 있어야 한다.

간결하게 말하기 위해서는 무엇이 필요할까? 간결함은 실력이다. 쉽게 읽히는 글이 가장 쓰기 어려운 글이다. 왜 그럴까? 쉽게 읽히는 글을 쓰기 위해서는 그 이슈에 대해 완벽한 이해를 해야 가능하다. 간결함은 전문성에서 나온다. 간결하기 위해서는 그 분야를 완벽하게 이해해야 한다. 폭넓은 지식이 있어야 정확하게 요약할 수 있다. 그래서 그 주제를 깊이 파고들어 철저히 공부해야 한다. 그런 지식이 있어야 관련 주제를 명료하게 설명할 수 있다. 간결함은 심도 있게 연구한 뒤 갖출 수 있는 그 사람만의 시각이자 관점이다. 간결하지 못한 이유는 본질을 파악하지 못했기 때문이다. 그럼 전체 내용을 일일이 전할 수밖에 없다. 듣는 사람이 전체를 듣고 알아서 본질을 파악하란 얘기이다. 간결함이란 본질을 확실하게 파악한 후 얻을 수 있는 결과물이다.

높은 사람, 의사결정 권한을 가진 사람들의 공통점은 시간부족에 시달린다는 점이다. 그들을 기다리는 보고가 너무 많다. 뭔가 지루한 보고를 하면 바로 반응이 나타난다. 프레젠테이션 도중 스마트폰을 확인하거나 전화를 받으러 자리를 비운다. 따분한 표정으로 노려본다. 게임이 끝난 것이다. 산만해지기 전에 핵심을 밝혀 시선을 집중시킬 수 있어야 한다.

간결함은 5분 안에 판가름난다

당신은 얼마나 간결한가? 상대를 지루하게 하는 재능이 있는 건 아닌가? 간결함에 대한 검사를 보자. 한 시간 분량의 정보를 2분 남짓한 길이로 요약할 수 있는가? 5줄 안에 핵심을 담아낸 이메일을 쓰고 있는가? 10장 이내의 그림은 많고 글이 적은 슬라이드로 당신 생각을 확실하게 전달할 수 있는가? 복잡한 아이디어를 간단한 이야기 혹은 비유, 은유로 전할 수 있는가? 중요한 소식을 기자처럼 전문적으로 전달할 수 있는가? 어려운 전문용어 대신 쉽고 명확한 단어를 사용하는가? 상대의 집중력이 떨어진 사실을 바로 알아차리는가?

간결함이 떨어지는 이유는 무엇일까? 우선 비겁함 때문이다. 자신의 생각을 확실히 밝히지 않는다. 다른 사람의 이의 제기가 두려워 자기 생각을 숨긴다. 사람들은 고개를 갸우뚱거리면서 "저 사람의 생각은 과연 뭘까"라고 생각한다. 자만심도 이유이다. 자신만이 그 주제에 대해서는 많이 안다고 생각하기 때문에 온갖 너저분한 얘기를 다 한다. 다른 사람도 당신 이상 알 가능성이 높다.

첫 마디를 하는 순간 당신이 원하는 것을 이미 파악한 사람도 있을 수 있다. 생각이 정리되어 있지 못한 것도 원인이다. 자신이 무슨 말을 하는지 모른 채 자꾸 말을 하는 사람이 있다. 당연히 듣는 사람은 혼란에 빠진다. 다른 사람의 시간을 우습게 생각하는 것도 원인이다. 그래서는 안 된다. 다른 사람의 시간을 함부로 빼앗은 것은 위험한 행위이다.

한 컨설팅 회사가 클라이언트에게 가서 프레젠테이션했다. 이들은 들어오자마자 요지가 눈에 확 들어오는 요약본을 전달했다. 회의 시작과 동시에 결론부터 말했다. "저희가 살펴본 결과는 이렇습니다. 귀사에서 해야 할 일이 바로 이거 이겁니다." 처음 5분 사이에 일어난 일이다. 1시간 예정의 발표였는데 결론과 문제의 핵심을 10분 안에 전달했다. 헤드라인을 전면에 배치한 것이다. 어떤 일이 벌어졌을까? 놀란 경영진들은 의자를 당겨 앞으로 앉았다. 어떻게 그런 결론을 내렸는지 질문했고 이들은 답변했다. 남은 시간을 주요 이슈에 대해 충분히 의견을 나누면서 성공적인 프레젠테이션을 할 수 있었다.

 간결함은 계획을 세워야 한다

말을 줄이려면 준비가 필요하다. 개요가 필요하다. 개요란 내가 하고 싶은 말의 요점이다. 한 마디로 "무슨 말을 하고 싶은 겁니까?" 라는 질문에 한 마디로 표현하는 것이 개요이다. 이를 할 수 없다면 준비되지 않은 것이다. 제대로 말할 수 있도록 계획해야 한다. 모든 아이디어와 정보를 짜임새 있게 구성해야 한다. 요점이 무언지 알 수 있어야 한다. 핵심을 강조할 수 있는 큰 그림을 그릴 수 있어야 한다. 해야 할 말과 삼켜야 할 말도 구분할 수 있어야 한다.

이를 도와주는 것이 브리프맵이다. 마인드맵이 자기 생각을 스스로 평가하고 발전시킬 수 있는 시각적 기초를 닦아주듯이 브리프맵은 보고의 윤곽을 잡아준다. 회의 내용을 간략하게 정리하고 다양한 전략을 종합해준다. 비전을 또렷하게 표현하고 신제품 특징을 부각시키며 이해하기 어려운 현안이나 기획을 간단히 정리할 수도 있다. 브리프맵은 브리프BRIEF의 첫 글자를 따서 다음과 같은 순서로 하면 된다.

첫째, B는 백그라운드background이다. 즉 서론이다. 둘째, R은 리

즌Reason이다. 근거 혹은 타당성을 뜻한다. 셋째, I이다. 인포메이션information이다. 핵심정보를 말한다. 넷째, E이다. 엔딩Ending이다. 결론이다. 다섯째, F이다. 팔로우업Follow-up이다. 추가내용 혹은 질문이다. 이를 현실에 적용해보자. 프로젝트 진행 사항에 대해 보고를 한다고 가정하자. 어떻게 할 것인가? 먼저 상사 입장에서 생각해봐야 한다. 상사가 가장 궁금해할 것은 무얼까? 그가 고른 핵심 정보는 이렇다. "프로젝트는 어디까지 진행되었나? 일정에 맞춰 가고 있는가? 이후 진행에 꼭 필요한 건 뭔가?" 그는 이렇게 보고했다. "프로젝트는 계획대로 진행 중입니다. 전에 물으셨던 부분은 이렇게 진행되고 있습니다. 예정대로 진행하기 위해서는 몇 가지 추가 물품을 구매해야 합니다." 상사는 어떤 생각을 할까? 짧은 시간 안에 궁금한 것을 다 들었다. 상대가 필요로 하는 것도 파악했다. 결론을 바로 내릴 수 있다. 5분 안에 무언가를 결정할 수 있다. 이게 간결함이다. 간결함은 미리 준비하고 얼개를 짜놓아야 가능하다. 브리프맵은 간단명료한 의사전달을 가능케 하는 시각적 개요이다.

간결함은 유의미하며 절제됐다

간결하기 위해서는 이야기하듯이 해야 한다. 내러티브의 힘이다. 세상을 바꾼 스마트폰을 발표하면서 스티브 잡스는 이렇게 말했다. "때론 혁명적인 제품 하나가 모든 것을 바꿉니다. 오늘 애플은 핸드폰을 다시 발명했습니다." 그는 결론부터 얘기했다. 이어 매킨토시부터 아이팟과 아이튠스를 걸쳐 제품을 만들어왔다는 얘길 한다. 이어 경쟁사를 조롱한다.

"가장 발전한 핸드폰을 스마트폰이라고 합니다. 인터넷을 쓸 수 있다고 하죠. 그런데 그게 갓난아이 수준입니다. 스마트하지도 않고 사용하기도 어렵습니다." 이어 "우리는 지금껏 어떤 모바일기기보다 스마트하고 사용하기도 훨씬 쉬운 차원이 다른 제품을 만들고 싶었습니다." 그는 설명하지 않고 얘기를 했다. 자신의 이야기에 사람들을 자연스럽게 끌어들였다. 이게 이야기의 힘이다. 내러티브의 힘이다.

누구나 할 수 있는 말은 하지 마라. 너도 알고 나도 알고 누구나 알고 있는 길고 지루한 얘기로 사람들을 괴롭히지 마라. 파티를 준비하는 사람은 참석자가 즐겁도록 최선을 다한다. 당연히 업무회의도 그러해야 한다. 이를 위해서는 고민하고 머리를 짜내야 한다. 한 시간짜리 얘기를 3분으로 줄이는 훈련을 해보라. 핵심은 이렇다. 강력한 헤드라인을 사용하는 것이다. 첫 문장으로 상대를 압도하고 설득하는 것이다. 직접 말을 건네는 듯한 말투 혹은 문체를 사용하는 것이다. 일관성 있는 맥락, 논리적인 사건 전개, 입체적인 인물, 강렬한 결론을 내는 것이다. 전체 스토리라인을 그렇게 짜는 것이다.

간결함은 대화를 없애는 게 아니라 오히려 재미있고 유의미하며 절제된 대화를 만들어내는 것이다. 절제된 대화란 훈련된 대화다. 서로가 무슨 말을 하는지 잘 알아듣고 적극적으로 경청하면서 상대에게 무엇이 중요한지 알아가는 과정이다. 대화란 상대의 흥미와 동의를 구하는 일이다. 말하고 적극적으로 듣고 대화하는 것이다. 말하기Talk, 적극적 경청Active listening, 대화의 순환Converse이다. 말에는 요점이 있어야 한다. 적극적 경청이란 상대 얘기를 열심히 듣고 그 얘기와 관련한 질문을 하는 것이다. 상대 얘기와는 관련 없는 엉뚱한 얘기를 하는 순간 대화는 물 건너 간다. 진심으로 관심 가는 주제에 집중하라. 대화내용과 상관없는 말은 하지 마라.

대답은 짧게 하라. 끝내야 할 때를 알고 상대에게 기회를 주라. 이 중 적극적 경청이 가장 중요하다. 간결하다는 건 상대의 관심사를 알고 상대의 우선순위에 초점을 맞추는 것을 뜻한다. 내가 하고 싶은 말 대신 상대가 원하는 쪽으로 얘기를 진전시키는 것이다. 핵심은 존중이다. 그들을 존중하고 그들이 말하는 것을 존중하고 그들의 시간을 존중하는 일이다. 간결함의 반대는 존중상실이다. 상대와 관계없이 자신의 관심사를 끝없이 늘어놓는 것이다.

글도 그렇다. 긴 글은 읽지 않는다. 문서를 짧고 매력적으로 만들 방법을 생각하라. 첫눈에 들어오게 해야 한다. 강력한 제목으로 상대를 끌어들여야 한다. 이메일은 한 화면에 들어오게 하라. 길면 안 된다. 여백의 미를 활용하라. 촘촘하면 안 된다. 굵은 글씨를 활용하라. 핵심 아이디어는 굵은 글씨로 써라. 군더더기는 잘라내라. 간결함은 타인에 대한 책임이자 공감이고 존중이다. 시간이 없어 당장 나가야 하는 사람에게 무엇이 가장 중요할까? 바로 간결함이다.

회의의 군살을 제거하라. 간결함은 회의의 생산성을 높여준다. 회의시간을 줄여야 한다. 한 시간은 너무 길다. 30분이면 충분하다. 대신 제시간에 시작해 제시간에 끝내라. 준비 부족과 목표 부재 문제를 해결하라. 목적을 이해하고 참석했는가? 결정을 내리러 간 것인가? 아니면, 논의를 하러 간 것인가? 왜 그 자리에 갔는지를 항상 생각하라. 문제 해결을 위해서는 시작 후 5분 동안 조용히 회의를 준비하고 핵심을 정리할 시간을 주어라. 회의 목적을 알린 뒤 5분 동안 각자 필요한 점을 점검하게 하라.

회의 형식도 바꿔보라. 왜 꼭 앉아서 회의해야만 하는가? 일어서서 하면 안 되는가? 테이블 대신 원탁을 사용하면 어떨까? 간단하고 성취 지향적인 회의를 디자인하라. 파워포인트를 없애는 것도 방법이다. 대부분 파워포인트는 결정권자를 위한 것이 아니다. 오히려 보고 전 중간관리자를 위한 것이다. 파워포인트는 제대로 된 프레젠테이션에 부적합하다. 이것은 안전망으로만 갖고 있어야 한다. 발표할 내용을 철저히 준비하고 완성도를 높였다면 듣는 사람은 프레젠테이션보다는 대화를 더 좋아한다. 명료하고 자신감 있는 태도가 중요하다.

효과적인 회의를 위해서는 독재자와 폭군을 제거해야 한다. 방법의 하나는 적극적 경청자를 지정하는 것이다. 그는 회의내용을 기록하고 여러 사람들이 말하는 공통의 맥락을 추려낸다. 회의를 짧고 간결하게 만들고 최종 요약본을 작성한다. 독재자가 엉뚱한 소리를 하거나 목적을 흩뜨리면 개입해 논의를 정리해준다. 발언막대기를 활용하라. 발언막대기를 가진 사람만이 발언할 수 있게 하는 것이다. 당연히 한 번에 한 사람만 말할 수 있다. 독점하는 사람에게는 제한시간을 두는 것도 방법이다.

딱딱한 브리핑을 부드러운 대화로 하는 것도 방법이다. 윌리엄 콜드웰 4세 장군은 이라크 주둔 다국적군 전략통신 사령관으로 임명되었다. 그는 군 대변인 역할을 했는데 당시 이라크 상황은 좋지 않았다. 전임자들은 연단에 올라 브리핑하는 방식을 선호했는데 그는 그런 형태가 불편했다. 그는 기자회견장에 큼직한 책상을 가져다 놓고 CNN BBC 뉴욕타임스 기자들과 함께 책상 앞에 둘러앉아 이라크에서 무슨 일이 벌어지고 있는지 함께 이야기를 나누기 시작했다.

그가 10분간 이야기를 하고 나머지 15분은 질의응답 시간으로 바꾸었다. 함께 대화하는 것이 목적이다. 혼자 일방적으로 떠드는 대신 관심 분야에 대해 정보를 공유하고 자기 생각을 얘기하게 했다. 새로운 좌석배치와 브리핑 방식은 그 자리에 있던 모든 사람을 편안하게 해주었다. 얘기를 나누면서 그는 기자 이름과 그들의 질문 궁금해하는 것 등을 철저히 기록했다가 나중에 관련 정보가 생기면 직접 전화해 알려주기도 했다. 이게 커뮤니케이션이다.

간결함은 현대인의 필수미덕이다

간결함은 글쓰기에도 필수적이다. 이를 위해서는 경제적 언어를 구사해야 한다. 단어를 아껴쓰고 필요한 정보만을 주어야 한다. 반드시 읽는 글은 제목이나 헤드라인이 눈에 띄는 글이다. 내용이 적절하고 간결하며 핵심이 뚜렷해야 한다. 경제적이고 강력하다. 이메일도 그렇다. 어떤 임원은 모든 이메일을 스마트폰으로 쓴다. 원칙 중 하나는 하나의 화면 안에 정확히 맞아떨어지게 쓰는 것이다. 더 길게 쓰면 읽지 않는다.

하니시의 칼럼은 간결함의 대명사이다. 그는 시선을 끄는 헤드라인, 예측 가능한 분량, 적은 문장으로 한 문단을 구성한다. 각 항목을 75개 단어로만 쓴다. 믿을 만하고 유용한 정보를 어떻게 써먹을지 알려준다. 적은 분량에 그만한 내용을 담아내는 과정은 굉장히 어렵다. 하지만 좋은 전략이다. 꼭 필요한 전략이다. CEO와 임원들이 주 독자이다. 이들은 접근도 어렵고 시간도 없는 사람들이다. 헤드라인을 어떻게 쓸지 고심하는 데 걸리는 시간이 나머지 내용을 어떻게 쓸지 생각하는 시간보다 더 오래 걸린다. 하지만 헤드라인 작성법은 모든 경영진이 익혀야 할 규칙이다. 바쁜 경영자들은 30초 안에 그 칼럼이 유용한지 아닌지 결정한다. 간단하게 말한다고 내용과 의미마저 간단한 것은 아니다. 사람들이 알아듣고 이해할 수 있으려면 간결하게 말해야 한다.

설교란 말에는 부정적 이미지가 있다. 설교에 열광하는가? 아니면 설교가 길어질까 두려워하는가? 주례사가 더 이어지길 기도한 적이 있는가? 난 아니다. 직장생활이 힘든 이유는 긴 회의, 말도 안 되는 설교가 많기 때문이다. 간결해야 한다. 그게 당신과 조직을 구원할 것이다. 간결함은 현대인의 필수 미덕이다.

어떻게 살아야 사람답게 사는 것인가

✣ 가장 철학적인 것이 가장 현실적이고 가장 현실적인 것이 가장 철학적이다. 지속 가능한 개인과 조직의 특징 중 하나는 철학적 뼈대가 튼튼하다는 것이다. 그래서 일희일비하지 않고 쉽게 흔들리지 않는다. 이상한 짓을 하지 않는다. 잘 나가던 기업이 하루아침에 훅 가는 것은 바로 그런 철학이 부재하기 때문이다. 대만에서 경영의 신으로 불리는 포모사그룹의 왕융칭이 그러하다.

그는 기업 발전을 세 단계로 나눴다. 첫 단계는 창업단계로 용기와 경험이 가장 중요하다. 다음은 발전단계로 경영기술과 관리방법이 중요하다. 마지막 단계는 규모의 단계로 철학이념이 가장 중요하다. 사회에 대한 사명감과 책임이다. 비즈니스 하는 사람이 철학이념이 가장 중요하다고 얘기하는 것이다. 어떤 기업가가 드러커에게 어떻게 하면 성공할 수 있을지 물었다. 그는 질문하는 방식을 바꿔야 한다고 얘기했다. 어떻게 바꿔야 하느냐는 질문에 그는 "사회를 위해 내가 무슨 일을 해야 성공할 수 있습니까?"라고 해보라고 말했다.

경영하는 사람은 세 종류로 나눌 수 있다. 장사꾼, 상인, 기업가가 그것이다. 장사꾼은 이익만 좇는다. 돈을 벌기 위해서라면 무슨 일이든 한다. 상인은 이익을 중요하게 생각하지만 할 수 있는 것과 할 수 없는 것을 구분한다. 기업가는 사명감으로 사회적 가치를 완수한다. 당신은 어디에 속하는가? 오늘은 중국의 중앙민족대학교 철학과 자오스린 교수가 쓴 책 『사람답게 산다는 것』*을 소개한다. 역대 중국의 고전을 읽기 쉽게 소개한다. 공자는 너무 알려져 여기서는 생략한다.

 맹자, 사람이 먼저다

맹자부터 시작한다. 맹자가 쓴 춘추시대 역사서 『좌전』은 전쟁 기록이다. 그만큼 전쟁을 많이 했다. 그때 사람 맹자는 반전주의자다. 원칙주의자다. 자기의 정치원칙과 들어맞지 않으면 어떤 제후가 불러도 가지 않았다. 맹자는 인정을 펼칠 것을 권했다. 최고의 도덕을 통해 전란을 멈추고 천하 통일을 이루어 백성을 고통에서 구제하라고 주장했다. 그는 백성을 최우선으로 했는데 지금으로 보면 민주적인 철학을 갖고 있었다.

그의 철학은 첫째, 군주보다 백성이 더 귀하고 소중하다. 제자백가 가운데 이런 주장을 한 유일한 사람이다. 그는 통치자의 잔혹성과 빈부격차를 가장 신랄하게 비판했다. 절대권력에도 반대했다. 군주와 신하는 상호견제를 해야 하고 대등하고 서로 의무를 다해야 한

---

* 자오스린, 『사람답게 산다는 것』, 허유영 옮김, 추수밭, 2014

다고 주장했다. "군주가 신하를 자기 손발로 여기면 신하는 군주를 자기 배와 심장처럼 여기고, 군주가 신하를 개와 말처럼 여기면 신하는 군주를 길 가는 사람으로 생각하며, 군주가 신하를 흙이나 지푸라기로 보면 신하는 군주를 원수로 볼 것이다." 맹자의 생각이다.

둘째, 모든 것은 백성으로부터 출발한다. 민본과 민주는 백성을 위해 결정하느냐, 백성이 직접 결정하느냐에 달려 있다. 정치의 출발점을 통치자가 아닌 국민에게 두고 국민 이익을 통치자 이익보다 우위에 두었다. 셋째, 경제가 우선이다. 그는 민생에 관심이 많았다. 평등한 토지권을 보장하고 상공업을 육성해야 한다고 했다. 요즘 말로 경제가 우선이란 말이다. 그 유명한 무항산無恒産 무항심無恒心이다. 곳간에서 인심 나고 자신이 먹고살 게 있어야 주변도 돌아보고 예절도 지키게 된다는 것이다.

넷째, 인정을 바탕으로 왕도를 수립하고 의義와 이利를 분별해야 한다. 도덕문제가 해결되어야 정치문제를 해결할 수 있다. 군주는 의를 생각하고 백성은 이를 생각한다. 통치자는 마땅히 백성과 더불어 즐거워해야 한다. 의리지변이다. 통치자라면 이익보다 의에 더 관심을 둬야 한다는 말이다.

노자, 남들과 다른 생각을 해야 한다

노자는 성인을 넘어 신이 된 사람이다. 노자는 갓난아이를 좋아한다. 아이는 세 가지 특징이 있다. 첫째, 뼈가 약하고 근육은 부드럽지만 손아귀 힘은 강하다. 둘째, 남녀의 교합에 대해서는 모르지만 성기는 발기한다. 셋째, 종일 울어도 목이 쉬지 않는다. 아기는 정기가 온전하고 원기가 순수하기 때문이다. 갓난아기는 가장 연약하지만 가장 순수하다.

강한 것은 노쇠한다. 회오리바람은 아침을 넘기지 못하고 소나기는 하루를 넘기지 못한다. 누가 이렇게 만들었는가? 천지가 그렇게 했다. 천지의 광폭함도 이처럼 오래가지 못한다. 낳되 소유하지 않고 기르되 의지하지 않으며 이끌되 지배하지 않는다. 상반되어야 살 수 있다. 남들과 같은 생각과 행동을 하면서 결과가 바뀌길 기대하는 것만큼 어리석은 일은 없다.

남들과 다르게 살고 뭔가 차별화하기 위해서는 남들과 다른 생각을 해야 한다. 그게 노자가 주장하는 반자도지동反者道之動이다. 거꾸로 가는 것이야말로 도의 운동성이란 말이다. 모든 사람이 옳다고 하는 길에는 반드시 함정이 있고 진정 안전하고 옳다고 생각하는 길이 가장 위험할 수 있다는 말이다. 새로운 발상에 가장 큰 장애물은 타성이다. 기존의 성공에 안주하는 것이다. 성공은 그 자체로 비극을 품고 있다. 몇 번 성공하게 되면 그 성공에 익숙해지고 자신의 방식에 안주한다. 그러다 의외의 것에 일격을 당하고 무너진다. 헤겔은 노자를 칭송했다. 상반된 관점에서 문제를 보는 데 능숙했기 때문이다.

노자는 패러독스를 활용해 지혜를 전파했다. 모순되는 것처럼 보이는 말을 사용해 사물의 본질을 꿰뚫었다. 보통 큰 그릇을 만드는 데는 시간이 걸린다고 생각하는 대기만성大器晩成도 실은 완성되었다고 생각한 순간 더는 성장할 수 없다는 것으로 해석하는 것이 옳다. 과정이 가장 위대한 완성의 방식이란 말이다. 가장 좋은 정치는 무위의 정치란 말도 비슷하다. 하는 듯 안 하는 듯, 있는 듯 없는 듯 하는 리더가 최고의 리더라는 말이다.

노자는 인위를 싫어했다. 인위란 말은 억지로 그것을 만들려고 하고 주장하는 것을 의미한다. 예를 들어 무언가를 지나치게 강조하는 것은 그것이 없기 때문이다. 신뢰가 없는 회사가 신뢰를 강조하고 가족적이지 않은 회사가 가족임을 강조한다는 것이다. 이 얼마나 위대한 통찰인가? 이를 노자는 정언약반正言若反이라 한다. 반대로 얘기를 한다는 의미로 해석하면 된다.

사물의 상대성에 대한 통찰도 위대하다. 유무상생有無相生 난이상성難易相成 장단상형長短相形 고하상영古下相盈이란 말이 그렇다. 유와 무는 서로 생하고 어려움과 쉬움은 서로 이루며 길고 짧음은 서로를 통해 모양을 이루고 높음과 낮음은 서로 채워준다는 뜻이다. 즉 천지만물과 삼라만상은 서로 대립하는 동시에 통일되고 서로 배척하면서도 상호 의존한다는 말이다. 유는 무가 있기 때문에 존재할 수 있고 좋은 사람은 나쁜 사람이 있기 때문에 존재의 의미가 있다는 말이다. 오목이 없으면 볼록은 존재할 수 없다. 이 말이 의심스러우면 오목 없이 볼록을 그려보길 권한다.

장자,
생과 사가 매한가지다

다음은 장자 이야기이다. 그는 죽음을 슬퍼하지 않았다. 자연현상이라고 생각했기 때문이다. 삶이 있으면 죽음이 있고 죽음이 있으면 삶이 있다. 봄이 오면 여름이 오고 가을이 지나면 겨울이 온다. 그런 연유로 계절 바뀌는 것을 슬퍼하는 사람은 없다. 태어났으면 당연히 죽는 것인데 슬퍼하면 안 된다는 말이다. 그는 소요유逍遙遊를 강조했다. 절대적인 정신의 자유를 뜻한다. 자유의 반대는 집착이다. 고통의 근원도 집착이다.

인간의 고통과 불행은 집착에서 비롯된다. 애들은 쉽게 친해지고 늘 행복하다. 너와 나를 구분하지 않기 때문이다. 소유에 대해서도 집착하지 않는다. 몸에 대해서도 집착하지 않는다. 병이 있는 것은 몸이 있기 때문이다. 몸이 없다면 병도 없다. 우리가 살기 어려운 것은 가진 게 많기 때문이다. 가진 것에 집착하기 때문이다. 자유를 위해서는 집착을 버려야 한다.

자기 그림자가 두려워 그림자를 떼어내려고 죽기 살기로 달리는 사람이 있었다. 아무리 달려도 그림자를 떼어놓을 수 없었고 결국 그는 죽었다. 그는 큰 나무 그늘 속에서 쉬면 그림자가 사라진다는 사실을 알지 못했다. 사람들이 명예와 이익을 위해 조바심을 내지만 사실은 그림자와 경주를 하는 것과 같다. 허깨비 같고 물거품 같고 그림자 같고 이슬 같은 것이다.

사람들은 노상 어떻게 하면 위로 올라갈 수 있을까, 어떻게 하면 돈을 더 벌 수 있을까를 생각한다. 하지만 어떻게 하면 한 인간으로 더 잘 살 수 있을까는 생각하지 않는다. 돈이나 지위는 생존 수단이다. 그것만 생각하면 수단이 목적이 된다. 어리석은 사람은 꿈을 꾸면서 그게 꿈인 줄 모른다. 꿈속에서 또 꿈을 꾼다. 깨어난 후에야 그걸 깨닫는다. 똑똑한 사람은 그게 꿈이란 사실을 안다.

선가,
고요하게 마음을 다스려라

선가는 고요하게 마음을 다스리는 지혜를 뜻한다. 선禪은 생활방식이다. 일반적으로 불가의 수행을 참선이라고 한다. 불가수행에는 육도가 있다. 육바라밀이라고도 부르는데 산스크리트어로 피안에 이르다는 뜻이다. 육도는 보시布施, 지계持戒, 인욕忍辱, 정진精進, 선정禪定, 지혜智慧이다. 이 중 선정은 불법을 깨닫기 위한 순수한 정신적 상태를 말한다. 선심을 기르기 위해서는 다섯 가지 마음을 길러야 한다. 자비심, 평상심, 청정심, 자유심, 자연심이 그것이다.

자비심慈悲心은 만상에 베푼 사랑의 마음이다. 같이 기뻐하고 같이 슬퍼하는 마음이다. 평상심平常心은 도다. 굳이 거창한 일을 하지 않고 일상에 충실하기만 해도 부처가 될 수 있다. 밥을 먹을 때는 밥을 먹고 잠을 잘 때는 잠을 자는 것이 평상심이다. 평상심이 무너지면 생각이 많아진다. 쓸데없는 생각에 머리가 어지럽고 마음이 붕 떠 있어 밥을 먹어도 맛이 없고 잠도 깊이 자지 못한다.

원래 진리는 평범하고 재미없다. 황당무계한 얘기는 사람의 눈과 귀를 사로잡는다. 인간은 모두 죽는다고 말하면 사람들은 코웃음을 친다. 하지만 불로장생할 약이 있다면 구름처럼 모일 것이다. 밥을 먹어야 살 수 있다고 얘기하면 덜떨어진 사람이라고 하지만 밥을 먹지 않아도 살 수 있다고 하면 환호할 것이다. 튀는 행동과 독특함으로 대중에게 영합하지 마라. 본말이 전도된 것이다.

청정심清淨心은 어떤 유혹에도 흔들리지 않는 마음이다. 청정심은 맹자가 주장한 부동심不動心과 비슷하다. 부동심이란 세상의 수많은 유혹과 자극 앞에서 순수한 영혼과 깨끗한 정신을 지키며 헛된 명예와 뜬구름 같은 이익의 노예가 되지 않는 마음 상태를 말한다. 부동심은 마음을 비워야만 가능하다. 심지어 마음조차 없애야 한다. 청정심과 부동심은 냉정하고 무심하란 뜻이 아니다. 외부 유혹에 흔들리지 말고 자유인이 되어야 한다는 뜻이다.

깨달음에는 말이 필요 없다. 당나라 승려가 불경을 가지러 서천으로 갔다. 부처는 마하가섭을 시켜 제일 좋은 불경을 주도록 했다. 그가 골라준 불경에는 한 글자도 쓰여 있지 않았다. 일명 무자경無字經이다. 말하지 않았지만 들을 수 있다. 선종은 언어와 문자보다 체험과 생활을 중시한다. 깨달음은 생활 자체의 체험에서 온다. 지자

불언知者不言 언자부지言者不知이다. 아는 사람은 말하지 않고 말하는 사람은 알지 못한다는 노자의 말이다. 말로 모든 것을 다 표현할 수 없다. 열애 중인 연인은 말이 필요 없다. 눈길만으로 많은 얘기를 주고받는다. 감정과 언어는 별개다. 감정은 언어로 도달할 수 없는 경지로 사람을 이끌 수 있다.

묵가, 분명하게 책임을 다해라

묵가는 분명하게 책임을 다하는 지혜를 강조했다. 묵자의 주된 사상은 겸상애兼相愛, 교상리交相利이다. 더불어 사랑하고 서로 이롭게 하라는 것이다. 남을 사랑하는 자는 사랑을 받고 남을 미워하는 자는 미움을 받는다. 아무리 어진 임금도 공 없는 신하는 사랑하지 않으며 아무리 자애로운 부모도 무능한 자식은 사랑하지 않는다.

세상에 씨를 뿌리고 수확을 바라지 않는 사람이 어디 있는가? 그물을 쳐놓고 고기가 잡힐 것을 바라지 않는 사람이 있는가? 묵자는 이익을 강조했다. 단 의로운 이익을 얘기한다. 묵자는 가난한 사람의 편에 선 인물이다. 백성은 세 가지 근심이 있다. 배고픈 자가 먹을 것을 얻지 못하는 것, 추운 자가 입을 것을 얻지 못하는 것, 피로한 자가 휴식을 취하지 못하는 것이 그것이다.

법가, 튼튼하게 기본을 다져라

법가는 튼튼하게 기초를 다지는 지혜를 말한다. 진 나라는 상앙의 변법으로 놀라운 발전을 한다. 상앙의 변법은 변방 약소국 진 나라를 전국시대 최고의 강국으로 만들었고 결국 중국 통일을 하는 데 도움을 준다. 근데 치명적 문제점이 있다. 백성의 인심을 얻지 못한 것이다. 인심을 얻는 자는 흥하고 인심을 잃은 자는 망한다. 덕을 믿는 자는 번창하고 힘을 믿는 자는 망한다. 무자비한 정치를 보다 못한 조량이란 사람이 조언했다.

"당신은 인심을 너무 잃었다. 무자비한 개혁으로 너무 많은 사람을 적으로 만들었다. 혹독한 형벌과 엄격한 법률에 귀족들은 당신을 원수 보듯 한다. 백성의 원성이 하늘을 찌른다."

당연히 상앙을 미워하는 반대파가 등장했고 그 핵심이 태자의 스승이었다. 하지만 상앙은 이를 무시했다. 조언을 한 지 5개월 만에 진효공이 죽고 진혜공이 왕에 올랐는데 그가 처음 한 일이 상앙 체포다. 상앙이 급하게 피신해 여관에 묵으려 하는데 여관 주인이 증명서를 보여달라고 요구한다. 증명서가 없다고 하자 "상군이 법을 세워 증명서가 없는 나그네를 재워주면 여관 주인이 벌을 내린다고 했다. 그러니 재워줄 수가 없다"고 말한다. 상앙은 길게 탄식하며 "내가 만든 법의 폐해가 나에게까지 미치는구나!"라고 했다. 할 수 없이 위 나라로 도망갔지만 위 나라를 망하게 한 그를 받아줄 리 없다. 할 수 없이 돌아가 하인을 이끌고 항거했지만 제포되어 거열형에 처해졌고 가족들도 몰살당했다.

한비자의 철학은 한 마디로 "모든 인간은 이기적이다"는 것이다. 수레를 만드는 사람은 남들이 부귀해지기를 바라고, 관을 짜는 사람은 남들이 죽기를 바란다. 수레를 만드는 이가 어질고 관을 짜는 이가 악하기 때문이 아니다. 부귀하지 않으면 수레를 사지 않고 죽지 않으면 관이 팔리지 않기 때문이다. 땅 주인이 머슴을 고용해 농사를 지을 때 좋은 음식을 먹이고 후하게 대우하고 돈을 지급하는 것은 땅 주인 마음씨가 좋아서가 아니라 그렇게 해야 머슴이 농사를 잘 짖기 때문이다. 머슴이 열심히 농사를 짓는 것도 주인을 사랑하기 때문이 아니라 부지런히 일해야만 후한 대우를 받을 수 있기 때문이다. 근데 이익관계는 언제든 바뀔 수 있다. 시비, 선악, 미추는 상대적이다.

춘추시대에 시해당한 임금이 36명, 망한 나라가 52개이고 제후들이 사직을 보존하지 못하고 도망간 나라는 헤아릴 수 없이 많다. 신하가 군주를 시해하고 아들이 아버지를 죽인 것은 하루아침에 일어난 일이 아니라 오랫동안의 일이 점차 쌓여 일어난 일이다. 군주는 이해관계가 모이는 과녁과 같아서 여러 사람이 활을 겨누고 있다. 신하가 반역을 못 하게 하기 위해서는 법法, 술術, 세勢 분야의 통치술이 필요하다.

법이란 문서에 기록하여 관청에 비치하며 일반백성에게 공포하는 것이다. 법과 술을 버리고 마음대로 통치한다면 요 임금 같은 성군도 나라를 제대로 다스릴 수 없다. 그림쇠와 곱자를 버리고 어림짐작으로 한다면 해중 같은 목수도 수레바퀴 하나 만들지 못할 것이다. 술이란 통치자가 법치를 실행하는 방법이자 수단이다. 술이란 군주가 능력에 따라 관직을 부여하고 관리의 직책에 따라 실적을 따져 생살여탈의 권력을 장악하며 신하들의 능력을 시험하는 것이다. 군주가 자리를 지키는 재주이다. 술은 심합형명審合刑名 둔명책실循名責實을 강조한다. 법률에서 정한 직무와 명분에 맞는지 실적을 평가하며 월권과 직무유지를 모두 처벌해야 한다는 뜻이다.

법은 분명히 드러낼수록 좋고 술은 남에게 보여주지 않는 것이 좋다. 법이 밝은 거라면 술은 어두운 것이다. 세란 무엇일까? 통치자의 위엄과 권세를 뜻한다. 정치적 지위와 법률적 수단을 이용해 휘두르는 권세이다. 용과 뱀은 구름을 타고 안갯속에서 노닌다. 그러나 구름이 걷히고 안개가 흩어지면 용과 뱀은 지렁이와 다를 것이 없다. 탈것을 잃었기 때문이다. 탈것이 바로 세다. 무릇 불은 형세가 사나워 보이기 때문에 사람들이 불에 타 죽는 일이 드물지만 물은 형세가 약하게 보이기 때문에 물에 빠져 죽는 사람이 많다.

현명한 군주가 신하를 통제하기 위해서는 형과 덕을 사용해야 한다. 통치자는 관용이나 자애를 베풀지 말고 위엄 있는 권세로 위협해야 한다는 것이다. 엄한 집에는 사나운 종이 없지만 자애로운 어머니에게는 집안을 망치는 자식이 있다고 비유했다. 가벼운 죄도 엄하게 처벌했던 것을 칭송하며 벌할 때는 반드시 엄과 중을 지켜야 한다고 했다. 엄이란 법률을 근거로 하고 엄격하게 집행하며 법을 어겼다면 반드시 추궁해야 한다는 뜻이다. 중이란 가벼운 죄도 무겁게 벌해야 한다는 뜻이다. 요컨대 한비자의 특징은 권력집중, 엄격한 법률과 잔혹한 형벌, 감시와 통제이다. 마키아벨리의 그것과 일맥상통한다. 군주는 사랑보다 두려움의 대상이 되는 것이 안전하다.

법가를 채택한 국가는 모두 번성했다. 근데 법가 사상가들은 대부분 비참한 최후를 맞이했다. 군주의 신임을 얻기 위해 아내까지 죽인 오기, 진 나라가 강대국이 되는 데 결정적 역할을 상앙, 한비자, 이사 등이 그렇다. 오기는 정변 중 화살을 수없이 맞고 비명횡사했다. 상앙은 사지가 찢기는 잔혹한 형벌을 당했다. 이사는 허리가 잘려 죽었다. 한비자조차 감옥에서 자결했다. 불을 갖고 놀았기 때문이다. 비정하고 몰인정하며 타협을 허용하지 않는 정치는 사방에 적을 만들 수밖에 없다. 사마천은 오기, 상앙, 한비자, 이사 등 법가 사상가들이 비참하게 죽은 이유를 비정과 인색으로 보고 있다.

병가,
현명하게 리더가 되어라

병가는 현명하게 리더가 되는 지혜를 말한다. 핵심은 도와 술이다. 병사로 하여금 어떻게 따르게 할 것인가? 이기는 지혜는 무엇일까? 손자는 도와 술 두 방면에 대해 탁월한 주장을 펼친다. 그가 말하는 도는 백성으로 하여금 윗사람과 더불어 한뜻이 되게 함으로써 생사를 함께하고 위험을 두려워하지 않게 만드는 것이다. 근데 손자는 호전적 인물이 아니다. 백 번 싸워 백 번 이기는 것보다 싸우지 않고 적을 굴복시키는 것이 최고의 전법이라고 주장했다. 최고의 병법은 적의 계략을 공격하는 것이고 다음은 적의 외교관계를 공격하는 것이며 다음은 적의 군대를 공격하는 것이고 가장 낮은 방법은 적의 성을 공격하는 것이라고 얘기한다.

인생의 수많은
W H O L E A D S 문제들에 대한 T H E F U T U R E ?
답을 찾는다!

4장

누가 돈을 벌 것인가

돈을 좇는 순간 멀리 달아난다

결국 사람이 답이다

❖ 세상을 어떻게 바라보느냐에 따라 행동이 달라진다. 세상을 생존경쟁의 격투장으로 보는 사람은 먹을 것인가, 먹힐 것인가의 프리즘으로 세상을 본다. 주고받는 것으로 세상을 읽는 사람은 늘 무엇을 주고 무엇을 받을 것인가를 생각한다. 우리 생활과 가장 밀접한 주제는 시장, 사람, 기업이다. 여러분은 이 주제에 대해 어떤 패러다임을 갖고 있는가? 혹시 경쟁구도로만 해석하고 있지는 않은가? 그렇다면 이 책을 읽고 시야를 좀 넓히길 권한다.

이 책 『경영은 사람이다』*는 새로운 시각을 제시한다. 시시비비를 가리는 대신 역설로 풀어간다. 역설을 뜻하는 파라독스paradox는 병행이란 뜻의 파라para와 믿음이란 뜻의 독사doxa로 구성되어 있다. 양자택일의 모순contradiction과는 달리 대립하는 두 개의 믿음이 같이

* 이병남, 『경영은 사람이다』, 김영사, 2014

간다는 뜻이다. 둘 중 하나를 선택하는 대신 이것도 믿고 저것도 믿는 것이다. 이것도 괜찮고 저것도 괜찮다고 생각하는 것이다. 한 마디로 역설이다. 현실 문제는 대부분 선택의 문제로 생각한다. 둘 중 하나를 포기해야 다른 하나를 얻을 수 있다고 생각한다. 둘 다 얻는 것은 비현실적으로 보인다.

원가절감을 위해서는 품질을 희생해야 하고 단기목표 달성을 위해서는 장기목표를 포기해야 한다고 생각한다. 과연 그럴까? 보통 사람들은 그렇게 생각하지만 한 차원 높은 곳에서 보면 둘 다 모두 달성하는 것이 가능하다. 이게 역설이다. 역설은 지혜의 최고점에 있다. 둘 중 하나를 선택하면 별로 할 일도 없고 재미도 없다. 근데 과연 둘의 양립이 가능할까? 세상의 많은 문제는 대립 관계로 보이지만 그렇지 않다. 실제 문제를 해결하기 위해서는 다른 한쪽을 품어 대립의 관계를 넘어설 수 있어야 한다. 이게 역설의 관계이다. 이를 위해서는 시야를 바꾸어야 한다.

삶과 죽음의 문제가 그렇다. 죽음은 삶을 포함하고 삶 또한 죽음을 포함한다. 죽지 않는다면 어떤 일이 벌어질까? 죽지 않는다고 생각하고 사는 것과 늘 죽음을 염두에 두고 사는 것에는 어떤 차이가 있을까? 어느 편이 잘살 확률이 높을까? 볼 것도 없다. 죽음을 생각하며 살아야 잘살 수 있다. 죽음을 생각하면 절대 함부로 살지 않는다. 우리가 함부로 사는 것은 영원히 죽지 않으리라고 착각하기 때문이다. 잘살아야 잘 죽을 수 있다. 잘 죽기 위해서는 잘 살아야 한다. 그런 면에서 죽음과 삶의 문제는 절대 양자택일이 아니다. 대립의 관계도 아니다. 서로 보완하고 서로 품는 관계이다. 어느 하나가 다른 것에 속하는 부분집합이 아니고 음과 양의 관계와 같다. 양이 곧 음이 되고 음이 곧 양이 되는 것이다.

시장을 어떻게 볼 것인가

여러분은 시장을 어떻게 보는가? 시장은 서로 가진 것을 자발적으로 거래하는 생태계이다. 가진 것, 자발적, 거래가 키워드이다. 가진 것이 있어야 하고 자발적으로 해야 하고 거래가 이루어져야 한다. 현재 우리는 어떤가? 우리는 시장을 기계론적 이성주의로만 보고 있는데 가장 큰 폐해 중 하나가 무한경쟁이다. 현대인들은 경쟁에 시달리고 그래서 불안하다. 그런 측면을 부정할 수는 없다.

하지만 공감능력이 살아 있는 사회적 존재들의 축제의 장이 될 수도 있다. 이 또한 역설이다. 이를 위해서는 도덕감정이 필요하다. 애덤 스미스는 원래 철학자였다. 그는 대표작 『도덕감정론』에서 공감능력의 중요성을 강조했다. "인간은 이기적이지만 타인의 행과 불행에 관심을 둔다. 좋은 일이건 나쁜 일이건 정서적 느낌이 있다. 타인의 불행, 슬픔, 고통을 목격하면 생생하게 느낀다. 그게 본성이다. 강도에게도 감정은 있다."

우리는 시장 하면 수요 공급 곡선을 떠올린다. 이것의 전제 조건은 인간은 합리적으로 판단하는 이성적 존재란 것이다. 모든 결과에는 어떤 원인이 있다는 기계론적 사유방식이다. 당구를 칠 때 공을 예측하는 것이 전형적인 예이다. 근데 과연 그럴까? 유기론적 생태주의는 다르다. 시장 전체를 하나의 생태계로 본다. 기계는 부품으로 이루어지고 동력을 넣으면 톱니바퀴들이 돌면서 작동한다. 유기체는 훨씬 복잡하다. 섬세한 화학작용으로 균형을 잡고 서로 조절한다. 기계론은 나무를 보고 생태론은 숲을 본다.

근대 생태학의 아버지 조지 허친슨은 생태계 전반의 여러 요소를 고려했다. 먹이사슬뿐 아니라 빛, 온도, 습도 등 물리적 요소를 포괄하는 복잡한 관계망에서 조망했다. 특정 생물이 서식하는 물리적 공간 개념에서 출발해 피식자와 포식자로 연결된 먹이사슬의 상호의존성과 서식환경 및 그와의 상호영향 등을 포괄했다. 생태계의 먹이사슬은 지구 위 생명이 서로 의존하며 지속 가능한 삶을 꾸려가는 놀라운 방식이다.

약육강식이란 측면도 있지만 이게 전부는 아니다. 플랑크톤을 먹고 사는 물고기, 이를 먹는 상어, 고래, 인간. 덩치 큰 척추동물도 결국 작은 미생물에 자기 몸을 내준다. 다양한 종이 서로 베풀고 의존하며 생명을 꾸려가는 것이다. 이누이트 족은 "네가 이제 우리들의 일부가 되어주어 고맙다"는 기도를 마치고 사냥한 순록의 숨통을 끊는다. 생태계를 온전히 이해하는 것이다. 먹이사슬은 적자생존, 자연선택 같은 냉혹한 힘만 존재하는 것이 아니다. 서로 함께 돕고 의지하는 것이다.

아프리카의 코끼리는 아카시아 이파리를 아주 좋아해 아카시아가 남아나질 않는다. 근데 케냐 북쪽 고원지대에는 무성한 아카시아 숲이 남아 있다. 드레파놀로비움Drepanolobium이라는 변종의 아카시아다. 왜 그럴까? 꼬리치레 개미Crematogaster들 덕분이다. 이들은 나무 끝 홈에서 나무 즙을 먹으며 산다. 코끼리가 이파리를 먹으려 코를 들이밀면 5밀리그램도 되지 않는 작은 개미들이 오글오글 코끼리 콧속으로 기어들어간다. 엄청난 크기의 코끼리에게 이는 큰 고통이다. 작은 개미 때문에 아카시아가 생존할 수 있다.

생태계에서는 다양성이 중요하다. 히틀러는 집권 3년 만에 600만 개의 일자리를 만들어 1936년 완전고용을 이뤘다. 독일 남부 검은 숲 슈바르츠발트Schwarzwald의 식목사업은 훌륭한 사례로 꼽힌다. 쓸데없는 나무를 죄다 뽑아내고 가장 생산성이 높은 수종을 선정해 일정 간격으로 심었다. 실업자를 동원해 성장률 최고 수익성 최고인 나무로 엄선한 최상의 숲을 조성했다. 결과적으로 훌륭한 숲이 만들어졌다. 근데 돌림병 하나로 한 방에 고꾸라졌다. 다양성 부족 때문이다. 치타는 멸종 예정이다. 유전자의 다양성이 임계점 이하로 떨어졌기 때문이다.

진화생물학자 스티븐 굴드는 "진화는 진보가 아니라 다양성의 증가"라고 강조한다. 만약 적자생존을 강자생존으로 이해한다면 가장 진화한 종은 박테리아이다. 지구 위 어떤 종보다 훨씬 더 많은 수의 박테리아가 다채로운 장소에서 다양한 물질대사를 하고 있다. 다른 모든 생물 종을 합친 것보다 훨씬 더 무겁다. 자연선택의 핵심은 개체의 강함이 아니라 다양성이다. 유기론적 생태주의 관점에서 보면 "무한경쟁을 통한 승자독식"은 다양성의 상실이다. 공멸을 향해 가고 있는 것이다. 틈새들은 서로 주고받을 것이 많을수록 건강해진다. 무한경쟁, 적자생존, 유기론적 생태주의 각각은 배타적이거나 모순이 아니다. 역설을 통한 공존과 공생을 의미한다.

건강한 생태계를 위해서는 자발성과 원칙의 엄격한 고수가 필요하다. 실제 이를 잘 구현하는 곳이 많다. 스페인의 발렌시아, 무르시아, 알이칸테 등 지중해 연안 마을이 그렇다. 이곳은 강우량이 매우 적지만 중세 이슬람 왕국 시절 설치했던 관계시설을 아직도 별 탈 없이 공동으로 관리하며 사용한다. 필리핀 서북 지역은 토지와 물의 관리를 공동으로 관리한다. 알프스의 산골 마을 퇴르벨의 경우 "여름철 초지에 내보낼 수 있는 소의 수는 겨울철에 자신이 사육할 수 있는 소의 수만큼 허용된다." 500년이 넘는 규정이다. 자기 몫 이상을 차지하려는 시도가 있으면 대단히 무거운 벌칙을 부가한다. 원칙은 확고하며 철저히 시행된다.

지금 우리에게 가장 필요한 것은 지속가능성이다. 지속가능성은 미래 세대가 누려야 할 것에 누를 끼치지 않고 현재의 필요를 충족하는 것이다. 지속가능성의 핵심은 두 가지이다. 첫째, 생태계의 모든 요소는 적정 규모가 있다. 그중 일부가 넘치면 생태계 균형이 흔들린다. 둘째, 다양성이다. 종류가 많을수록 지속가능성도 커진다. 한 마디로 시장을 단순히 무한경쟁의 장소로 보는 대신 다양한 개체들이 다양한 관계를 맺는 생태계로 보아야 한다는 것이다.

기업이란 어떤 존재일까?

사전에서는 기업을 이윤 추구를 목적으로 생산활동을 하는 경제주체로 정의한다. 잘못된 정의이다. 기업은 이윤을 내야 하지만 이윤만을 위해 존재하지 않는다. 하나의 가설일 뿐이다. 이윤 창출은 기업의 지속가능성을 위해 반드시 필요한 조건이지만 그게 목표는 될 수 없다. 기업은 "시장이라는 생태계 안에 자기 자리가 있는 생명체"다. 생명은 자신을 지키며 번성하려는 본성이 있는데 기업도 그러하다. 기업은 생명체라고 설정하면 생명체의 특성을 이해해야 한다.

생명체의 특성은 다섯 가지이다. 첫째, 대사metabolism이다. 생명을 유지하려면 에너지가 필요하다. 자양분을 취해야 하고 잘 소화해 몸에 필요한 영양소를 적절하게 분배하고 쓸모없는 건 배출해야 한다. 둘째, 항상성homeostasis이다. 몸은 시시각각 상태가 변하지만 일정 범위를 벗어나지 않는다. 이해당사자들과 상호작용을 하면서 뭔가를 주고받는다. 셋째, 적응력adaptation이다. 쌍둥이도 환경에 따라 결과가 달라진다. 생태계 변화에 적응하지 못하면 도태된다. 돌연변이의 출현으로 새로운 종이 나오기도 한다. 끊임없는 혁신과 구조조정이 필요하다. 넷째, 자극에 대한 반응이다. 다섯째, 자기치유력이다. 생명체는 상처를 입게 마련이고 이를 회복하는 힘도 있다.

스웨덴 사람들은 사업한다는 의미로 내링스리브Naringsliv란 말을 쓴다. 생명을 위한 자양분Nourishment for life이란 말이다. 사업하는 것이 생명체에게 자양분을 주는 행위란 말이다. 우리 말 살림은 죽임의 반대말이다. 사업은 살림이다. 영어의 컴퍼니는 같이 빵을 먹는다는 말이다. 동료들과 더불어 사업을 벌이며 함께 나눌 양식을 얻는다는 말이다. 중국말로도 사업은 생기, 활력, 생명력이란 뜻이 담긴 생의生意, Sheng yi이다. 내링스리브와 닮았다. 우리의 삶, 생활에 필요한 기반을 만드는 일로서 뭔가를 살려내는 일이다.

이익에도 역설은 존재한다. 이익은 좇는다고 얻어지지 않는다. 이익은 결과물로 나오는 것이다. 세계적인 제약회사 머크는 이를 증명한다. 1929년 가업을 물려받은 조지 머크 회장은 이렇게 말했다. "의약품은 환자를 위한 것이지 결코 이윤을 위한 게 아니다. 이 사실을 잊지 않기 위해서 우리는 부단히 노력하고 있다. 이것만 제대로 기억한다면 이윤은 저절로 따라온다. 이것을 더 잘 기억할수록 이윤은 더 커진다." 존재 이유를 잘 기억할수록 이윤이 커진다고 생각했다. 이윤의 역설이다. 이윤만 쫓다 보면 이윤은 자꾸 도망간다. 사업본질에 충실하면 이윤은 커진다.

미국 최대의 유기농 슈퍼마켓 체인점 홀푸드도 이런 철학을 바탕으로 승승장구하고 있다. 가장 일하고 싶은 100대 기업에 선정되고 있으며 사회적 책임부문 1위에 선정됐다. 매년 10퍼센트 이상 성장하고 있는데 그는 이익에 대해 이렇게 얘기한다.

"사람은 먹지 않으면 살 수 없고 기업도 이익을 내지 않으면 존재할 수 없다. 하지만 사람이 먹기 위해서만 사는 게 아니듯 기업도 이익을 내려고 존재해서는 안 된다. 자본주의는 필요악이므로 해체가 아닌 개선의 대상이다."

그가 얘기하는 깨어 있는 비즈니스의 네 가지 원칙이 있다. 첫째,

기업은 높은 이상을 실현할 잠재력이 있다. 수익이나 주주 가치 극대화를 넘어선 기업의 존재 이유가 있다는 사실을 인식해야 한다. 둘째, 투자자 말고도 중요한 이해당사자가 있다. 고객, 종업원, 협력업체, 지역공동체, 환경 등이 그것이다. 이들은 서로 연결되어 있으며 상호의존적이다. 이해관계자들이 공유할 중요한 가치를 창출해야 한다.

셋째, 각별한 리더십을 요구한다. 개인의 이해가 아닌 기업의 가치와 사명을 우선시하는 섬김의 리더십이 그것이다. 리더들은 기업의 존재 이유를 실현하기 위해 노력해야 한다. 넷째, 이런 문화를 만들어야 한다. 한 마디로 이익을 넘어서서 사회의 공동선 실천을 위해 노력하란 것이다. 거의 철학자 수준이다. 근데 그게 가능할까? 당연히 가능하고 실제 이를 증명하는 회사들이 있다. 구글, 젯블루, 유피에스, 이베이, 아마존, 코스트코, 혼다, 존슨앤존슨, 사우스웨스트항공, 스타벅스, 홀푸드 등이 그들이다.

이들은 누적 투자수익률이 1,000퍼센트를 넘는다. 다른 곳 평균 122퍼센트의 거의 열 배 수준이다. 이들은 이윤 극대화가 아니라 기업을 둘러싼 다양한 이해관계자들에게 혜택을 제공한다. 더 큰 목적을 추구한다. 이윤이 목적이 되어서는 안 된다. 이윤을 넘어선 기업의 존재목적을 분명히 해야 한다. 이를 꾸준하게 지키다 보면 기업의 생명력이 높아지고 시장 생태계 안에서 지속가능성을 유지할 수 있다.

그렇다면 인간을 어떻게 대할 것인가

인간의 능력은 우리가 이용할 수 있는 자원 중 끊임없이 성장과 발전을 기대할 수 있는 유일한 것이다. 인적 자원하면 뭔가 이상하다. 자원은 용도가 있고 쓰임새가 있다. 하지만 용도가 다하면 버릴 수밖에 없는 폐기의 대상이다. 자원인가? 원천인가? 인적 자본이란 용어는 1964년 시카고대학의 게리 베커 교수가 처음 썼다. 단순히 생산과정에 투입된 노동의 양만이 아니라 질을 살피려고 도입한 것이 인적 자본론이다. 이런 접근법을 통해 "교육이 중요하니 투자를 해야 한다. 평생교육을 하면 사회 전반의 경제적 수준을 높일 수 있겠다"는 결론이 도출된 것이다. 교육에도 투자 개념이 적용되기 시작했다.

시장에서 직원을 채용하는 이유는 무엇인가? 부가가치 창출에 이바지하라고 뽑는 것이다. 이런 점에서 노동은 자본, 기계, 토지, 건물과 같은 생산 요소임이 틀림없다. 하지만 관점을 조금만 바꾸면 인간은 생산의 원천source이기도 하다. 과정에 투입되는 자원resources에만 그치지 않는다. 직원은 생산과정에 투입되어 할당된 업무를 수행하는 생산자원인 동시에 스스로 주체가 되어 일하는 방식 자체를 바꿔낼 원천이기도 하다. 관리의 대상인 동시에 경영의 주체이다.

그렇다면 인간을 어떻게 대할 것인가? 존귀한 존재인 만큼 모든 사람을 공평하게 대하는 것이 옳은 일인가? 잘하든 못하든 아무 차이 없이 대우하는 것은 공평한 처사인가? 기업은 성과에 따라 다른 대우를 해야 한다. 그게 공평한 것이다. 모든 사람을 공평하게 대하는 것만큼 불공평한 행위는 없다. 차별 없는 세상은 인간의 존엄성과 관련한 기본 상식이나 그렇다고 기능적 차이를 무시해선 안 된다. 이는 다양성의 장점을 포기하는 일이다. 생태계를 위협하는 일이다. 성과에 대해 공정한 평가와 보상을 한다는 성과주의 바탕에는 개인의 능력과 성과의 차이에 주목하는 기능적 불평등성, 그에 따라 오는 공평성의 원리가 있다.

2014년 기준 경제활동 인구는 52퍼센트, 2,600만 명이다. 임금근로자가 70퍼센트이다. 월급을 받는 샐러리맨들이다. 회사원이 1,800만 명쯤 된다. 대기업 7퍼센트, 중견기업 7퍼센트, 중소기업 84퍼센트이다. 노동의 역설이 있다. 노동은 생산과정의 요소이다. 재화, 교환의 대상, 시장법칙의 지배, 자본 등이 그것이다. 존재로서의 요소도 있다. 생명, 존엄, 감성 이성 영성. 자유의지 등이 그것이다.

일 자체가 나의 성장이 되는, 사회적 신분상승만이 아니라 개인적 성숙의 발판이 되는 길은 없을까? 갈등과 대립이 아닌 공존과 보완의 관계임을 증명하는 방법은 없을까? 생산과정의 요소이면서 동시에 존엄성을 가진 존재로 살 수는 없을까? 새로운 답을 찾기 위해서는 고정관념에서 탈피해야 한다. 모든 것은 대립하며 갈등하는 관계로 보인다. 하지만 하나만으로는 온전해질 수 없다.

역설은 양자택일tradeoff이나 타협compromise과는 다르다. 주체와 객체로 나뉘어 먹고 먹히는 대립관계가 아니라 결국 하나라는 패러독스를 말한다. 주체가 객체가 되고 객체가 주체가 되는 것이다. 그럼에도 인간은 존중받아야 한다. 경영에도 인간존숭은 필수적이다. 동서고금을 통해 인간에 대한 논의는 그친 적이 없다. 조직에서 인간은 기계처럼 취급만 당하는 건 아니다. 성장하고 발전한다. 핵심은 존재감이다. 나는 이 부서에서 이 회사에서 정말 중요한 사람이다. 이게 존재감이다. 내 일, 내 부서, 내 회사가 바로 내 것이라고 여겨질 때 비로소 창의성과 자발성이 발현된다.

다른 시각으로 사물을 보고 본질을 꿰뚫어라

✣ 통찰은 영어로 인사이트Insight이다. 안을 꿰뚫어 볼 수 있는 능력이다. 밖에서 사물을 보는 것과 안에 직접 들어가 사물을 보는 것은 많이 다르다. 밖에서 볼 때는 만만해 보이는 일도 직접 해보면 만만치 않다. 딜로이트 컨설팅 김경준 대표가 쓴 책 『통찰로 경영하라』*는 그런 통찰력에 대한 깨달음을 준다.

초밥집과 삼성 핸드폰의 공통점을 찾아라

사람들은 요식업을 우습게 생각하고 쉽게 요식업에 뛰어든다. 어리석은 짓이다. 식당 운영은 결코 만만한 일이 아니다. 퇴직금을 털

---

* 김경준, 『통찰로 경영하라』, 원앤원북스, 2014

어 식당을 차렸던 수많은 사람들은 대부분 1년 이내에 식당을 접는다. 인테리어비용이나 종업원 급여도 챙기지 못하고 문을 닫는다. 사업에 대한 통찰력과 업의 본질을 모르기 때문이다. 요식업의 핵심은 무엇일까? 재고관리다. 일식집은 앞으로 남고 뒤로 깨진다는 말을 많이 한다. 손님도 많고 가격도 세서 돈을 많이 벌 것 같지만 뜻밖에 그렇지 않다. 바로 재고 때문이다. 재고의 진부화 속도가 빠르기 때문이다. 비즈니스의 핵심은 매출, 재고, 이윤 관리이다. 재고는 시간이 지나도 재고일 뿐이고 현금흐름을 악화시킨다. 초밥과 휴대전화 같은 물건은 라이프사이클이 짧다. 쉽게 유행이 지나고 부패하기 쉬운 속성이 있다. 그래서 재고관리에 실패하면 사업 역시 실패할 수밖에 없다.

명품이 되고 싶은가? 그렇다면 나름의 좋은 습관과 전통을 만들어야 한다. 뉴욕 양키스는 미국 최고의 명문 야구구단이다. 월드시리즈 우승 27회, 아메리카리그 40회, 동부지구에서 16회 우승했다. 그다음 팀은 세인트루이스 카디널스인데 우승이 11번에 불과하다. 베이브 루스, 루 게릭, 조 디마지오, 미키 맨틀, 요기 베라 등 전설들은 다 양키스 출신이다. 명예의 전당에만 24명이 있다. 명품에는 반드시 전통이 있다.

양키스의 전통 중 하나는 개인보다 팀워크를 중시하는 것이다. 그래서 유니폼에 선수이름을 새기지 않는다. 등 번호만을 새긴다. 선수 한 명이 뛰어난 선수이기 이전에 양키스팀의 일원이라는 의미이다. 엄격한 규율도 이들의 전통이다. 수염도 긴 머리도 용납하지 않는다. 유니폼 단추도 풀 수 없다. 어쭙잖은 일탈은 일절 허락하지 않는다. 단정한 용모와 예의 바른 몸가짐은 양키스의 상징이다. 불굴의 의지도 양키스의 전통이다. 올스타에 10번이나 뽑혔던 스즈키 이치로는 양키스로 이적하면서 이런 말을 했다. "양키스에는 패배를 허락하지 않는 분위기가 있다. 그런 팀이 날 원하는데 거절할 이유가 없다."

원래 만년적자였던 양키스를 지금의 양키스로 만든 사람은 2010년 타계한 조지 스타인브레너이다. 그는 만성적자에 빠진 양키스를 구원한 후 35년간 경영했고 보스라는 애칭으로 불렸다. 그는 늘 승리를 강조했다. "내게 승리는 숨 쉬는 것 다음으로 중요하다. 숨 쉬고 있다면 승리해야 한다." 그가 선수를 평가하는 기준도 단 한 가지였다. "저 선수가 관중을 얼마나 끌어들일 수 있는가"가 그것이다. 일부 선수들은 "교도소도 이보다는 자유로울 것"이라고 반항했다. 하지만 그는 꿈쩍도 하지 않았다. 명품에는 이유가 있다. 제품의 질과 가격을 넘어 꿈과 정신이 브랜드에 깃들어 있다. 나름의 엄격한 규율Discipline이 있어야 한다.

기본 중 기본인 업의 본질에 충실하라

성공하기 위해서는 기본에 충실해야 한다. 기본 중 기본은 업의 본질이다. 삼성의 이병철 회장은 늘 직원들에게 업의 본질을 묻곤 했다. 반도체에서 성공한 것도 업의 본질을 잘 알고 있었기 때문이다. 그는 반도체 업의 본질을 양심업으로 규정했다. 수많은 공정에 있는 수많은 사람들이 양심적으로 일해야만 성공할 수 있다고 본 것이다. 그중 한두 명만이라도 대충 일을 하면 전체를 망칠 수 있기 때문이다.

여러분이 하는 업의 본질은 무엇인가? 100세가 되어서도 긴자 술집에서 인기를 누린 마담이 있다. 53년 동안 길베이아이라는 조그만 바를 운영하다 101세의 나이로 2003년 작고한 아리마 히데코가 그 사람이다. 그녀는 "술집은 샐러리맨들의 스트레스를 풀어주는 곳, 마담은 술을 마시는 사람이 아니라 손님이 즐겁게 술을 마시도록 도와주는 사람"으로 정의했다. 그녀는 진급에 실패한 샐러리맨에겐 위로의 편지를 썼고 사업에 성공한 사업가에겐 축하의 편지를 썼다. 평생 거르지 않는 가장 중요한 일과 중 하나였다. 정작 술은 90세가 넘어 조금씩 마셨다.

그녀는 손님들과 풍부하고 격조 있는 대화를 나누기 위해 매일 세 개의 신문을 보고 광고까지 읽으면서 시사지식을 꾸준히 습득했다. 단골 가운데 소설가 앤도 슈사쿠, 이토추상사의 세지마 류조 회장 등 거물이 즐비하다. 그녀는 술집을 한 게 아니라 인생 상담업을 했던 것이다. 대부분 술집주인은 자신의 업을 무엇으로 생각하고 있을까? 손님 대신 자기가 술을 마셔 매상을 올리는 것을 업의 본질로 생각하는 것은 아닐까? 본질에 충실한 것만큼 중요한 일은 별로 없다.

업의 본질 못지않게 운영관리 기술도 중요하다. 게임벤처와 개콘의 성공비결은 철저한 운영관리이다. 양궁 국가대표 선발전은 치열하기로 유명하다. 하루 연습량이 700에서 1,000발이다. 선발전에서 올림픽 결승전까지 3년이 걸리니 1주일에 5일을 훈련하면 대략 60만 발 내외가 된다. 양궁의 시위를 잡아보라. 제대로 한 번 당기기기 쉽지 않다. 게임회사의 기초체력은 창조성이 아니다. 핵심은 철저한 관리운영 능력이다.

게임산업은 기술에 대한 이해와 창의적 아이디어에서 출발한다. 하지만 이를 사업으로 연결하는 기초체력은 관리운영 능력이다. 그게 없으면 한두 번 히트작은 낼 수 있지만 꾸준히 성공작을 내고 흐름을 따라가고 지속해서 성공하기는 불가능하다. 이를 위해서는 단계별 게이트웨이 키핑 역량이 있어야 한다. 아이디어를 내고, 마스

터계획을 만들고, 1단계 프로토타입, 2단계 프로토타입, 3단계 개발, 출시 여부 결정 등을 할 수 있어야 한다. 오랫동안 인기 정상에 있는 개콘의 핵심도 사실은 운영능력이다. 이들이 하는 일은 경쟁, 협업, 기획으로 압축된다. 선후배 간 철저한 위계질서, 무조건 주 5일 연습실에 나와 오후 1~6시까지 연습하는 엄정한 규율이 핵심이다.

고산등반도 그렇다. 강인한 체력과 의지만 중요한 게 아니다. 철저한 과정관리가 있어야 한다. 엄홍길 대장이 성공한 것은 그런 프로세스의 중요성을 알기 때문이다. 그는 계획을 세운 뒤 필요한 인원과 물자를 조달해 현장에 투입하고 결정적 승부처에 자원을 집중해 목표를 이룬다. 치밀한 과정이 있다. 낮은 산은 혼자만의 체력과 의지로 오를 수 있지만 높은 산은 철저한 계획과 체계적인 접근 방식 없이는 넘보지 못한다. 정상의 10분을 위해 베이스캠프 생활 3개월가량을 해야 하고 준비기간은 최소 6개월 이상 걸린다. 행정, 장비, 식량, 통신, 의료, 기록 등등. 등반허가, 물품통관, 무전기 사용허가 등이 필요하다. 셰르파와 포터를 고용해야 한다. 베이스캠프에만 무사히 도착해도 원정의 50퍼센트는 성공한 것이다.

"엄 대장은 일견 도전정신에 충만하기만 한 사람으로 보이지만 알고 보면 절대 그렇지 않다. 언제나 하고 싶은 것과 할 수 있는 것을 철저히 구분한다. 목표를 정하고 추진하는 과정에서 철저하게 준비하고 계획하고 오류를 수정한다는 점에서 경영자로서 배울 점이 많다." 권동칠 트렉스타 대표의 말이다.

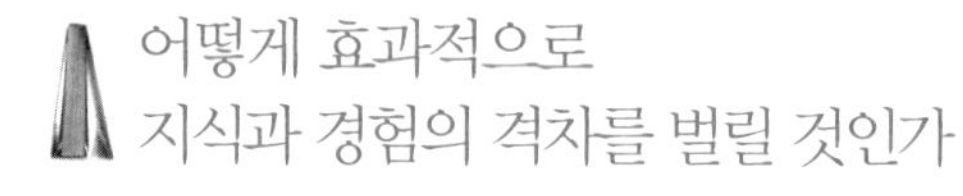

어떻게 효과적으로 지식과 경험의 격차를 벌릴 것인가

다음은 지식이다. 지식의 시대이다. 지식을 가진 개인과 조직이 세상을 석권하고 지식을 갖지 못한 개인과 조직은 무너진다. 전 국민이 교육에 목숨을 거는 것도 따지고 보면 본능적으로 지식을 가져야만 미래에 생존할 수 있다는 것을 느끼기 때문이다. 예전에는 일부 계층이 지식을 독점했다. 워낙 비쌌기 때문이다. 중세 유럽에서 책 한 권의 가격은 대략 2억 원이다. 9세기 후반 베네딕트 수도원 도서관 소장서적은 500권쯤이다. 인쇄서적 등장 이전 영국에서 가장 많은 책을 보유한 캔터베리성당의 도서관은 책을 2,000권쯤 보유했다. 현재 내가 가진 책보다도 적은 숫자이다.

구텐베르크의 인쇄혁명은 정보 비용을 엄청나게 낮추는 역할을 했다. 구텐베르크 이후 반세기 동안 4만여 종, 1,000만 권의 책이 쏟아져 나왔다. 이게 지식혁명의 시작이다. 종교혁명도 지식혁명의 결과물이다. 인터넷은 또 다른 지식혁명을 일으키고 있다. 어설프게 공부해서 잘 알지 못한 채 떠들던 지식인들은 설 자리가 없어졌다. 대신 각 분야에서 내공을 쌓았지만 학위가 없는 일반인들이 영향력을 갖기 시작했다.

전문서비스 산업은 지식과 경험의 격차를 활용해 돈을 버는 산업이다. 개별화는 이런 격차를 급격히 줄인다. 전문서비스 산업이 계속 가치를 창출하려면 개별화의 속도보다 더 빠르게 지식과 경험의 격차를 확장시켜야 한다. 그렇지 않으면 무너진다. 사람은 무언가를 팔면서 생계를 유지한다. 살기가 어려워졌다는 건 뒤집어 얘기하면 지식과 경험의 격차를 벌리지 못하게 되면서 팔 만한 것이 없어졌다는 걸 의미한다.

의사와 변호사가 힘들어졌다는 것도 따지고 보면 인터넷의 발달로 정보의 비대칭이 깨졌다는 말이다. 구조조정의 압력에 시달리는 것도 지식의 업그레이드에 실패해 효용성이 사라지고 있다는 의미이다. 지식인의 과제는 명확하다. 효과적으로 지식과 경험의 격차를 벌리는 것이다. 나름의 효과적인 학습방법을 깨우치는 것이다. 물론 조직도 마찬가지이다. 미래에는 조직의 지식역량을 효과적으로 키우지 못하면 생존하기 어렵다.

지식을 확장하는 방법의 하나는 신문 읽기이다. 매일 신문을 읽는 사람과 그렇지 않은 사람은 차이가 날 수밖에 없다. 이토추상사를 키운 세지마 류조가 대표적이다. 그는 빈농의 아들로 태어나 일본 육사를 나왔다. 태평양전쟁에서 소련군에게 붙잡혀 11년간 포로생활을 하다 1956년 귀국해 1958년 작은 섬유업체 이토추상사에 입사해 이 회사를 세계적인 무역회사로 키워낸 주역이다. 어떻게 이런 일이 일어날 수 있었을까? 바로 신문 덕분이다.

그는 포로생활 11년의 공백을 메우기 위해 묵은 신문을 보기로 했다. 2년간 도서관에서 11년간의 신문을 광고까지 읽었다. 신문을 통해 현실감각을 살리고 사회흐름을 따라갔다. 그에겐 신문이 스승이다. 열심히 신문을 읽은 그는 1973년 유류파동을 정확히 예측한다. 기획담당 임원이었던 그는 아랍과 이스라엘의 갈등이 고조되는 징후를 발견하고 아랍 산유국들이 이스라엘을 공격할 것을 예상했다. 그리고 「중동전쟁 재발 및 석유가격 폭등 가능성」이란 보고서를 제출했고 이토추상사는 극비리에 석유를 사 모으기 시작했다. 마침내 1973년 10월 4차 중동전쟁 터졌고 석유 값은 네 배 이상 폭등하면서 이토추상사는 큰 이익을 낸다. 굴지의 상사로 등극하는 순간이다.

신문은 좋은 스승이다. 좋은 신문은 실력이 뛰어나지만 수업료가 저렴한 훌륭한 과외 선생이다. 경제신문을 1년 동안 꼼꼼히 읽는 것이 경제 서적 수십 권 읽는 것보다 낫다. 종합일간지 1종과 경제지 1종은 기본이다. 많은 사람들이 보는 주요신문으로 선정하는 것이 좋다. 좋은 신문은 칼럼과 사설 해설기사가 뛰어난 신문이다. 인터넷보다는 종이 신문으로 읽어야 한다. 그래야 편집자의 시각을 이해할 수 있다. 인터넷은 흥미 위주의 기사와 낚시성 기사가 많아 시간 낭비가 될 수 있다. 입맛에 맞는 기사만 보지 말고 폭넓게 보는 것이 좋다.

세상은 거대한 골리앗이 아니라 상처받은 다윗에 의해 발전한다

궁즉변窮卽變 변즉통變卽通이다. 궁하면 변해야 하고 변하면 통한다. 독일은 1918년 제1차 세계대전 패배 이후 사실상 무장해제되었다. 근데 1935년 제2차 세계대전을 일으켰다. 도대체 단시간에 어떻게 이런 일이 가능했을까? 엄격한 군비축소 조항 때문이다. 패전으로 독일은 각종 제한과 규제에 시달렸다. 육군병력은 10만 명으로 제한했다. 전차, 장갑차, 중기관총, 독가스 등은 일절 보유하지 못했다. 해군은 1만 5,000, 전함 6척, 구축함 12척, 어뢰정 12척에 보유톤수는 10만 톤으로 했고 공군은 아예 금지했다. 당연히 제한된 범위 안에서 생산성 극대화에 집중했다. 독일은 육군 10만 명을 모두 장교와 하사관으로 운용했다. 사병은 그때그때 뽑아서 쓰면 되기 때문이다. 전차와 대포는 모형을 만들어 훈련하다 포신만 갈아 끼우면 실전 사용이 가능토록 했다.

공군을 만들 수 없었기 때문에 비행클럽을 지원해 유사시 조종사로 대체할 수 있게 했다. 모두 편법이다. 압력 덕분에 오히려 최신식 무기로 무장할 수 있었다. 수상함 제한 때문에 대규모 잠수함부대를 육성해 잠수함으로 승부를 걸었다. 이게 유보트인데 유보트 때문에 영국은 보급로를 위협받았다. 중기관총 보유를 제한받자 명품 경기관총 MG34를 개발했다. 대포보유가 제한받자 대포와 기동력을 결합한 탱크에 집중했고 V2 로켓을 개발했다.

이들은 참호전 대신 전격전 기술을 개발한다. 참호전에서 벗어나 항공기, 탱크, 보병을 유기적으로 결합하는 기동전의 개념이다. 항공기가 적진을 타격하고 탱크가 전선을 돌파해 후방으로 우회해서 전선을 무너뜨리면 마지막에 보병이 제압하는 것이다. 비슷한 전력을 가진 프랑스를 개전 1개월 만에 무너뜨린 것도 바로 이 전격전 때문이다. 일을 못하는 사람일수록 예산 타령, 사람 타령을 한다. 하지만 잘만 하면 제한조건이 경쟁력이 될 수 있다.

무슨 일이건 의지가 중요하다. 특히 전쟁에서 그렇다. 1968년 월남전에서의 설날(테트) 공세가 대표적이다. 남부 베트콩과 연계한 월맹군은 설날을 기해 월남의 주요 시설을 동시에 공격한다. 사이공 미국대사관을 점령했지만 금세 제압당하고 3만 명이 전사한다. 군사적으론 실패했지만 이 공세로 미국의 전쟁의지를 꺾을 수 있었다. 미국 TV에 대대적으로 방영된 전쟁의 참상은 미국 사회에 충격을 주면서 반전여론이 널리 퍼졌고 국론은 분열됐다. 설날공세의 주인공 보 구엔 지압 장군은 이렇게 말한다.

"테트 공세를 군사적 측면에서만 거론하면 안 된다. 이는 정치적이고 외교적인 공세다. 우리는 적을 섬멸할 수 없다. 하지만 미국의 전쟁의지를 꺾을 수 있다고 판단했다. 그게 테트 공세의 목표이자 이유다."

지압전략의 원칙은 세 가지다. 작은 것으로 큰 것을 이긴다. 적음으로 많은 것을 이긴다. 질로 양을 이긴다. 실천전술로는 3불 지침이다. 적이 원하는 시간을 피하고, 적에게 낯익은 장소를 멀리하고, 적이 익숙한 방법으론 싸우지 않는다. 대단한 사람이다. 아무리 스펙이 좋아도 의지가 부족하면 지리멸렬한다. 세상은 거대한 골리앗이 아니라 상처받은 다윗에 의해 발전한다. 승리를 위해서는 승리의 의지를 키워야 한다.

리더의 역할은 방향설정이다. 올바른 방향으로 조직을 끌고 갈 수 있어야 한다. 핵심은 미래를 보는 통찰력이다. 다음은 방향대로 가기 위해 사람을 뽑고 배치하고 그 사람들이 제대로 일을 할 수 있도록 프로세스를 만드는 것이다. 다른 시각으로 사물을 볼 수 있어야 한다. 이 책이 그런 것에 대한 작은 깨달음을 줄 것이다.

기업의 목표는 이윤추구가 아닌 가치추구이다

반기업 정서가 문제가 된 적이 있다. 아니 지금도 많은 사람들이 기업에 대해 부정적 견해를 갖고 있다. 그렇다면 기업이 없는 사회와 국가가 존재할 수 있을까? 만약 한국에서 삼성과 엘지와 현대차가 사라진다면 어떤 일이 벌어질까? 그게 우리가 원하는 사회일까? 아마 대기업 몇 개가 사라지면 우리는 아프리카의 후진국과 비슷한 수준의 나라가 될 수도 있다.

우리 자식들은 직업을 찾아 세계를 떠도는 방랑자가 될 가능성도 배제할 수 없다. 그만큼 기업은 삶에 필수적이다. 이번에 소개할 책 『기업의 시대』*는 그런 기업의 탄생과 발전을 다루고 있다. 중국 국영방송 CCTV가 유럽, 아시아, 아메리카 3대륙을 돌며 취재하고 탐구한 다큐를 정리한 책이다.

* CCTV 다큐 제작팀, 『기업의 시대』, 허유경 옮김, 다산북스, 2014

기업이란 무엇일까?

2009년 현재 기업은 세계 인구의 81퍼센트에게 일자리를 제공하고 있다. 주식회사는 자원을 한곳에 모으고 리스크를 분산시켜 개인이 할 수 없는 많은 일을 할 수 있게 한다. 1931년 노벨평화상을 수상한 미국 철학자 니콜라스 버틀러는 "기업은 인류 역사상 가장 위대한 발명품이다"고 말했다.

기업이 없었다면 증기기관과 전력은 그저 하나의 기계로 남아 있었을 것이다. 기업은 인류의 삶을 바꿔놓은 조직이자 제도이며 하나의 문화이다. 기업은 돈을 어떻게 벌고 어떻게 쓰는지 알려주고 무엇을 먹고 무엇을 입고 어떤 집에 살 것인지 인도하기도 한다. 심지어 가장 사적인 연애와 결혼도 점차 기업의 도움을 받아 이루어지고 있다. 그런데 우리는 이런 기업에 대해 잘 모른다.

기업 흥망성쇠의 역사

기업이 있기 전에도 인간은 끊임없이 서로에게 필요한 것을 주고받았다. 거래했다. 거래는 인간의 본성 중 하나이다. 그렇다면 무슨 필요에 따라 기업이 탄생했을까? 개인의 힘으로는 할 수 없는 일을 하기 위해 기업이 만들어졌다. 자원의 한계를 극복하기 위해 생겨났다. 혼자서 감당할 수 없는 리스크를 분산시키기 위해 기업이 필요했다.

1599년 런던시장에서 후추가격이 파운드당 3실링에서 8실링으로 급등한다. 향료무역을 독점한 포르투갈과 네덜란드 때문이다. 동양으로 가는 새 항로 발견 이후 각국은 시장에 뛰어들었고 영국도 경쟁 대열에 합류한다. 당시 유럽에서 인도나 인도네시아로 가는 것은 지금으로 말하면 화성에 가는 것만큼이나 위험부담이 컸다. 폭풍, 해적, 다른 나라 배와의 전투 등 변수가 너무 많았다. 별다른 사고가 없어도 출발에서 도착까지 최소 1년이 넘게 걸렸다. 개인이 부담하기엔 너무 큰 모험이다.

후추가격 급등으로 비상이 걸린 상인들은 정부를 상대로 회사 설립을 위한 특별허가와 동방무역 독점권을 요구하며 데모를 한다. 그래서 만들어진 것이 동인도회사이고 이것을 현대적 의미의 기업의 시초이다. 1600년 12월 31일의 일이다. 첫 항해에 무려 7만 2,000파운드의 돈이 모였다. 오늘날 3,500만 달러에 해당하는 거금이다. 이들은 영국왕실로부터 15년간 동인도에서 무역할 수 있는 특혜를 받았다. 공동출자방식 형태였는데 유한책임제를 처음으로 실시했다. 투자한 만큼만 책임을 지는 방식이다.

동인도회사 출범에 위협을 받은 네덜란드는 서인도회사를 만든다. 형태는 약간 다르다. 작은 회사 6개가 모여 국가의 지원을 받는 형태이다. 이들은 모든 시민을 대상으로 주식을 발행했는데 사실상 세계 최초의 상장회사인 셈이다. 암스테르담에서만 1,143명이 주식을 구입했다. 투자금액이 많을 때는 영국의 10배에 해당할 만큼 컸다. 그렇게 생겨난 증권거래소와 은행을 통해 돈을 모으고 이런 과정을 통해 네덜란드는 막대한 부를 얻는다.

당시 기업은 정부의 모습에 가까웠다. 기업의 해외 확장을 위해 영국과 네덜란드는 교전권, 협상권, 사법권, 행정권 등 여러 국가권력을 자진해서 기업에 주었다. 동인도회사는 한때 30만 명이 넘는 병력을 보유했다. 영국 정규군의 두 배에 해당한다. 기업은 국가권력을 바탕으로 식민지에서 전쟁을 일으킨다. 현지 자원을 약탈하고 점유한다. 이들 기업은 공공 부문과 민간 부문 그 어디에도 속하지 않고 중간에 있는데 나중에는 정부의 부담이 된다. 적자를 보면 국가가 나서서 보전해야 했다. 1773년 영국의회는 적자투성이의 동인도회사를 살리기 위해 차 조례를 통과시키고 차 무역의 독점권을 동인도회사에 주는데 이것이 미국 독립전쟁으로 이어진다. 한 기업에 주었던 특권 때문에 역사가 바뀐 것이다.

그런 기업은 산업혁명과 맞물려 급속하게 발전한다. 기술이 기업에 의해 폭발적으로 생산성을 높이게 된 것이다. 그때 많은 재벌들이 태어난다. 미국의 철도왕 밴더빌트가 대표적이다. 그는 뉴욕을 오가는 운수업으로 사업하고 있었는데 어느 날 갑자기 영업정지 명령을 받는다. 정부가 독점운영권은 오로지 리빙스턴 가족에게만 있다고 결정한 것이다. 당시 리빙스턴은 뉴욕 대법관으로 큰 권력을 가졌고 밴더빌트는 제대로 교육받지 못한 사람이다. 그는 5년간 끈질긴 소송 끝에 운송업의 독점권은 누구에게도 없다는 결론을 이끌어낸다. 미국 역사를 바꾼 소송 중 하나이다. 1862년 링컨은 "태평양 철도법"에 서명한다. 노예해방선언보다 두 달 앞서 일어난 일이다.

정부 위탁을 받은 두 회사가 최초의 북미횡단철도를 건설하면서 이를 통해 막강한 부를 얻는다. 그중 한 사람이 밴더빌트이다. 밴더빌트는 여러 개의 단거리 철도를 사들여 그것을 하나로 연결한다. 철도망이 구축되자 운송비를 낮추어 저렴한 가격으로 많은 고객을 유치한다. 어디든 철도가 들어오면 발전은 시작됐다. 전국 규모의 철도가 만들어지면서 미국은 비로소 통일된 시장경제가 탄생한다. 카네기는 철강산업으로 록펠러는 석유로 돈을 번다.

산업혁명은 매우 심각한 사회문제를 일으킨다. 노동자들이 처한 현실 문제가 그것이다. 찰스 디킨스의 소설 『어려운 시절』은 그런 사회상을 그린 작품이다. 먼저 산업혁명을 경험한 유럽이 산업화에 따른 병폐를 인식하고 회복해가던 시점에 미국기업은 거대한 괴

물로 변해간다. 미국 인구의 12퍼센트가 전체 부의 90퍼센트를 갖고 있었다. 산업 재해 건수도 많았다. 1888년에서 1908년까지 사망한 노동자가 70만 명을 넘었다. 매일 100명씩 죽은 셈이다. 피크는 1911년 3월 25일 뉴욕 트라이앵글 셔트웨이스트 공장에서 일어난 대규모 화제이다. 이 화제로 무려 146명이 죽고 수만 명의 노동자가 침묵시위를 벌인다. 이날의 화제를 기점으로 노동자 보호법이 만들어진다.

기업의 발전은 개인의 삶을 풍요롭게 하지만 이면에는 늘 부작용이 있게 마련이다. 주식시장의 과열도 그중 하나이다. 지금처럼 그때도 주식 때문에 수많은 영국인들이 파산했다. 우리가 잘 아는 뉴턴이 대표적이다. 당시 그는 왕립 조폐국장이었는데 잘못된 주식투자로 무려 2만 파운드의 거액을 날렸다. 그의 10년 치 월급과 맞먹는 액수이다. 돈을 잃고 그는 “천체 움직임은 계산할 수 있지만 인간의 광기는 예측할 수 없다”라고 한탄했다.

존 로의 미시시피 회사도 붕괴해 프랑스 투자자들은 5억 리브르(당시 프랑스 1년 국가예산보다 많다)를 잃기도 했다. 1927년 찰스 린드버그가 단독으로 대서양횡단에 성공하자 사람들은 항공산업의 무한한 가능성에 주목한다. 하지만 당시 항공회사들은 대부분 항로를 하나도 개통하지 못했다. 그때 주식시장에 씨보드에어라인이라는 회사 주가가 급등한다. 하지만 그 회사는 항공회사가 아닌 철도회사였다. 명칭 외에는 아무 상관이 없었다. 그만큼 사람들은 주식에 열광했던 것이다.

그러다 온 것이 대공황이다. 1929년 10월 24일 뉴욕 증시가 폭락한 것이다. 별문제 아니라고 생각한 JP 모건의 아들 잭 모건은 주식시장에 2,000만 달러의 유동자금을 투입하기로 했고 그날 오후 주가는 크게 반등했지만 그때뿐이었다. 다음날 주식 개장과 동시에 주가는 다시 곤두박질쳤다. 한 달 사이 1,800억 달러가 공중으로 사라졌다. 1930년까지 총 1,352개의 은행이 파산하고 2만 6,355개의 기업이 도산했다. 1930년 7월 4일, 원자재 가격은 1913년 수준으로 떨어지고 노동력 과잉과 임금 하락으로 말미암아 실업자는 400만 명에 달했다.

기업의 또 다른 부작용은 노조문제였다. 1894년 7월 4일, 미국 독립기념일 시카고에서는 경축행사가 열리지 않았다. 철도 노동자 12만 5,000명이 파업을 벌이고 있었고 기관총을 소지한 연방 군대가 파견됐다. 군대와 노동자의 충돌로 노동자 13명이 사망했다. 노스웨스턴 철도회사의 변호사 클라렌스 대로우는 이 광경을 목격하고 큰 충격을 받는다. 그곳은 파업 현장이 아니라 선혈이 낭자한 학살 현장이었다. 대로우는 심각한 회의를 느꼈다. "자유와 평등은 종이 위에 쓴 원칙에 불과한 것인가? 기업이 무슨 특권을 가지고 있단 말인가?" 그는 체포된 노조위원장의 변호를 맡기로 했다. 그리고 모두가 부러워하는 철도회사 변호사직을 그만둔다.

기업 역사에서 자동차 산업은 빼놓을 수 없다. 특히 자동차산업에서 포드의 발자취는 기억할 만하다. 그가 자동차를 발명한 것은 아니지만 최초로 자동차 대량생산에 성공한 사람이다. 그 유명한 T모델이다. 그는 두 가지 혁신을 만들었다. 하나는 대량생산을 위한 컨베이어시스템의 발명이고 또 하나는 파격적인 임금인상이다. 당시는 워낙 임금이 싸서 노동자들의 이직률이 높았는데 이것은 비용의 증가로 이어졌다. 포드는 이것에 주목했다.

1914년 1월 6일 미시간 주 하일랜드파크 공장에 새벽 3시부터 일자리를 얻으려는 사람들이 몰려든다. 7시 반이 되자 만 명이 넘는다. 하루 전날 포드자동차는 근로자의 노동시간을 8시간으로 줄이고 매일 5달러의 임금을 지급할 것이라는 발표를 한다. 기존 임금

2.34달러의 두 배가 넘는다. 이를 위해서는 매년 1,000만 달러를 추가로 지급해야 하는데 포드의 이익은 거기에 미치지 못했다.

하지만 포드는 임금을 파격적으로 올리면 분명 생산성이 높아질 것으로 생각했고 실제 그 해 연말 포드의 수익은 3,000만 달러로 급증했다. 하지만 성공은 자만을 낳는다. 포드가 그랬다. 그는 1945년 스물일곱 살의 헨리 포드 2세에게 기업을 넘겨주기로 했다. 그의 손자이다. 그는 기업과 자신을 동일시했다. 대통령 못지않은 권세를 누렸다. 18년 동안 오직 모델 T만을 생산했고 이것이 영원할 거로 착각했다. 그는 고집불통이었다. 아들 에셀이 신차 개발을 제안했지만 결사적으로 반대했다. 한 차례 심하게 싸운 후 허락했고 모델 A를 출시했지만 모든 문제를 해결할 수는 없었다.

1920년 리버루지에 위치한 포드공장에는 10만 명의 직원이 있었다. 그는 모든 문제를 직접 해결하려고 했지만 불가능했다. 제2차 세계대전 전 점유율 68퍼센트에서 20퍼센트로 하락했다. 에셀은 예술적 감각이 있어 디자인을 중시했다. 하지만 아버지 때문에 사장직으로 있던 24년 동안 한 번도 실권을 쥐지 못했고 1943년 49세의 나이로 세상을 떠났다. 1945년 죽음의 문턱에서 마지못해 실권을 손자에게 넘겨준다.

자동차산업의 지존 포드는 별 볼 일 없던 GM에 역전을 당하는데 핵심인물이 전문경영인 슬론이다. 그는 오늘날의 GM을 만든 사람이다. 그의 목표는 계층별 소득수준에 맞는 차를 생산하는 것이다. 다양한 사업부를 만들고 특화된 서비스를 제공한다. 1921년 『포천』은 이런 기사를 실었다.

"많은 척추동물이 몸집은 크지만 두뇌의 진화수준이 그에 미치지 못해 멸종되었다. GM이 그런 운명을 피할 수 있었던 것은 슬론이 규모에 맞는 복합적인 두뇌를 창조한 덕분이다."

독창적인 제도를 통해 GM은 붕괴 직전에서 단기간에 세계 최대의 자동차회사로 도약한다. 평범한 서민에게 쉐볼레, 부자에게는 캐딜락, 비교적 풍족하지만 신중한 성향의 사람에게 올즈모빌, 상류층의 도약을 꿈꾸는 이에게 뷰익, 체면을 중시하는 사람에게 폰티악을 선보였다. 슬론은 이렇게 말했다.

"독재자가 다스리는 기업은 성공적인 조직으로 발전할 수 없다. 독재자가 모든 해답을 안다면 독재 제도가 가장 효율적인 경영방식일 것이다. 하지만 그런 독재자는 지금까지 없었고 앞으로도 없을 것이다."

드러커는 그를 진정한 최초의 전문경영인이라고 칭송했다. 그는 40년간 근무했다. 전문경영인의 등장으로 소유권과 경영권이 분리되었다. 1956년 슬론이 명예롭게 은퇴하고 신임사장을 선출했다. 슬론은 "신임사장이 내가 원하는 사람은 아니지만 반대할 수는 없다. 전임자가 후임자를 결정해서는 안 된다. 그렇게 해서는 2등 복제품을 얻을 수 있을 뿐이다."

영국은 사정이 달랐다. 유니레버 같은 대기업이 탄생하기까지 오랜 시간이 걸렸다. 전문경영인 제도를 도입하려는 기업이 없었기 때문이다. 영국이 영향력을 상실한 원인 중 하나는 전문 인재를 인정하지 않았기 때문이다. 창업자일수록 회사에 대한 열정은 신앙에 가깝다. 하지만 그럴수록 기업은 대대로 이어지지 못했다. 권력을 손에 꽉 쥐고 아무에게도 양보하지 않았다. 후계자가 반드시 똑똑하리란 보장도 없다. 가족경영을 유지하던 지멘스도 제1차 세계대전 이후 극심한 적자에 시달린 후 소유권과 경영권을 분리한다.

일본은 다른 기업역사를 갖고 있다. 경영의 신으로 일컬어지는 마쓰시타 고노스케는 16세 때부터 오사카전등주식회사에서 도제로 일하며 경영을 배운다. 당시 센바 상인들은 삼방득리란 생각을 했는데 장사를 하면 파는 사람, 사는 사람, 사회가 모두 이익이라는 말이다. 기업이 사회에 이익이 된다는 철학을 일본기업인들은 갖고 있었다. 시부사와 에이치는 이런 철학을 굳힌 사람이다.

그는 『논어와 주판』이란 책을 썼다. 좋은 상인이 되기 위해서는 철학이 필요하기 때문에 한 손에는 논어를 다른 손에는 주판을 들어야 한다고 생각했다. 무엇보다 그는 사업은 개인이 아닌 사회를 위한 것으로 생각했다. 경영학의 아버지 피터 드러커도 시부사와 에이치를 통해 기업이 단순히 개인의 이익이 아닌 사회를 위해 존재한다는 사실을 배웠다고 고백했다. 교세라를 만든 이나모리 가즈오의 사상은 경천애인이다. 그는 좋은 기업문화를 만들기 위해 애를 썼다. 문화는 조직이 실천하는 신앙이자 가치관이고 문화야말로 기업의 매우 강력한 힘이라고 생각했다.

기업이란 무엇일까? 기업은 누구를 위해 존재할까? 기업이 없이 우리는 살 수 없다. 기업 덕분에 우리는 싼 가격에 좋은 제품과 서비스를 누릴 수 있다. 기업의 역사에는 수많은 시행착오가 있고 앞으로도 많을 것이다. 그럼에도 중요한 것은 기업의 철학이다. 이를 잘 실천한 회사는 세계적인 제약회사의 윌리엄 머크다. 그는 이런 말을 했다.

"의약품은 환자를 위한 것이지 이윤을 위한 것이 아니라는 사실을 잊지 않으려고 부단히 노력하고 있다. 이것만 제대로 기억한다면 이윤은 저절로 따라온다. 이것을 잘 기억할수록 이윤은 더 커진다."

여러분이 생각하는 기업은 어떤 존재인가?

매일 출근해서 일하는 것이 언제까지 가능할까

✣ 앞으로 세상은 어떻게 변할까? 지금처럼 매일 아침 출근하고 회의하고 일의 성과보다는 일하는 데 들어간 시간으로 평가하는 이런 식의 일을 언제까지 할 수 있을까? 출퇴근 시간과 쓸데없는 회의에 들어가는 시간을 정말 자신이 잘하는 일에 온전히 쓸 수 있다면 얼마나 생산성이 올라갈까? 내가 늘 생각하는 주제 중 하나이다. 오늘은 사무실 없이 자신이 하고 싶은 일을 마음대로 하는 사람 박용후가 쓴 책 『나는 세상으로 출근한다』* 를 소개하고자 한다.

* 박용후, 『나는 세상으로 출근한다』, 라이팅하우스, 2015

오피스리스 워커의 시대가 온다

박용후는 오피스리스 워커이다. 사무실 없이 일하는 사람이란 뜻이다. 많은 사람들과 연결되어 있으면서도 장소에 구속받지 않고 자유롭게 일한다. 현재 10개 이상 회사와 일을 한다. 오피스리스 워커는 미국의 마케팅 전문가 해리 백위드가 소개한 개념으로 '시간과 장소에 상관없이 일하며 자신의 재능을 프로젝트 단위로 분산 투자하는 사람'을 말한다. 현재 전 세계에 2,200만 명 정도 되는데 앞으로 그 숫자는 훨씬 늘어날 것이다. 그들은 와이파이가 되는 곳이면 어디서든 일을 한다. 프로젝트 단위로 자기 재능을 분산투자한다.

그는 관점을 디자인하는 사람이다. 여러 기업의 홍보를 대행해준다. 핵심은 단순히 회사 일을 홍보하는 대신 고객입장에서 고객의 관점을 디자인하는 것이다. 근데 그런 일을 하려면 자신이 맡은 분야에서 탁월성을 보여야 한다. 남과 다른 생각을 하고 고객에게 그만한 가치를 줄 수 있어야 한다. 그는 어떻게 그런 관점을 갖게 되었을까? 하루아침에 일어난 일이 아니다.

그는 첫 직장을 몇 달 만에 때려치웠다. 신이 나지 않았기 때문이다. 다음은 『PC서울』이란 잡지사에 들어가 칼럼니스트로 일했다. 컴퓨터 전문기자였는데 그 일이 좋았다. 기자는 그가 좋아하는 일일 뿐 아니라 가장 잘할 수 있는 일이다. 이후 『PC사랑』이란 잡지사로 옮겼고 얼마 후 회사를 나와 『아하PC』를 창간했다. 『아하PC』의 인터넷 자회사 디지털라이프코리아와 음성정보 기술업체 보이스메이커를 차례로 경영하면서 경영자 관점에서 일을 보고 사업의 성공 요인을 생각하게 되었다.

사업은 성공적이었다. 이어 세계최대 정보통신 미디어그룹 씨넷네트웍스의 한국지사장을 맡아 적자 회사를 5개월 만에 흑자로 돌렸다. 이후 스타비스타라는 인터넷 쇼핑몰을 만들었는데 리먼브라더스 사태로 망했다. 실패의 결과는 혹독했다. 수업료를 톡톡히 치렀다. 그러다 김범수 의장을 만나 아이위랩이라는 홍보이사가 되고 카카오톡을 성장시키는 데 크게 이바지를 한다. 그 일을 하면서 그는 관점 변화를 경험했다. 그동안은 기자 입장에서 회사를 보다 회사 입장에서 회사를 홍보하는 취재원으로 이동한 것이다. 그가 가장 먼저 한 것은 홍보의 재정의다. 그는 이렇게 재정의한다.

"홍보란 회사가 만든 제품의 장점을 일방적으로 보여주는 게 아니라 회사의 서비스나 제품을 쓸모 있는 것으로 느낄 수 있게끔 고객의 관점을 바꾸는 일이다."

사람들은 통제받는 직장보다는 자유롭게 일하는 이런 일을 좋아한다. 근데 자유란 무엇일까? 그런 자유를 어떻게 하면 얻을 수 있을까? 자유에는 두 종류가 있다. 하고 싶은 일을 할 수 있는 자유와 하기 싫은 일을 하지 않을 자유가 그것이다. 하고 싶은 일을 하려면 하기 싫은 일을 할 수 있어야 한다. 자신이 하는 일에 대해 월등한 그 무엇이 있어야 한다. 자유에는 대가가 따른다. 쉽게 얻어지지 않고 그것을 유지하는 것도 만만치 않다. 하지만 사람들은 원하기만 할 뿐 그게 무언지, 어떻게 얻을 수 있는지, 어떤 비용을 치르는지 생각하지 않는다. 질문도 하지 않고 관성에 따라 떠밀려 살고 있다.

이를 위해서는 일에 대한 관점을 바꾸어야 한다. 일이란 무엇이고 회사란 무엇일까? 회사와 일은 다르다. 회사는 이미 존재하는 시스템 안에 들어가 그들의 일부가 되는 것이다. 일은 자신이 목표를 정하고 자발적으로 하는 것이다. 누가 시켜서 하는 것도 아니고 회사를 그만둔다고 하지 못하는 것도 아니다. 애니팡을 만든 선데이토즈가 그렇다. 이 회사는 이정웅, 임현수, 박찬석 세 사람이 만들었다. 명지대 컴퓨터학과 동기들이고 각자 NHN, 엔씨소프트, T3 엔터테

인먼트에 다녔는데 매주 일요일 토즈에서 만나 사업을 구상했다. 그래서 회사 이름도 선데이토즈이다.

이들은 처음부터 사람과 사람 관계, 상호연결 같은 소셜에 가치를 두었다. 소셜게임을 통해 즐거움을 주는 것을 비전으로 삼았다. 그들에게 일은 즐거운 취미활동이지 노동이 아니다. 마음 맞는 친구들과 주말마다 모여 함께 놀다 보니 그런 게임을 만들 수 있었다. 근데 대부분 사람들은 어떤가? 주중에는 끔찍한 시간을 보내고 끔찍했던 시간에 대한 보상으로 주말을 즐기기 위해 애를 쓴다. 주말에는 자기 일터를 욕하고 주중에는 다시 욕한 곳으로 돌아가 일을 한다.

성공하기 위해서는 일과의 관계를 재정립해야 한다

이게 요즘 직장인들이 일과 맺는 관계이다. 성공하기 위해서는 일과의 관계를 재정립해야 한다. 일과 아름다운 관계를 만들어야 한다. 회사가 이를 해줄 수도 있고 그렇지 않을 수도 있다. 만약 회사가 일할 여건을 만들어주지 않을 때 어떻게 할지에 대한 답을 준비해야 한다. 인생은 역설적이다. 안정을 위해 자유를 포기한 사람들은 조만간 안정마저도 포기해야 할 수 있다.

그럼 어떻게 해야 할까? 직장인들은 누구나 해고에 대한 두려움, 미래에 대한 두려움, 밥벌이에 대한 불안 등을 갖고 있다. 이런 두려움을 용기로 바꾸어야 한다. 세상에 두려움이 없는 사람은 없다. 두려움을 없애는 최선의 방법은 두려움의 대상을 외면하지 않고 똑바로 보는 것이다. 두려움은 피한다고 피할 수 있는 게 아니다. 피하는 대신 똑바로 마주하는 것이 용기이다. 그게 시작이다. 이를 위해서는 작은 승리의 경험을 쌓아야 하고 그러다 보면 용기가 생긴다.

자유롭게 사는 오피스리스 워커를 꿈꾸는 사람들이 이를 성취할 방법은 간단하다. 자기 일을 직시하는 것이다. 자신이 하는 일에서 최소 세 번의 성공을 경험해야 한다. 첫 성공은 운 때문일 수 있다. 두 번째는 남의 도움일 수 있다. 근데 세 번이면 그건 실력이다. 작은 승리가 반복되면 인정받을 수 있고 두려움을 이길 용기가 생긴다. 이를 위한 세 가지 코드가 있다. 첫째, 동기코드다. 어떤 것에서 동기부여가 되는가? 남들로부터 신뢰를 받을 때이다. 둘째, 유지코드다. 세상에 대한 호기심과 미래에 대한 궁금증이 무척 강하다. 힘들 때도 저 너머 세상이 무궁무진하다는 사실이 사람을 흥분시킨다.

셋째, 의미코드다. 돈만 추구하는 기업보다는 설레는 꿈이 있고 선한 기업이 잘되는 게 좋다. 남들이 생각 못한 색다른 관점을 만들어내는 게 좋다. 여러분은 어떤 경험을 하고 있는가? 자신을 유지 발전시키는 코드를 갖고 있는가? 사실 오피스에 근무하느냐 아니냐가 중요한 건 아니다. 이보다 정신적 독립이 우선이다. 생각이 독립적이어야 하고 남들과 다른 생각을 할 수 있어야 한다. 어떤 순간에도 흔들리지 않는 일에 대한 남다른 관점이 있어야 한다.

앞으로 우리 중 절반은 오피스리스 워커가 될 것이다. 이를 위해서는 일에 대해 세 가지 관점 전환이 필요하다. 첫째, 일과 나와의 관계를 새롭게 정의해야 한다. 일을 목적 중심으로 체화해야 한다. 이를 위해서는 목적 중심으로 일해야 한다. 철저히 결과 중심으로 일하고 평가해야 한다. 소속 여부는 중요하지 않다. 남에게 보이기 위한 일, 관계 때문에 마지못해 하는 일은 장기적으로 아무 도움이 되지 않는다. 그런 일을 버리는 게 스마트워크이다. 둘째, 직장 자체에 연연하지 않는 것이다. 오늘날 고용은 전문직, 계약직, 임시직 등으로 구분된다. 소수의 정규직으로 생산성을 극대화시키는 구조이다. 앞으로 정규직은 갖기도 어렵고 유지하기는 더욱 어렵다. 임시직이 반을 넘을 것이다. 좋고 나쁘고의 문제가 아니라 이게 대세이다. 모든 사람이 프리에이전트가 되지는 않을 것이다.

다만 프리에이전트가 되기로 했다면 세 가지를 해야 한다. 첫째, 극단적으로 열심히 일해야 한다. 둘째, 고객에게 초점을 맞춰야 하고 리스크를 기꺼이 감수해야 한다. 셋째, 일 잘하는 것보다 일을 만드는 게 중요하다. 우리는 주어진 일만을 해왔다. 앞으로는 창의적으로 일거리를 만들 수 있어야 한다. 질문에 답하는 능력이 아니라 질문을 만드는 능력, 일을 잘하는 능력보다 새로운 일자리와 일거리를 만들어내는 능력이 필요하다. 결론은 명확하다. 주인처럼 일하고, 밖에 보이는 것보다는 실질적인 것에 초점을 맞추고, 그 누구보다 열정을 다해 일해야 한다. 장소가 중요한 게 아니라 가진 일에 대한 철학이 더 중요하다.

일을 잘해서 행복한 게 아니라 행복해서 일을 잘하는 것이다

누구나 대학 졸업 후에는 직장에 들어간다. 근데 직장에서 행복하지 않다. 앞으로 행복해질 가능성 또한 희박하다. 그렇다면 어떻게 해야 할까? 조직은 공부하기 위해 들어가야 한다. 일 자체에서 행복을 느끼고 새로운 일을 배우는 것에서 행복을 느껴야 한다. 그래야 성과가 난다. 일을 잘해 행복한 게 아니라 행복해서 일을 잘하는 것이다. 행복한 사람이 일도 잘한다. 일은 별개의 것이 아니다. 생활의 일부이다. 지금 쓰지 않으면 없어지는 돈이 있다면 어떻게 해야 할까? 잘 쓸 방법을 끊임없이 찾는 것이다. 돈 쓸 생각을 하는 것만으로도 즐거울 것이다. 누구나 그 돈을 갖고 있다. 바로 시간이란 돈이다. 행복을 미루는 바로 지금 그 돈은 사라지고 있다.

일과 생활의 균형이란 말은 고리타분하다. 이분법적이다. 구분할 수 없는 것을 억지로 구분하려는 말이다. 일과 생활을 구분할 수 있을까? 일이 생활이고 생활이 곧 일이다. 일정한 시간에는 노동하고 번 돈으로 여가를 즐긴다. 이 생각 역시 따분하다. 자신에게 명령하지 않는 사람은 언제나 하인으로 머물 수밖에 없다. 일에는 영혼이 있어야 한다. 일에 대한 자신만의 철학이 있어야 한다.

총각네 야채가게 이영석 대표가 설렁탕집에서 알바할 때의 일이다. 그는 눈에 불을 켜고 부지런히 손님들 깍두기 접시를 살피고 떨어지기 전에 미리미리 갖다 놓았다. 주방장이 술 마신 뒷날에는 설렁탕 맛이 없어서 손님들에게 족탕을 권했다. 손님들은 두 배나 비싼 족탕을 기꺼이 먹었다. 식당 분위기가 좋아지고 자연히 매출이 올랐다. 어느새 이영석은 없어서는 안 될 존재가 되었다. 그의 철학은 심플하다.

"시키는 대로 일하고 시간만 채우면 그 사람은 평생 알바생이다. 주인처럼 일하고 내 장사, 내 손님이라고 생각하면 진짜 내 것이 된다. 작고 하찮은 일을 대단한 일처럼 해내는 사람이 결국 모든 일을 다 잘한다."

총각네 야채가게의 핵심은 인사, 청결, 인심이다. 크고 힘차게 인사하면서 손님을 반기고, 가게를 깨끗이 청소하고, 손님에게 진심으로 대한다. 점포를 내줄 때도 친절이 몸에 배고 열정이 불타는 한결같은 마음을 가진 사람에게만 기회를 준다.

직장을 찾는 노력 대신 직업을 찾아야 한다

직장생활도 그렇다. 10년의 수련기간 동안 일을 마음에 담는 습관을 지녀야 한다. 자신이 일하는 일터를 증오하고, 왜 그것에서 벗어나지 못할까 불평하는 사람은 결국 그곳에서 쫓겨나게 될 것이다. 몸만 직장에 있는 사람도 그렇다. 항상 시키는 일만 하고 정해진 시간만 채우는 사람에게 무한의 자유를 준다면 그게 축복일까 재앙일까? 직장을 찾는 노력 대신 직업을 찾아야 한다. 직이 아닌 업을 추구해야 한다.

사이비란 말이 있다. 겉으로는 비슷한 것 같으나 속은 완전히 다른 것을 뜻한다. 업에 대한 신념이 투철한 사람은 이익 앞에서도 업의 본질을 지킬 줄 안다. 오피스리스 워커는 직이 아니라 업을 선택한 사람이다. 생계를 유지하기 위해 일하는 자리가 직이라면, 업은 평생을 두고 매진할 소명이다. 업은 전문성이고 전문성이 뿌리이다. 뿌리가 없으면 흔들린다. 뿌리도 없는데 날려는 사람들이 있다. 가끔 바람의 도움으로 날 수는 있지만 이내 추락할 것이다. 날개는 실력을 바탕으로 관점이 새롭게 바뀌면 가능해진다. 박스 안이 아닌 박스 밖에서 볼 수 있는 능력이 날개이다.

어떻게 바라보느냐가 그 사람의 태도를 바꾼다

모든 건 생각하기 나름이다. 어떻게 바라보느냐가 그 사람의 태도를 바꾼다. 이를 위해서는 나는 누구인지 스스로에게 질문해야 한다. 내가 무슨 일을 하는 사람인지 묻고 그 일에 매진할 수 있어야 한다. 공부란 "어떤 대상을 보았을 때 그것의 깊은 본질까지 꿰뚫어

볼 수 있는 힘을 기르는 것"이다. 본질에 가까이 가기 위해 호기심을 갖고 깊이 파고드는 것이 진짜 공부이다.

관점을 바꾸기 위해서는? 첫째, 관심을 바꾸어야 한다. 관심이 인생의 방향을 결정한다. 관심關心은 관계할 관關에 마음 심心자이다. 마음과 관계를 짓는다는 것이다. 관심을 통해 염두에 올라가게 된 것을 중심으로 모든 것을 본다. "나는 무엇에 관심이 있지?" 그 고리에 마음이 걸리면 인생은 그 방향으로 나간다. 관심이 인생을 바꾸는 것이다. 둘째, 질문이다. 질문은 바탕 질質에 물을 문問이다. 본질을 묻는 것이 질문이다. 본질을 알기 위해서는 좋은 질문을 던질 수 있어야 한다. 본질을 알면 이전에 못 보던 것을 볼 수 있다.

보통은 선입견이 있다. 거기에 가려 중요한 것을 놓친다. 선입견을 없애기 위해서는 낯선 질문을 던질 수 있어야 한다. "원래 그런 거야" 대신 "왜 그렇게 하는 거지?"란 질문을 던질 수 있어야 한다. 셋째, 관점이다. 관점은 생각의 각도이다. 내가 어떻게 생각을 이끌고 갈지에 대한 출발점이다. 상대와 나의 관점이 일치하면 상관없다. 불일치할 때 상대의 관점을 나의 관점에서 보게 하는 것, 이게 관점 디자인이다. 넷째, 관찰이다. 관찰觀察은 세상을 보고 살피는 것이다. 살필 찰察 자를 파자하면, 제사의 주관자란 뜻을 담고 있다. 제정일치 시대의 우두머리가 다스리고 보살피는 것이 찰이다.

관찰은 치우침 없는 중심에서 내재적 본질을 살피는 것이다. 세상은 계속 변하고 있다. 관찰하는 사람만이 이를 알 수 있다. 다섯째, 정의定義이다. 새로운 뜻을 규정하는 것이다. 생각의 흐름에서 맨 마지막에 오는 귀한 것이다. 무엇에 대해 어떻게 정의하는가를 보면 그 사람의 생각을 읽을 수 있다. 사전적 의미가 중요한 게 아니다. 사람은 스스로의 정의에 따라 생각하고 살게 된다. 정의가 곧 그 사람이다. 어떤 사람은 통념에 따라 산다. 어떤 사람은 본인의 관점에 따라 산다.

카카오톡을 만들 때 수익성은 염두에 두지 않았다. 일단 사람이 많이 모이면 된다. 사람들이 많아지면 뭔가 나올 것으로 생각했다. 스타트업 기업들은 수익모델에 갇히지 말아야 한다. 그럼 아무것도 볼 수 없다. 서비스를 이용하는 사람이 많아지고 서비스를 사랑하는 사람이 많아지면 수익모델은 자연스럽게 온다. 카톡은 회원을 귀찮게 하는 일체의 광고를 붙이지 않았다. 사람들끼리의 커뮤니케이션에만 집중했다.

통신사와 싸울 때도 "우리는 아이예요, 괴롭히지 마세요"라고 대응했다. 사용자들의 도움으로 극복했다. 소비자가 믿음을 주고 사랑하는 서비스는 어떤 것도 해를 끼치기 어렵다. 처음 카카오는 몇 가지 한계를 만들었다. 유료화 안 되고 광고도 못 붙이고…… 이런 한계상황 속에서 오히려 창조적 아이디어가 나왔다. 처음 돈을 번 것은 이모티콘이다. 사용자들의 감정상태를 그림으로 전달하는 커뮤니케이션 보조 도구이다. 이것을 사용자들이 돈을 주고 사는 게 아니라 만화가들의 창작지원금을 주는 것으로 관점을 이동했는데 덕분에 창작자들이 돈을 벌었다. 2012년 마침내 애니팡이 2,600만 명이라는 폭발적인 성공을 거두면서 10월 한 달 게임매출만 400억 원을 기록했다. 2013년 매출의 80퍼센트는 중개매출이다. 카카오게임의 중개매출에서 발생한다.

왜 사람들은 카톡에 열광할까? 무언가를 베풀고 나누는 기브의 문화를 만들었기 때문이다. 그래서 선물하기 기능을 추가했다. 뒤늦게 광고를 할 때도 강압적 광고가 아닌 브랜드와 친구 맺기라는 개념으로 접근했다. 다른 회사가 서비스를 판다고 하면 이곳은 준다는 개념이다.

사람을 이해한다는 것은 그 사람의 욕구를 이해하는 것이다

앞으로는 착함이 성공의 기본이 될 것이다. 세상에는 욕구해도 되는 것, 욕구해서는 안 되는 것, 욕구해야 하는 것이 있다. 욕구해서는 안 되는 것을 욕구하면 문제가 생긴다. 그보다 중요한 것은 욕구해야 하는데 욕구하지 않는 것이다. 진리를 추구하는 것, 선을 베푸는 것, 다른 사람을 돕는 것 등이 그렇다. 교육이란 올바른 것을 욕구하도록 가르치는 것이다.

인간은 욕구한다. 그 사람이 어떤 사람인지는 그 사람의 지배적 욕구 때문에 결정된다. 사람을 이해한다는 것은 그 사람의 욕구를 이해하는 것이다. 리더십은 구성원의 욕구를 이해하는 것이다. 올바른 것을 욕구하도록 교육하는 것이 리더십이다. SNS는 나쁜 기업을 걸러내는 필터 역할을 한다. 카카오는 열광하는 팬을 거느린 몇 안 되는 기업이 되었다.

스마트워킹이란 무엇일까? 언제, 어디서든, 효과적으로 커뮤니케이션할 수 있는 환경을 만들어놓고 자신의 능력을 효과적으로 활용할 수 있는 상태에서 일하는 것을 말한다. 회사 일을 잘하는 사람은 사무실 없이도 일을 잘한다. 스마트하게 일하기 위해서는 일에 대한 결정권을 가져야 한다. 연결점이 많아야 한다. 성과로 일할 수 있어야 한다. 앞으로 세상은 이 방향으로 흘러갈 것이다.

노인에게 일자리를 나눠주는 것이 이익이다

✣ 군대에서의 잦은 사고 원인 중 하나는 인구 문제이다. 예전에는 군대 갈 자원이 풍부했다. 학력, 체력, 집안 사정 등 여러 이유를 고려해 반 이상을 골라내 입대를 시켰다. 요즘은 군대 갈 절대 인원이 부족하다. 그러다 보니 대상자의 90퍼센트 정도가 군대에 간다. 예전에는 도저히 갈 자격이 안 되는 사람도 군대에 간다. 차 떼고 포 떼고 나면 갈 사람이 없기 때문이다. 사회에서도 적응 못 하는 사람이 군대에서 적응하기를 기대하는 것은 무리가 있다. 군대는 압력밥솥 같은 곳이라 늘 문제가 확대재생산 될 수밖에 없다. 내가 생각하는 군대문제의 핵심 원인 중 하나이다.

경제가 활력을 잃은 이유는 인구 문제 때문이다

경제가 활력을 잃고 있다. 온갖 아이디어를 짜고 돈을 쏟아 부어도 좀처럼 살아나지 못한다. 핵심 이유 중 하나 역시 인구 문제이다. 일할 사람이 적고 고령화가 되면서 사회의 다이내믹스가 떨어지는 것이다. 사람이 적어지면서 수요 또한 적어진다. 공장을 돌릴 인력도 부족하다. 보통 문제가 아니다. 인구 문제는 미래의 문제가 아니다. 현재 우리에게 닥친 긴급한 문제이다. 일본 가토제작소의 가토 게이지 대표가 쓴 『60세 이상만 고용합니다』*는 거기에 대한 팁을 줄 수 있는 책이다.

일거리는 있지만 일할 만한 사람이 없을 때 어떻게 할 것인가

이 책의 배경이 되는 가토제작소는 일본 기후현 나카쓰가와시에 있다. 1888년에 창업해 100년이 넘는 역사를 갖고 있다. 자동차, 항공기, 가전제품 등에 쓰이는 금속 부품 등을 생산하는 전통적인 제조업체이다. 고령화가 우리보다 빨리 진행된 일본은 제조업체에서 일할 사람이 없고 이런 현상은 우리보다 훨씬 심각하다. 일거리는 있지만 일할 사람이 없다. 거기다 회사 위치도 외진 곳이다. 여러분 같으면 이 문제를 어떻게 해결하겠는가? 공장은 돌려야겠고 공장을 돌릴 사람은 없다. 동네는 온통 노인들뿐이다. 방법을 궁리하던 회사는 2001년 처음으로 60세 이상의 고령자를 대상으로 시간제 근무자를 모집한다. 광고문구는 이렇다.

---

* 가토 게이지, 『60세 이상만 고용합니다』, 이수경 옮김, 북카라반, 2014

"의욕 있는 사람 구합니다. 남녀불문. 단, 나이 제한 있음. 60세 이상인 분만"

사람은 필요하고 지원자는 없어 고민하던 차에 경영진은 우연히 이 동네 호구조사결과를 보게 됐다. 이 동네 나카쓰가와시에 사는 노인 중 취업한 노인은 43퍼센트, 취업하지 않은 노인은 53퍼센트. 연금을 받는 노인 중 60퍼센트는 일하고 싶지만 일할 곳이 없다고 답했다. 그들은 거기에 힘을 얻어 전단을 만들어 뿌렸던 것이다. "주말은 우리에게 평일이다"란 문구를 넣었다. 놀랍게도 100명이나 응모했다. 최고령자는 84세, 여성 중 최고령자는 78세였다.

채용 기준은 기술이 아닌 인격이었다. 밝고 맑은 성격이 무엇보다 중요하다. 명랑한 사람은 주위를 밝게 하는 힘이 있다. 다른 사람까지 행복하게 만든다. 성격이 밝으면 사람은 물론 물건과 정보가 모여들고 건강하다. 긍정적 표현을 쓰는 사람을 주로 뽑았다. 지금까지 살면서 고생한 적도 있지만, 그래도 원망하지 않고 좋은 경험이었다며 밝게 이야기하는 사람을 뽑았다. 이전 회사에서 무척 힘들었거나 상사와 마음이 맞지 않았다며 부정적인 말을 하는 사람은 채용을 피했다. 말이 중요하다. 불평, 불만, 푸념을 자주 늘어놓는 사람은 표정까지도 어두워진다.

결과는 대성공이었다. 처음 실버 직원을 고용하고 반년이 지나 2차로 실버 직원을 모집했다. 처음에는 어떻게 될지 불안감을 느끼기도 했지만, 실버 직원의 기력과 의욕은 남달랐다. 그리고 일을 한다는 점에서는 다들 매우 뛰어난 숙련공이었다. 일의 중요성도 잘 알았고 도덕심도 있었다. 처음 15명이던 실버직원은 50명을 넘어 지금은 전체의 반이다. 현역 직원 역시 60세가 넘어 자신이 원하면 재취업을 할 수 있다. 전체 직원 100여 명 중에서 60세 이상은 절반이 넘고 최고령자는 80세가 넘는다. 실버 직원들에게 60대는 청년이라서 "역시 젊군, 팔팔하군"이라는 우스갯소리가 유행처럼 되었다.

주요 공정은 현역 직원이 맡고 단순 지원 업무는 실버 직원이 맡는 '능력별 워크 셰어링'을 통해 1년 365일 연중무휴 공장을 운영한다. 주말과 공휴일에는 실버 직원이 전담으로 일한다. 평일에는 평균 나이 39세, 주말에는 평균 나이 65세의 직원들이 일하며 2교대 공장을 실현했다. 이들에게 정년은 없다. 고용 기간은 직원이 그만두고 싶을 때까지다. 회사 매출액은 2001년 이후 3배 가까이 늘었다. 이들은 노동을 통해 인간이 일한다는 것이 얼마나 고귀하고 가치 있는 일인지 깨달았다.

근데 늘 순탄했던 것은 아니다. 2008년 금융 위기가 닥쳤을 때 가토제작소도 큰 타격을 입었다. 수주가 줄어 작업량이 평소 절반으로 떨어졌고 창업 이후 처음으로 큰 적자를 냈다. 다른 기업이라면 비용 절감을 이유로 구조조정을 단행했겠지만, 사장인 가토 게이지는 구조조정을 하고 싶지 않았다. 그래서 실버 직원들의 작업량을 줄이고 비난을 각오하고 실버 직원들에게 솔직하게 사정을 털어놓았다. 그렇게 해서 간신히 어려운 시기를 서로 힘을 합쳐 극복해냈다.

경기가 좋아지고 수주량이 늘어나자 또 다른 고민이 생겼다. 수주량을 맞추기 위해서는 주말에도 공장을 가동해야 하는데 사람이 없었다. 주말에 일할 사람이 있을까 고민 끝에 나온 결론이 노인이다. 낮은 가격과 짧은 납기를 요구하는 탓에 이익 내기가 어려웠다. 잔업과 휴일 근무로 대응하고자 했지만 그러면 수당을 줘야 한다. 인건비 때문에 이익이 나지 않는다. 게다가 밤늦게까지 가동하면 이웃에게 피해를 준다. 주말에 일할 사람이 있을까에서 출발했다.

노인을 고용하려면 무엇보다 먼저 '왜 노인을 고용하려는지'의 이유를 모든 직원에게 정확하게 전달해야 한다. 현역직원의 협력 없이는 절대로 성공할 수 없기 때문이다. 사장은 직원들에게 "여러분이 안심하고 근무할 수 있는 회사를 만들고 싶습니다. 물론 정년 이후에도 계속 일해주십시오." "실버 직원의 도움으로 낮은 비용과 짧은 납기를 실현할 수 있습니다." "매출향상은 물론이고 결과적으로 이익이 여러분에게 돌아갑니다." 등을 사전에 설명했다.

그와 동시에 노동조합에도 노인 고용의 취지와 개요를 설명해서 이해를 구했다. 60세 이상을 고용하면서 현직의 고용기준도 변화시켰다. 60세가 된 현직 중 희망자는 전원 계속 고용하는 것으로 했다. 계약은 1년마다 갱신했다. 정년은 없고 고용기간은 그만두고 싶을 때까지로 정했다. 현재 실버직원 중 25퍼센트는 기존 직원이 정년이 지난 후 계속 다니는 사람들이다. 노인들을 수용할 최상의 곳은 바로 직장이다.

일단 퇴직한 후 40퍼센트는 친척과 자주 만나지 않고 그룹활동에도 참가하지 않는다. 이들 업무는 정확하게 워크셰어링이다. 주요 공정은 현역 직원이 맡고 단순 지원 업무는 실버 직원이 맡는다. 평일은 현역이 맡고 주말은 실버직원이 맡는 식이다. 이렇게 해서 1년 365일 연중무휴 공장을 운영하게 되는 것이다. 당연히 가동률이 높고 이익도 날 수밖에 없는 구조를 만든 것이다.

모든 기업이 그러하듯 실버 채용에도 직원교육이 무엇보다 중요하다. 실버인력 역시 이들을 어떻게 가르칠 것이냐가 관건이다. 첫날에는 가르치는 쪽도 배우는 쪽도 긴장했다. 나이가 있다 보니 잘 못 알아듣고 실수 건수도 많았다. 처음에는 직원들이 짜증도 내고 지쳐 했지만 실버인력들의 잠재력이 슬슬 작동하기 시작했고 결국 이들의 실험은 성공했다. 이들은 의욕이 남달랐다. 일의 중요성을 잘 알았고 도덕심도 있었다. 인내심이 강하기 때문에 실버용으로 준비한 일에 잘 맞았다.

업무는 정형업무와 판단업무 두 가지다. 일단 정형업무부터 맡겼다. 포장, 부품조립 등 단순업무이다. 순식간에 업무를 익혔다. 의욕이 승리한 것이다. 이들은 물 만난 물고기처럼 에너지를 쏟아부을 곳을 발견한 것이다. 실버들이 능숙해지자 현역들도 달라졌다. 실버들을 평일에도 배치하기 시작했다. 이렇게 해서 청년과 실버들이 함께 쉬고 밥을 먹는 적절한 안배가 이루어졌다. 2차에서 7명을 추가 모집했다.

처음에는 현역의 도움 없이는 작업이 불가능했다. 실버직원에게는 다음을 부탁했다. "지시대로 할 것, 마음대로 판단하지 말고 모를 때는 반드시 물어볼 것, 문제가 있을 때는 멈추고 부르고 기다릴 것"이 그것이다. 이들은 젊은이보다 익숙해지는 데 많은 시간이 걸렸다. 공장에서 쓰는 전문용어도 몰랐다. 하지만 성실성과 열정은 누구에게도 뒤지지 않았다. 실버직원 중 한 명은 집에 돌아가 매일 업무일지를 쓰면서 그날 한 작업을 전부 기록하는 열성파도 있었다. 물론 공장에서 사라진 노인도 있다. 자존심이 상했기 때문이다.

노인이기 때문에 건강 문제도 중요하다. 노인 중에는 지병이 있는 사람이 많다. 그러나 병이 낫기를 기다리다가는 아무것도 할 수 없다. 마음을 먹으면 몸은 저절로 따라온다. 일이 좋은 운동이다. 일하다 보면 체력이 좋아진다. 몸을 움직이지 않으면 머리도 금방 녹이 슬어 잘 돌아가지 않는다. 노인을 고용하기 위해서는 장벽을 제거해야 한다. 일명 배리어프리barrier free이다. 장애가 될 만한 요소를 없애는 것이다.

회사는 배리어프리에 3,000만 엔을 투자했다. 하지만 순식간에 회수했다. 인건비 측면에서 이익이기 때문이다. 이들이 고용한 실버직원 14명의 총 인건비는 현역 직원 1.3명에 해당했다. 현역 한 명의 월급으로 노인 10명을 고용한 셈이다. 앞으로 20년 내 노인이 일하지 않으면 기업을 꾸려나갈 수 없을 것이다. 지금부터 미래를 읽어서 노인이 중심이 되어도 공장을 가동할 수 있는 체제를 만들어야 한다.

사람은 나이를 먹어도 다른 사람에게 인정받고 싶어한다

노인고용은 세 가지 이익이 있다. 첫째, 노인 자신에게 득이 된다. 연금을 받을 수 있는 범위 내에서 일하면 수입도 생기고, 일해서 자신이 다른 사람에게 필요한 존재이며 도움도 된다는 기쁨을 느낄 수 있다. 둘째, 회사에도 득이 된다. 귀중한 현장 작업자로서 주말에도 일을 해주고, 기술 보유자로서 젊은 기술자를 육성하면서 기술 계승에 공헌한다. 셋째, 지역에도 득이 된다. 은퇴하고 나면 일하고 싶어도 일할 곳이 없는 현실에서 고용의 장을 제공하는 것은 지역에 큰 도움이 된다. 저출산 고령화로 말미암아 붕괴되어 버린 지역의 커뮤니티를 부활시키는 계기가 되는 것이다.

실버인력이 현역 시절과 다른 것은 상여금이 없고 월급이 오르지 않으며 퇴직금이 없다는 점이다. 이 조건을 이해한 직원만 계속해서 일할 수 있다. 취업 규정을 이렇게 바꾼 뒤에는 회사가 먼저 "이제 그만두어야 하지 않겠냐"고 이야기를 꺼낸 적이 없다. 대부분 자신이 체력의 한계를 느끼고 회사를 떠난다. 어쩌면 본래 일이란 그래야 하는지도 모른다. 정년은 사회가 정하는 것이 아니라 자신이 정해야 한다. 아직 일할 수 있는데도 단지 나이가 많다는 이유로 일할 곳에서 쫓겨나는 것은 뭔가 문제가 있다. 이 회사에 취직한 실버들은 무슨 생각을 했을까? 우선, 마쓰이 하쓰코의 사례이다.

"은퇴하자 몸은 둔해지고 생활은 빠듯했어요. 전단을 보고 당장 면접을 봐야겠다고 생각했어요. 전 일하는 데 주저함이 없었어요.

처음 1년만 해보자며 가벼운 마음으로 시작했는데 벌써 10년이 흘렀네요. 일하면서 큰 성취감을 느낍니다. 지금은 일하는 게 낙이에요. 나 같은 노인네를 써주는 회사를 만난 게 행운이지요. 일하러 가는 게 얼마나 행복한지 몰라요. 일하면 생활에 리듬이 생겨요. 아침 5시에 일어나 빨래하고 남편과 아이들 것까지 포함해 도시락을 네 개나 준비해요.

작업장에서는 지고 싶지 않다는 마음으로 일해요. 아침 체조도 열심히 해서 젊은이들에게 자극을 주지요. 전 젊은이들에게 모범을 보이고 때로는 쓴소리도 합니다. 체조할 거면 제대로 해라. 체조는 다른 사람을 위해서가 아니라 자신을 위해서 하는 거라고 말하지요. 아침 인사도 중요합니다. 저는 '안녕하세요'라고 큰 소리로 인사해요. 웃는 얼굴로 지내면 상대도 기분이 좋아지지요."

동료가 어려움에 부닥쳤을 때 누구보다 먼저 손을 내민 것도 그녀였다. 덕분에 직장 분위기는 몰라보게 좋아졌다. 또 다른 노인은 이렇게 말한다.

"노인이 일하는 것은 불행이 아니라 행운입니다. 집에서 밭이나 가꾸면서 느긋하게 지냈어요. 반년쯤 지나니까 살이 쪄서 바지가 안 맞더라고요. 사회를 유지하려면 노인도 적극적으로 일해야 합니다. 이런 현실이 노인에게 기쁜 일이라고 생각합니다. 사람은 나이를 먹어도 다른 사람에게 인정받고 사회와 교류하고 싶어합니다. 전 행복해요."

일하면서 부부 사이도 좋아진 사람도 있다.

"내가 일을 한 뒤 부부 사이가 좋아졌어요. 남편이 은퇴한 뒤로는 매일 단둘이 집에 있다 보니 슬슬 상대의 결점이 눈에 들어오기 시작했어요. 냉장고를 열었다가 상한 음식이 나오면 살림을 못한다며 불평을 했어요. 하지만 지금은 좋아졌어요. 내가 일해서 번 돈으로 둘이 오키나와로 여행할 생각입니다. 내가 책임지고 할 일이 있다는 건 기쁜 일입니다. 그 일을 제대로 해냈을 때의 기분은 말로 표현하기 어려울 정도죠. 아마 집에 계속 있었으면 그저 죽을 날만 기다리는 늙은이였을 걸요."

인간은 일할 때 살아 있다는 걸 느낀다. 인간은 본질적으로 일을 추구한다. 실버들의 근무시간은 주 3.5일, 28시간 이내이다. 이렇게 되어야 연금감액 없이 일할 수 있다. 이들은 월급에 크게 신경 쓰지 않는다. 일 자체를 좋아한다. 일이 곧 보수이고 월급은 덤이라고 생각한다. 업무량은 차이가 크다. 옛날처럼 억척스럽게 일하고 싶지 않다, 여가를 즐기면서 제2의 인생을 살고 싶다, 적당히 하는 정도가 딱 좋다고 생각한다.

이 회사의 문화에서도 배울 것이 많다. 아침은 청소와 조례로 시작한다. 좋은 습관을 몸에 배게 하는 것이 중요하다. 인사, 대답, 청소, 정리 정돈은 기본이다. 아침 청소는 모두 함께 한다. 사내 화장실은 맨손으로 10년간 청소했다. 청소하면 겸손해진다. 위가 아니라 아래를 보기 때문이다. 일은 준비가 반이다. 활력조례라는 것도 한다. 모든 직원이 자세를 바르게 하고, 큰 소리로 인사를 한다, 큰 소리로 연락 보고하는 것은 기본이다. 활력조례의 목적은 몸풀기(일할 몸과 마음의 준비) 정보공유와 철저함(연락 보고) 작업장의 활성화(밝고 즐겁고 활기찬 직원 만들기) 기본동장 습득 훈련, 팀워크 강화 등이다.

일터에서 나이가 많다는 이유로 쫓아내는 것은 사회적으로 큰 손실이다

이 회사에는 대장장이 학교가 있고 세 코스가 있다. 그 분야의 숙련공이 직접 만든 교과서를 준비해서 강의와 실기를 지도하는 배움의 장이다. 후배들에게 자신만의 노하우를 가르쳐주고 회사 매출에 이바지한다. 첫째는 리더 코스이다. 다기능공으로 부하직원을 이끌고 더 높은 보직을 목표로 한다. 둘째는 전문직 코스다. 남 앞에 서는 건 체질에 맞지 않는 사람에게 적용된다. 이들은 특수기술을 익혀 부가가치를 높이는 데 신경을 쓴다. 셋째는 일반직 코스다. 직책이나 기술이 없어도 동료와 함께 하루하루 성실하게 일한다.

이 회사는 현금흐름 개선을 위해 무차입경영, 무담보경영, 현금거래를 목표로 노력한다. 돈을 제대로 쓰기 위해 노력한다. 꼭 필요한 일에는 아낌없이 쓰지만 일상은 소박하고 검소하다. 세상 사람을 위해 쓰는 돈은 산 돈이고 자기 욕심을 채우기 위해 쓰는 돈은 죽은 돈이다. 돈은 노력에 정비례하고 욕심에 반비례한다. 차를 탈 때도 고개를 숙여 감사한다. 16년 동안 30만 킬로를 달렸다. 정기검사를 통과하지 못해 부득이하게 바꾸었다.

저출산 고령화 시대에 노동력 부족은 불을 보듯 뻔하다. 60세 이상인 실버 세대들도 일하고 싶지만 일할 곳이 없는 게 현실이다. 실버 세대들의 귀중한 경험을 살려 사회에 이바지할 수 있는 장을 마련해주면 일거양득의 효과를 얻을 수 있다. 정년은 사회가 정하는 게 아니다. 말 그대로 정년은 사회의 풍조와 회사의 형편으로 정한 것뿐이다. 아직 일할 수 있는데도 나이가 많다는 이유로 일할 곳에서 쫓겨나는 것은 사회적으로 큰 손실이자 연령 차별이다. 사람은 아무리 나이를 먹어도 나답게 살고 싶어 한다. 나답게는 바로 일을 통해 구현된다. 사람은 사회와 관계를 맺는 속에서 자신의 존재 의의를 발견하기 때문이다. 우리는 어떻게 해야 할까?

젊은이들이 결혼하지 못한다면 미래는 없다

✣ 요즘 사람들은 결혼하지 않는다. 결혼해도 아이를 낳으려 하지 않는다. 제일 흔한 것이 노총각 노처녀들이다. 애 구경을 할 수 없다. 그래서인지 애를 키우는 리얼다큐가 큰 인기를 끌고 있다. 애는 없는데 애는 귀여워서 다큐를 보면서 대리만족을 하는 것이다. 지금 우리 사회가 안고 있는 최대 이슈는 인구문제다.

한국은 지난 10년간 출산율이 눈에 띄게 떨어졌다. 공교롭게 같은 기간 사람들 수명은 늘어났다. 사실 출산율 저하와 기대수명 증가는 별개 사건이지만 사람들은 두 사건을 합쳐 저출산 고령화라고 부른다. 결합성은 있지만 인과성은 없다. 출산율이 줄어든 주요 이유는 결혼하지 않기 때문이다.

결혼과 출산 관련 데이터를 보자. 일단 결혼하면 평균 애 하나는 낳는다. 둘을 낳는 확률은 0.7에서 0.8 사이다. 셋은 0.02 정도니까 거의 없다고 보면 된다. 일단 결혼하면 하나는 낳는데 문제는 결혼하지 않는다는 것이다. 인구변화의 가장 큰 변수는 결혼이다. 이번에 소개할 책 『솔로계급의 경제학』* 은 그런 것을 심층 파헤쳤다. 저자는 『88만 원 세대』를 쓴 우석훈이다.

내가 만약 20대 여대생이라면 결혼을 선택할까

사람들은 왜 결혼을 하지 않을까? 이 질문에 답하기 위해 저자인 우석훈은 스스로에게 "내가 만약 20대 여대생이라면 결혼을 선택할까?"라는 질문을 던진다. 결론은 결혼할 것 같지 않다는 것이다. 이유 중 하나는 남녀 간 비대칭성이다. 우선, 노동조건이 불리하다. 30대 초반 여성은 남성과 비교해 평균 소득이 30~40퍼센트 낮다. 일부 직장을 제외하고는 출산휴가도 3개월에 불과하다. 당분간 유럽국가처럼 휴가를 3년씩 주는 일은 없을 것 같다.

남녀 노동분담률도 OECD 평균보다 훨씬 낮은 16.5퍼센트이다. 덴마크는 44퍼센트이고 스웨덴과 노르웨이는 40퍼센트를 넘는다. 미국도 37퍼센트이다. 일본이 18퍼센트로 아주 낮지만 한국은 그보다 낮은 16.52퍼센트이다. 평균의 절반 수준이다. 남자들이 집안일을 돌보지 않는 것이 주요 이유 중 하나라는 사실이 놀랍다.

그런 면에서 애를 키우며 직장생활을 하는 여성은 대부분 슈퍼우먼이고 애국자들이다. 그들의 불만 넘버원은 턱없이 짧은 출산휴가이다. 고소득직종에 있을수록 3개월 법정휴가만을 사용한다. 출산휴가 3년을 국가 기본시스템으로 전환하려는 유럽국가들에 비해 아직

* 우석훈, 『솔로계급의 경제학』, 한울아카데미, 2014

은 비인간적이다. 그래도 정규직은 나은 편이다. 비정규직 경우 아무 배려가 없다.

단기계약을 하는 비정규직 여성에게 출산은 자기 운명을 걸어야 하는 위험한 게임이다. 2013년 8월 기준 남성의 26퍼센트와 여성의 41퍼센트가 비정규직이다. 그렇다고 국가가 적절한 방식으로 출산 부담을 효율적으로 덜어주는 것도 아니고 남편이 적극적으로 육아와 가사노동에 참여하지도 않는다. 이 상황에서 여성들이 솔로를 선택하는 것은 지극히 합리적이다.

애를 낳으면 상황은 더욱 나빠진다. 경제적 부담이 너무 크다. 결혼과 출산 그리고 초등학교 졸업까지 1인당 1억 원쯤 든다. 적게 잡아도 육아에 월 150만 원에서 200만 원은 들어간다. 자신이 직접 육아를 해도 크게 달라지지 않는다. 대학 졸업할 때까지 최소한 자식에게 3억 원이 든다. 여기에 주택비용 2억 5,000만 원을 더하면 5억 5,000만 원이다. 보통 회사원이 평생 모을 수 있는 최대 예금치 6억과 5,000만 원 차이밖에 나지 않는다.

냉정하게 따지면 평생 일하는 사람이 애 하나 키우려면 자신을 위해 쓸 수 있는 돈은 불과 5,000만 원이란 얘기이다. 물론 이것도 정규직에 60세 정년을 보장받는다는 걸 전제로 한 것이다. 대부분 사람들은 애를 낳는 순간 인생 전체가 마이너스가 될 가능성이 높다. 계산이 나오지 않는 것이다.

나이에 따라 결혼과 출산에 대한 시각차가 크다. 50대 이상 부모는 결혼해서 행복한 가정을 만드는 것에 최고의 가치를 둔다. 이들은 젊은이들에게 "우리 때는 더 힘들었어, 그래도 결혼하고 애 낳고 잘 살았어, 너희가 겪는 어려움은 별거 아니야"라는 식으로 윽박지른다. 또 자녀들을 결혼시켜야 자기 임무가 완성됐다고 생각한다. 자녀들 생각은 아주 다르다. 그들은 여러 이유로 결혼하려 하지 않는다. 하고 싶어도 상황이 너무 불리하다. 결혼해서 힘들게 사느니 혼자 편하게 살려고 생각하고 있다. 결혼에 대한 생각 차이가 이렇게 크기 때문에 이미 집 안에서 세대 간 전쟁을 하는 셈이다.

결혼을 강요하는 부모도 쉬운 일은 아니다. 아들 부모는 집을 마련해야 하고 딸의 부모는 집안을 채울 세간살이를 준비해야 한다. 한두 푼 드는 일이 아니다. 자칫하다가는 노후자금까지 털리고 길거리로 나앉을 수 있는 상황이다. 그래서 부모와 같이 사는 나이 든 자식들이 늘어난다. 일본에서는 이런 자식을 기생 싱글이라 부른다. 부모 등골을 빼먹는 존재라는 말이다.

이런 세대 간 갈등은 추석 연휴 때 극대화된다. 청년들은 생기는 것 없는 추석 연휴를 귀찮아한다. 피할 수만 있으면 피하고 싶어한다. 학교성적, 취업 여부, 여기에 결혼시기까지 꼬치꼬치 물어대는 어른들의 질문 공세를 싫어한다. 추석에는 추석 특수도 나타나지 않는다. 반면 외국으로 나가는 사람은 급속히 늘어난다. 2003년 15만 명이 나갔다. 2013년에는 70만 명이 나갔다. 엄청나게 늘어나고 있다는 것은 추석의 의미가 줄어드는 것을 말한다.

카를 마르크스가 『자본론』 집필 중 가장 고민한 것은 혁명의 주체 설정이었다. 그래서 만든 것이 프롤레타리아이다. 프롤레스는 라틴어로 자식이란 뜻이다. 로마 시대 노예는 군인이 될 수 없고 시민만이 군대에 갔다. 시민만을 대상으로 재산조사를 했는데 재산이 없는 사람은 재산목록에 자식의 이름만 줄줄이 올렸다. 갑옷과 무기를 직접 사야 했기 때문에 자식만 있는 사람은 군인이 될 수 없었다. 그렇게 자식만 있고 재산은 없는 시민이 프롤레타리아이다. 무산자, 무산계급이다. 지금 말로 무자식자이다. 자식 외에는 아무것도 없는 사람이다.

애를 낳는 것이 애한테 미안해서 애를 낳지 않는다

지금 한국은 어떤가? 가진 자는 결혼해서 애를 낳고 못 가진 자는 결혼도 못하고 애도 낳지 못한다. 한쪽은 세습을 통해 돈과 명예를 물려주고 다른 한쪽은 아예 결혼과 출산을 포기했다. 유자식자와 무자식자가 극단적으로 병존하는 것이다. 현상만 놓고 보면 한국경제는 신분제 사회로 복귀 중이다. 결혼과 출산이 허용된 계급과 그렇지 않은 계급이다. 기준이 법에서 경제로 바뀐 것뿐이다. 자식에게 뭔가를 물려주기 위해 열심히 일하는 사람과 자신의 비극적 상황을 물려주지 않기 위해 자식을 낳지 않기로 한 사람이다.

결혼은 늘어나지 않을 것이다. 돈이 너무 들기 때문이다. 출산 푸어란 말까지 생겨났다. 출산에 따른 비용 문제 때문에 가난해진 사람을 말한다. 애를 낳지 않는 젊은 여인에게 이유를 물어보자 "아기한테 미안해서 결혼을 못하겠다"고 고백한다. 비용을 감당하기 어렵고, 그로 말미암아 아기한테 못할 일을 하는 것 같다는 것이다. 참으로 비극이 아닐 수 없다.

출산율 감소는 산업에도 영향을 미친다. 숫자의 감소를 단가조절로 극복하려는 것이 그것이다. 아기 숫자가 줄면서 출산 비용은 엄청나게 비싸졌다. 병원에서는 양수검사 등 건강보험 대상이 되지 않는 수많은 상품을 개발했다. 산모로서는 안 하기도 찜찜한 것들이다. 크게 필요하지도 않고 심지어 위험할 수도 있다는 사실은 의사들도 알고 있지만 생존을 위해서 만든 상품들이다. 애를 낳은 후에는 산후조리원, 보험상품, 육아비용이 본격적으로 들어간다.

결혼비용과 출산비용만이 아니다. 그 이전에 일어나는 결혼활동 비용도 증가하고 있다. 일본에서는 이를 줄여 혼활婚活 비용이란 말을 만들어냈다. 한 마디로 짝을 만나는 데 드는 비용을 말한다. 스마트어플 이음은 건당 3,300원을 받고 솔로를 소개해준다. 결혼정보회사는 대여섯 번의 매칭에 300만 원쯤 받는다. 여성들은 주로 자기가 돈을 내고 남성은 어머니가 내는 경우가 많다. 혼활 비용은 취업비용만큼 흥미로운 연구대상이다.

직업을 찾는 사람이 직업에 대한 정보를 다 확인하고 직업을 선택하지는 않는다. 정보 자체가 비용이기 때문이다. 적당한 선에서 이 정도면 됐다고 판단하고 의사결정을 한다. 허버트 사이먼은 정보경제학으로 노벨상을 받았다. 정보와 경제 간 관계를 밝힌 학문이다. 그는 만족satisfy과 희생sacrifice을 결합한satisficing에 원칙principle을 더해 만족의 법칙principle of satisficing을 주장했다. 모든 정보를 다 파악해 의사결정을 하면 좋겠지만 그러기에는 비용이 너무 많이 들고 물리적으로도 불가능해서 일정 수준에서 만족한다는 것이다.

혼활 비용은 이런 정보경제학이 적용될 수 있는 대표적 분야이다. 완전 정보상태에서 메이팅이 진행되는 것은 비용 면에서 불가능해서 적정선에서 만족하고 나머지는 포기한다는 것이다. 출산과 육아 비용이 올라가면 혼활 비용이라도 낮아져야 하지만 그렇지 않다. 결혼에 대한 리스크가 크기 때문에 리스크를 줄이기 위한 정보수집 비용이 더 드는 것이다. 서로 한눈에 확 반한다면 혼활 비용은 최소한이 되겠지만 불행히도 그런 확률은 높지 않다. 결혼숫자가 줄어드는 데는 혼활 비용 증가도 한몫한다. 결혼 결정 후에도 일은 쉽지 않다. 웨딩업체와 혼수업체도 역시 산업화의 길을 걷고 있기 때문이다. 스몰웨딩이 이상적이지만 이 역시 쉽지 않다. 그래서 발생하는 것이 웨딩푸어이다. 이래저래 결혼하는 일은 만만치 않다.

앞으로 얼마나 결혼할까? 세 가지 설이 있다. 3분의 2설, 절반 설, 3분의 1설이 있다. 실제 젊은이들 중에는 3분의 1설이 많았다. 이렇게 되면 한국의 솔로화는 스웨덴을 넘어설 것이다. 문제의 핵심은 돈이고 그 핵심에 비정규직이 있다. 현재 청년의 절반이 비정규직인데 앞으로는 3분의 2가 될 가능성이 있다. 자기 한 몸도 먹고 살기 어려운데 결혼과 출산은 꿈꾸기 어려운 상황이 된 것이다.

청년 솔로현상은 빈곤현장의 연장이다. 외환위기 이후 정년이 보장됐던 자리가 비정규직으로 바뀌고 있다. 전 업종이 파견직 허용 쪽으로 가고 있다. 파견노동이 일반화되면 중간에 개입하는 파견업체가 대기업으로 성장하는 대신 노동자의 근무여건은 더 나빠진다. 회사와 직접 계약하는 비정규직도 결혼이 어려운데 회사와는 아무 계약도 해볼 수 없는 파견노동자들이 어떻게 결혼을 할 수 있겠는가? 비정규직을 늘리면 단기적으로 인건비를 줄일 수 있지만 장기적으로 노동숙련도가 떨어진다.

독일과 스위스처럼 기초소재와 정밀화학이 강한 국가는 고졸학력 노동자를 평생 일할 수 있게 장인으로 대우한다. 한국은 정반대 방향이다. 노동조건이 나빠지면 솔로현상은 해법이 없다. 결혼할 것이냐, 애를 낳을 것이냐? 이 역시 고용의 안정성과 관련이 있다. 2012년 현재 23퍼센트가 최저임금을 받고 있다. 그런 사람이 결혼할 생각을 할까? 부모 될 준비를 할 수 있을까? 자신의 삶이 불투명해서, 애를 낳는 것이 애한테 미안해서 애를 낳지 않겠다는 것이 한국 솔로들의 가장 큰 공포이다. 이 무서움을 줄일 수 있는 유일한 방법은 이들 삶의 질을 올려주는 것이다.

솔로 계급에게 가난보다 더 큰 적은 고독이다

솔로의 증가는 사회를 바꾼다. 도시를 바꾼다. 1인 가구의 등장에 따라 도심 바깥 베드타운은 점차 인기를 잃을 것이다. 예전에는 가족을 위해 원거리 출퇴근을 인내했다. 혼자 사는 사람은 원거리 출퇴근을 참고 인내할 이유가 없어진다. 당연히 도심 바깥으로 거주공간이 확대되는 것이 아니라 도심 안으로 사람들이 돌아오게 된다. 도심재생사업 같은 것이 중요해진다. 혼자 사는 사람들은 더 많은 문화적 교류도 필요하다. 서브프라임 사태의 제1원인은 큰 주택에 거주할 사람이 사라진 것이다. 인구문제가 제1의 원인이란 것이다. 혼자 사는 사람에게 큰 집은 소용이 없다. 1990년 이후 일본을 강타한 버블 공황 역시 청년의 솔로화가 원인이다.

솔로가 늘면 수도권 집중이 더 심해진다. 이미 그런 현상이 일반화되고 있다. 2013년 이후 롯데백화점 포항점은 경영난을 느끼기 시작했다. 롯데백화점 포항이나 거제 디큐브 같은 백화점은 지역경제의 기준점이 된다. 생태학에서는 이를 지표종이라 한다. 쉬리가 살면 그 하천은 깨끗하다는 것을 의미한다. 지방백화점은 경제의 지표종이다. 지방백화점이 장사가 된다면 그 지방 경제는 괜찮은 것이다.

솔로들의 최대 문제는 바로 고독이다. 고독이 국가 정책 한가운데 들어온 것은 2003년 여름이다. 유럽을 덮친 폭염이 1만 5,000명의 사상자를 냈는데 상당수가 독거노인이다. 혼자 사는 노인들의 취약한 현실이 사망으로 이어지면서 고독은 더는 개인 일이 아닌 국가 일이 된 것이다. 유럽은 사회적 연대를 강화하고 지역 공동체 등 공동체 의식을 강화하는 방식으로 해법을 찾아갔다.

일본은 노인들이 사는 집에 비상버튼을 달아주고 신호가 오면 공무원이 뛰어가는 식으로 접근했다. 일본에서 고독한 청년을 히키코모리라 부른다. 방안에 들어박혀 아무 일도 하지 않고 아무와도 교류하지 않는 사람을 뜻한다. 이는 가난한 일부 계층에 국한된 일이 아니다. 오랜 기간 취업에 실패하고 너무 오래 집에 있다 보면 이런 상태가 된다. 현재 이런 사람들이 너무 많다.

가장 극단적 상태를 보면 이렇다. 30대 여성이다. 집안은 부자이고 비싼 아파트에 혼자 산다. 내로라하는 대학을 졸업하고 짧지만 유학 경험도 있다. 그녀는 대기업 근무 경험이 있다. 더 공부할까 재취업을 할까 고민하다 직장을 그만두고 한동안 외국에 체류했다. 경제력도 꽤 있었다. 지금은 우울증을 넘어 심각한 강박증을 앓고 있다. 가족과도 사이가 틀어져 만나지 않는다. 그녀의 병은 깊다. 도울 방법이 없다. 사실상 사회적으로 방치되어 있다. 고독이 우울증과 결합하면 정말 무서워진다. 청년 솔로들의 가장 큰 적은 가난이 아니다. 바로 고독이다. 고독은 돈으로 해결할 수 없다. 공동체를 강화해서 그 안에서 크고 작은 관계망을 만들어야 한다.

청년들에게 경제적 안정성을 주는 것이 시급하다

그렇다면 해법은 무엇일까? 한 가지 확실한 방법은 청년들에게 경제적 안정성을 주는 것이다. 그들의 삶이 나아질 것이라는 희망을 주면 그들은 결혼할 것이다. 이게 솔로현상을 완화시키는 제일 직접적이고 빠른 방법이다. 모든 청년으로 하여금 단기간에 결혼을 결심하거나 출산을 결심하게 할 방법은 없다. 그렇지만 불안한 미래 때문에 중요한 많은 결정을 미루고 있는 비자발적 솔로들에게 이런 변화는 상당한 도움을 줄 수 있다.

완벽한 제도는 없다. 자본주의도 그렇다. 큰 눈으로 보면 복지는 자본주의를 유지하기 위한 최소 비용이다. 철혈재상 비스마르크가 복지를 도입하면서 귀족들에게 한 말이다. 이 시스템을 유지하기 위해서는 최소 이 정도의 비용은 치러야 한다는 것이다. 복지국가로 분류하는 대부분 나라는 좌파가 집권할 수 있는 기반이 있다. 하지만 정부대책은 너무 느리다. 지금 정책 방향이 맞더라도 속도가 너무 느리다. 저출산이라는 이름의 육아정책이 한국에 아주 없는 것은 아니지만 그 속도는 문제 해결에는 턱없이 부족할 정도로 느리다. 당신 생각은 어떤가?

5장

누가 행복한가

삶은 충분히 신비롭고 아름답다

그래서 삶은 아름답다

직업상 주로 높은 사람을 만난다. 난 기회가 될 때마다 사는 게 행복한지를 묻는다. 강의 때도 이 질문을 많이 한다. 이런 질문을 한 적도 받은 적도 없다고 말하는 사람들이 많다. 대부분 답변은 부정적이다. 최근 행복한 적이 없다, 행복에 대해 생각해 본 적이 없다는 말을 한다. 그럼 언제쯤 행복해질 예정인지 묻는다. 아마 이들은 영원히 행복해지지 않을 수도 있다. 행복이 이미 와 있지만 깨닫지 못하기 때문이다.

『오늘 내가 사는 게 재미있는 이유』*의 저자 김혜남은 30년 동안 의사생활을 했고 시부모를 모시고 두 아이를 키우며 나름대로 열심히 산 사람이다. 15년 전 파킨슨병 진단을 받았지만 계속 일을 하다 작년 초 갑자기 병이 나빠져 병원문을 닫았다. 그 와중에도 책을 다

---

* 김혜남, 『오늘 내가 사는 게 재미있게 이유』, 갤리온, 2015

섯 권이나 썼다. 별로 재미있을 것 같지 않은 저자 김혜남이 쓴 책의 제목은 뜻밖에 '오늘 내가 사는 게 재미있는 이유'이다. 도대체 뭐가 그리 재미있는 것일까?

하나의 문이 닫히면 또 다른 문이 열린다

파킨슨병은 온몸을 밧줄로 꽁꽁 묶어놓고 움직여보라고 하는 것과 마찬가지이다. 한 걸음을 걷기 위해 옷이 땀으로 흠뻑 젖을 만큼 고생한다. 보통 이 병에 걸리면 15년 후 사망하거나 심각한 장애가 나타난다고 알려져 있다. 치매, 우울증, 사고력 저하 등을 동반하는데 아직까지 마땅한 치료법이 없다. 그저 병의 진행을 더디게 만들 수 있을 뿐이다. 한 마디로 불치병이다. 근데 하나의 문이 닫히면 또 다른 문이 열린다.

슈퍼맨의 주인공 그리스토퍼 리브는 애마를 타고 장애물 넘기를 하다 떨어져 목뼈를 다쳤다. 목숨은 건졌지만 사지 마비로 손가락 하나 까딱하지 못하는 상태가 됐다. 하지만 나중에는 휠체어에 앉은 채 영화감독을 하기도 했다. 인터뷰에서 그는 이렇게 말했다. "나는 삶을 헤쳐 나가는 유일한 방법이 무엇인지 깨달았습니다. 그것은 자신이 갖고 있는 것들을 돌아보며 아직도 할 수 있는 일이 무언지 아는 겁니다. 내 경우엔 운 좋게도 뇌를 다치지 않아서 여전히 머리를 쓸 수 있다는 것이지요."

파킨슨병에 걸리자 이 말이 가슴에 와 닿았다. 병을 알았을 때 모든 걸 잃어버렸다고 생각해 원망을 많이 했는데 어느 순간 돌아보니 가진 게 참 많았던 것이다. 병으로 잃은 것도 많지만 여전히 할 수 있는 것도 많았다. 27년간 감옥생활을 했던 넬슨 만델라도 비슷한 얘기를 했다. "감옥에 다녀온 뒤로는 원할 때 산책할 수 있는 일, 가게에 가는 일, 신문을 사는 일, 말하거나 침묵할 수 있는 일 등 어떤 작은 일도 고맙게 생각했다."

김혜남도 예전에 감사할 게 이렇게 많은 줄 생각하지 못했다. 파킨슨병을 통해 배운 것이 있다. 첫째, 단점을 애써 고치려 하지 말고 그냥 장점에 집중하라는 것이다. 병에 걸린 후 집을 지고 다니는 달팽이가 된 기분이었다. 자기 몸이 집이고 자기 머리가 이걸 끌고 가는데 명령을 내려도 몸이 말을 듣지 않는다. 집을 끌고 다니는 게 참 힘들다. 오른쪽 다리가 먼저 약해지자 튼튼한 왼쪽 다리에 힘을 주면 오른쪽 다리가 쫓아왔다. 반대로 약한 쪽에 포커스를 하면 절대 움직일 수 없다. 단점을 그냥 두고 장점에 힘을 쓰는 것이 좋다.

둘째, 마이크로 월드를 발견했다. 바쁠 때는 모든 것을 스쳐지내 보냈다. 병으로 천천히 걷거나 누워 있는 시간이 많아지자 새로운 세상을 볼 수 있었다. 나뭇잎에 매달려 있는 물방울을 보니 소우주가 담겨 있었고 참 아름다웠다. 고통스러운 밤이 지나고 새벽이 오는데 해 뜨기 직전 하늘이 그렇게 아름다운 줄 몰랐다. 금붕어 밥을 줄 때 조그만 입을 오물거리는 게 그렇게 예쁘다. "어쩌면 세상에서 진실로 두려운 것은 눈이 있어도 아름다운 것을 볼 줄 모르고 귀가 있어도 음악을 듣지 못하고 마음이 있어도 참된 것을 이해하고 감동하지 못하며 가슴의 열정을 불사르지 못하는 사람이 아닐까."

셋째, 겸손을 배웠다. 요즘 편안해 보이고 표정도 부드러워졌다는 얘길 듣는다. 비결을 묻는 말에 웃으며 "내 병이 제 스승이지요"라고 답한다. 병을 앓으면 다른 사람의 고통에 공감하고 세상 일을 이해하고 포용하는 힘이 조금은 커진다. 예전엔 한계를 모르고 잘난 줄 알고 살았지만 이제는 한계를 알기에 겸손할 수밖에 없다. 넷째, 유머의 힘이다. 사람들이 병에 대해 알면 어쩔 줄 몰라 한다. 그럴 때 이렇게 말한다. "제가요 예전엔 가진 거라곤 돈하고 미모밖에 없었거든요. 근데 나이가 드니까 병하고 빚밖에 안 남았어요." 그럼 사람들이 편하게 웃는다. 음식값을 계산할 때도 그렇다. "제가 다리가 불편하니까 제일 좋은 점이 뭔지 아세요? 음식 값을 안 내요. 제가 계산대에 도착하면 사람들이 이미 다 계산한 뒤더라고요. 근데 오늘은 제가 살 기회를 주시면 안 될까요?" 유머를 던지면 기분이 좋아진다.

신세를 질 때는 지고
다른 기회에 다른 사람을 도와주면 된다

신세를 질 때는 과감하게 신세를 져야 한다. 김혜남은 발병 초기 병을 치료하고 가족들 짐도 덜어주는 차원에서 제주도에 갔다. 그러다 병이 악화되어 6개월 만에 다시 집에 왔다. 아들과 딸이 무척 반겨주었다. 병도 호전되기 시작했다. 가끔 병 때문에 부정적인 결정을 하는 사람이 있다. 남은 가족의 짐을 덜어주기 위해 스스로 생을 정리해 버리는 사람이 있다.

그럼 어떤 일이 벌어질까? 죽은 사람은 상관없지만 남은 가족은 평생 그를 제대로 돌보지 못했다는 죄책감에 시달릴 것이고 남은 가족을 배려하지 않고 이기적이고 무책임한 행동을 한 그를 두고두고 원망할 것이다. 즉 가족을 위한다는 결정이 가족들에게 무기력감과 죄책감 그리고 분노와 같은 무거운 짐을 남기게 될 것이다. 가족을 편하게 해주겠다는 마음이 사실은 혼자의 고통만을 피하려는 이기적인 선택일 뿐이다. 그래서 저자는 유쾌한 짐이 되기로 했다. 신세를 질 때는 져야 한다. 다른 기회에 다른 사람을 도와주면 되는 것이다.

누구나 도움이 필요할 때가 있다. 독립적인 사람은 당당하게 도움을 청한다. 도움을 청하면 사람들은 기꺼이 도움을 준다. 누군가와 관계를 맺는다는 것은 인간의 본능이다. 누군가에게 기대고 싶고, 그로부터 보살핌을 받고 싶어하고 공유하고 싶어한다. 혼자 여행을 가서 아름답게 지는 해를 본 적이 있다. 가슴이 벅차 "아 참 좋다. 그치?"라고 말했는데 답해주는 사람이 없다. 그 순간 "맞아, 내가 혼자 온 거지"라는 생각이 들었다. 옆에 아무도 없다는 사실, 자신이 한 말에 동의해 줄 사람이 없다는 사실 때문에 너무 외롭고 쓸쓸했다고 한다. 사람들은 누구나 답해줄 사람이 필요하다. 혼자만의 경험과 느낌은 내 기억 속에서 색이 바래져 가기 쉽다. 다른 사람과의 공유기억은 추억이 되고 역사가 된다.

하고 싶은 말을 가슴에 쌓아두는 대신 밖으로 꺼내야 한다

삶은 그렇게 만만치 않다. 그렇기 때문에 때로는 버텨야 한다. 버티는 것이 답이다. 첫 직장에서 인정받기까지의 날들을 버텨내고, 결혼을 깨버리고 싶은 날들을 버텨내고 마흔이 넘어서는 병으로부터 버텨내고 있었다. 버티지 않고 어느 순간 포기해 버렸다면 삶이 쉬웠을지는 모르지만 많이 후회했을 것이다. 세상에는 하기 싫어도 해야만 하는 일이 많다. 회사에 갈 때 즐겁고 재미있으면 입장료를 낼 것이다.

그렇지만 우리는 입장료 대신 월급을 받는다. 그 대가로 하기 싫은 일을 해야 한다. 일의 주인이 되는 게 아니라 일에 질질 끌려다니는 피해자가 되고 만다. 회식자리에서 말도 안 되는 상사의 농담에 죽어도 못 웃어주겠다는 환자에게 이렇게 말한다. "까짓것 웃어주면 어때요. 중요한 건 지금 당신이 별로 중요하지 않은 사람에게 너무 많은 에너지를 쓰고 있다는 거예요. 상사 때문에 화를 내고, 상사를 볼 때마다 불편해하고, 그에 맞춰주는 사람들에게 분노하는 데 에너지를 써버리기엔 인생이 너무 아깝지 않나요? 그게 정말로 당신이 원하는 삶인가요?"

결혼 후 30년이 지나서 비로소 깨달은 것이 있다. 부부관계를 포함한 모든 대인관계에서 하고 싶은 말을 해야 상대가 안다는 것이다. 말하지 않으면 절대 모른다는 사실이다. 우리는 상대의 말을 들어주지 않으면서 일방적으로 상대가 자신을 이해해주길 바란다. 부부도 그렇다. 결혼한 지 2주 된 부부, 두 달 된 부부, 20년 된 부부 중 서로에 대해 가장 잘 아는 커플이 누굴까? 바로 2주 된 부부였다.

왜냐하면 이들은 끊임없이 서로에 대해 궁금해하며 관심을 갖고 질문을 하고 얘기를 들어주기 때문이다. 내가 말을 하지 않아도 상대가 알 것이란 착각은 하지 말아야 한다. 아무리 사랑해도 말하지 않으면 모른다. 그러니 자꾸 상대에게 말해주어야 한다. 하고 싶은 말을 가슴에 쌓아두는 대신 밖으로 꺼내야 한다. 어제와 다른 나에 관해 얘기해야 한다.

요즘 다니던 직장을 그만두는 가장들이 많다. 제2의 인생을 시작하려는 사람들이다. 힘들어하는 이들에게 이런 말을 해주고 싶다. 첫째, 당신은 실패자가 아니다. 실직을 당한 것은 무능한 것도 모자라서도 아니다. 아무리 열심히 일해도 세상 일은 뜻대로 움직이지 않는다. 어디서든 의외의 일은 일어나게 마련이다. 단지 그뿐이다. 둘째, 실직했다는 사실을 숨기지 마라. 서초동에서 한 가장이 아내와 딸 둘을 살해한 사건이 있었다. 실직 사실을 1년 가까이 숨기고 아파트를 담보로 5억 원을 대출받아 생활비를 주면서 고시원으로 출퇴근했던 것이다.

실직사실을 숨기는 사람에게 이렇게 말한다. "만약 거꾸로 아버지가 당신에게 해고당한 사실을 숨기고 혼자 어떻게든 버텨보겠다고 한다면 어떨 것 같아요? 당신은 아무것도 모르니까 평소처럼 아버지에게 용돈 더 달라고 떼쓰고, 유학 안 보내준다고 하소연하겠죠. 그게 과연 당신이 바라는 걸까요?" 가족은 슬픔과 기쁨을 같이 나누는 사람들이다. 당신이 곤란한 지경에 빠졌는데 그걸 숨기면 가족들은 배신감을 느낄 것이다.

셋째, 힘들다고 동네방네 알려라. 힘든 건 자꾸 알려야 한다. 그래야 정보가 들어온다. 실직한 사실을 알려야 친구들도 구직활동을 할 것이다. 병이 생기면 병을 알려야 하는 것과 같다. 넷째, 과거는 잊어라. 서두르지 마라. 갑자기 어두컴컴한 곳에 가면 아무것도 보이지 않는다. 그런데 조금 지나면 공동이 확대되면서 어렴풋이 사물이 보이기 시작한다. 인생도 그렇다. 위기를 맞이하면 한 템포 늦추고 위기가 하는 말에 귀를 기울여라.

살면서 가장 후회되는 일이 있다. 모든 일을 숙제처럼 했다는 사실이다. 의사, 엄마, 며느리, 딸, 의무와 책임감에 치여 그 모든 역할을 잘 해내려고 애썼다. 그러다 보니 아침에 일어나면 오늘 하루를 어떻게 버텨야 하나 한숨이 먼저 나왔다. 어느 순간 나는 웃음을 잃어버렸다. "왜 나 혼자 이 모든 것을 감당해야 하나"라는 피해의식에 잡혀 남편과 가족을 원망했다. 그때 바로 삶을 즐기지 못했다는 것이 가장 큰 후회가 된다. 그 시절 가졌던 죄책감과 피해의식은 내 기쁨을 빼앗아 가고 나를 피곤하게 만들었으며, 나를 분노하게 했다. 힘들면 도움을 요청하면 된다. 피곤하다는 생각 대신 삶을 즐길 아이디어를 내서 그걸 실천에 옮기면 된다. 마음만 먹으면 끝없이 만들 수 있는 것이 삶의 즐거움이다. 해야만 한다는 말 대신 하고 싶다는 말을 늘려야 한다.

그래서 삶에는 휴식이 필요하다. 멍 때리는 시간도 필요하다. 말로만 쉬어야 한다고 하면서 몸을 혹사시켰다. 어떤 일이든 자기가 해야 한다고 생각했다. 솔직히 직장에서든 집에서든 자기가 없으면 안 된다고 생각했다. 정신없이 산다는 건 나를 필요로 하는 곳이 많다는 증거라고 생각해 좋아하기까지 했다. 과거의 자신처럼 바쁘다는 말을 달고 사는 사람을 볼 때면 왠지 안타깝다. 몸도 기계처럼 과하게 쓰면 고장이 난다. 1년 계획을 세울 때 휴가계획부터 세워야 한다. 밥을 먹은 후 소화할 시간이 필요한 것처럼 뇌도 쉴 시간이 필요하다.

당신이 스스로를 바라보는 시각으로 인생은 흘러가게 된다

세상에는 상처받았다는 사람들로 차고 넘친다. 도대체 그 많은 상처를 누가 준 것일까? 정말 그게 상처일까? 모든 것을 상처라고 말해서는 안 된다. 상처받기 싫어서 누구도 깊이 만나고 싶지 않다는데 그럴수록 더 상처에 예민해진다. 상처 없는 삶이란 없다. 상처에 직면해 그것을 이겨내려고 애쓰면서 조금씩 단단해지는 것이다. 굳은살이 박이면 소소한 아픔들은 그냥 넘길 수 있다. 살다 보면 징검다리를 만나기도 하고 가시덤불과 마주하기도 한다.

근데 그건 상처가 아니다. 누구나 겪는 삶의 한 과정이다. 상처에 예민한 사람들은 어떻게든 그걸 피하려 한다. 상사에게 야단을 맞았다고 해보자. 업무상 실수에 대한 지적인데 그걸 상처라고 말한다. 그건 상처가 아니다. 사소한 일까지 다 상처라고 하면 우리 삶은 문제투성이다. 상처를 입었다는 것은 누가 나에게 어떤 위해를 가했다는 것이다. 상대를 가해자로 나를 피해자로 만들어버린다. 모든 걸 상처라고 하는 것도 사실 열등감의 일종이다. 김혜남은 열등감으로 힘들어하는 환자에게 이렇게 말한다.

"당신이 스스로를 바라보는 시각으로 인생은 흘러가게 되어 있어요. 스스로를 긍정적으로 보면 인생도 그렇게 흘러가고 스스로를 실패자로 보면 인생도 그렇게 흘러가지요. 그러니까 다른 사람들이 당신을 바라보는 시각 말고, 당신이 자신을 어떻게 볼지 그것부터 결정하세요."

가능한 충고를 하지 않는 게 좋다. 충고는 기본적으로 "너는 틀렸다"는 뉘앙스를 풍긴다. 사람은 누구나 자신이 틀렸더라도 막상 그것을 지적하면 그 사실을 인정하기 싫어할 뿐더러 엇나가고 싶어한다.

정신치료에서도 노 코멘트 이즈 베러 댄 애니 코멘트No comment is better than any comment란 말을 많이 한다. 아무 말 안 하고 가만히 들어주는 것이 그 어떤 말을 해주는 것보다 더 도움이 된다는 말이다. 사람들은 이미 답을 알고 있다. 누군가에게 고민을 털어놓는다는 건 답을 구하기 위해서는 아니다. 그저 내 말을 들어주길 바란 것이다. 하지만 듣는 작업은 힘들다. 참견이나 비판을 하지 않는 것도 힘들고 에너지가 많이 소요된다.

우리는 언제 어디서든 배울 수 있다

저자인 김혜남은 내성적이었는데 연극을 하면서 많은 걸 깨달았다고 한다. 첫 공연을 끝냈을 때의 희열은 최고였다. 사람들 앞에서 한마디도 못했는데 그 많은 관객 앞에서 연기해냈다는 성취감을 느꼈다. 연극에 미쳐 있던 시절 성적도 함께 올랐다. 난생처음 뭔가에 미쳐본 경험이 다른 것을 하는 데도 도움이 되었던 것이다. 하나에 미쳐보면 다른 일에도 미칠 수 있다. 배역에 몰입해 성취한 경험이

나 자신에 대한 자부심을 느끼게 해준다.

자부심은 기대와 성공의 비율에 좌우된다. 성공의 경험이 쌓일수록 자부심 또한 강화된다. 자부심은 도전을 두려워하지 않게 만든다. 도전할수록 성공 확률도 올라간다. 성공이 연쇄작용을 일으키는 것이다. 그래서 알을 깨고 나가는 일은 즐겁고 신 난다. 반대로 자꾸 실패하면 무기력해진다. 학습된 무기력이다. 작은 성공을 거두면 다음 도전이 쉬워진다. 힘든 직장생활도 배울 게 있다. 조직에서 일한다는 것은 나 혼자 잘났다고 해서 되는 일이 아니다.

요즘 신입들은 자신을 레알 마드리드 소속 선수로 생각하기 이전에 호날두라고 생각한다. 적응이란 일방적으로 환경에 나를 맞추는 게 아니다. 나를 변화시키고 환경도 변화시키면서 내가 점차 확장되어 나가는 것이다. 심리학에서는 적응을 동화와 조절로 설명한다. 동화는 자신의 틀에 환경을 맞추는 것이고 조절은 환경변화에 자신을 맞추는 것이다. 순응도 내 사고를 확장시키는 과정이다. 직장 생활은 알을 깨고 나가는 과정과 같다. 알을 깨고 나가는 건 원래 신 나는 일이다. 갑갑하고 좁은 세계를 벗어나 날개를 확 펼치는 일이다.

직장에서의 대인관계도 그렇다. 모든 사람을 다 좋아할 수는 없다. 모든 사람의 사랑을 받을 수는 없다. 맘에 드는 사람하고만 일할 수는 없다는 사실은 확실하다. 직장에서 가족 같은 관계를 기대해서는 안 된다. 가족과 같은 친밀한 관계를 맺는 것이 반드시 좋은 일은 아니다. 타인과 친밀한 관계를 맺고 유지해 나가는 데는 엄청난 에너지가 투여된다. 친밀한 관계는 평생을 통틀어 가족과 소수의 친구만이 포함되는 게 정상이다. 모든 사람과 친밀한 관계를 맺으려 하다 보면 몸과 마음이 녹초가 되어버린다. 인간관계가 의무이자 책임이 되어버린다. 친해지는 것과 원만하게 지내는 것은 다른 얘기다.

친밀함은 관계에 따라 동심원을 그리듯 퍼져 나가는 것이다. 소수의 친밀한 관계부터 서로 알고만 지내는 사이까지 동심원의 크기는 다양하다. 원만하게 지낸다는 것은 관계에 따른 동심원의 크기를 잘 알고 알맞게 행동하는 것이다. 직장 선후배 사이의 동심원은 서로 역량을 충분히 발휘하고 갈등도 원만하게 해결해 나갈 수 있는 정보면 충분하다. 꼭 서로 좋아할 필요는 없다.

가까운 사람일수록 해서는 안 될 것이 있다. 좋아하는 사람을 함부로 대하면 안 된다. 아무리 가까운 사이라도 아끼고 쓰다듬지 않고 멋대로 던지면 그릇처럼 다 깨져버리니까. 꽃은 활짝 피고 나면 시들 일만 남게 되고 달은 꽉 차게 되면 기울 일밖에 남지 않는다. 활짝 피기 전이나 꽉 차기 전에는 그래도 마음속에 기대와 동경이 있는 법이다. 친구나 가족의 관계도 이와 같다. 어느 정도 거리를 두어야만 확 트인 마음을 가질 수 있다. 두 사람이 친밀해지기 위해서는 상대가 나와 다른 사람이란 사실을 인정하고 존중해주어야 한다. 서로의 영역을 함부로 침범하지 않으면서 서서히 자신을 열고 상대를 이해해 나가는 것이다.

멈추면 보이는 것이 있는 것 같다. 저자 김혜남이 그렇다. 건강한 우리들이 보지 못하는 것을 보고 있다. 삶이 얼마나 아름다운 것인지, 건강한 몸으로 움직일 수 있고, 할 일이 있고, 사랑하는 사람이 있다는 것이 얼마나 축복인지를 이 책을 통해 느낄 수 있다.

왜 어린아이의 마음을 평생 잃지 말아야 하는가

✣ 유명한 컨설팅회사 대표와 골프를 친 적이 있다. 라운딩 중 유능한 컨설턴트가 되기 위해서는 무엇이 필요한지 물어봤다. 그는 이렇게 답했다.

"두 가지가 반드시 필요합니다. 첫째는 강인한 체력입니다. 컨설팅은 머리로 하는 것 같지만 사실은 머리보다 체력이 더 중요합니다. 제한된 시간 내에 프로젝트를 수행해야 하기 때문입니다. 두 번째는 호기심입니다. 처음에는 다들 재미있어 합니다. 근데 몇 번 프로젝트를 하고 익숙해지면 재미없어 합니다. 어떤 일이나 다 비슷하거든요. 이럴 때 호기심이 필요합니다. 호기심이 강하면 훨씬 재미있게 오랫동안 이 일을 할 수 있습니다."

여러분은 호기심이 강한가? 여러분 회사에는 호기심 많은 사람들이 있는가? 레오나르도 다 빈치는 호기심 박사다. 덕분에 위대한 성과를 남겼다. 그가 쓴 오늘의 할 일 목록을 보면 그가 어떤 사람인지 알 수 있다.

"밀라노와 인근 지역을 측량한다. 밀라노의 성당을 다룬 책을 찾는다. 코르테 베키어(영주의 성)의 측량 값을 찾는다. 삼각형의 면적 구하는 법을 알기 위해 산술학 책을 구한다. 베네데토 포르티나리(피렌체의 상인)에게 플랑드르에 얼음을 깔 방법이 무언지 물어본다. 밀라노를 그린다. 안토니오에게 요새에서 낮과 밤에 포 배치에 대해 물어본다. 지아네토가 만든 석궁을 살펴본다. 수력학의 대가를 찾아 수문, 수로, 방앗간을 롬바르드 방식으로 고치는 법을 알려달라고 한다. 태양측량법을 물어본다. 지오반니 프란세스가 알려주기로 했다."

다빈치의 관심사는 엄청나게 다양했다. 대부분 어떤 일을 하겠다, 어떤 책을 구하겠다, 누구를 만나 무엇을 물어보겠다로 구성되어 있다. 호기심 덕분에 그는 많은 성과를 낼 수 있었다. 호기심은 학습을 위한 가장 중요한 전제조건이다.

호기심은 인간의 원초적 본능이자 발전의 원동력이다

호기심이란 선악을 떠나 뭔가 다른 것, 저 멀리 있는 것, 이해하기 어려운 것을 알아내려는 인간의 욕망이다. 호기심이 있으면 세상은 재미있고 호기심이 사라지면 세상은 지루하다. 떨어지는 사과를 보고 뉴턴은 만유인력의 법칙을 발견했다. 호기심이 있었기 때문이다.

과학자는 사물의 원리에 대한 호기심이 있어야 한다. 좋은 리더가 되려면 사람에 대한 호기심이 있어야 한다. 호기심이 있어야 관심이 생긴다. 관심이 생기면 관찰을 하게 된다. 질문하게 된다. 공부도 하게 된다. 그러면서 지식도 생기고 애정도 생긴다. 호기심은 발전하고 세상을 풍요롭게 살기 위한 가장 중요한 자산이다. 오늘은 호기심에 관한 책 『큐리어스』*를 소개한다.

호기심은 살아 있다는 증거이다. 젊다는 상징이다. 싱싱한 사람일수록 호기심이 많고 상태가 안 좋은 사람일수록 호기심이 적다. 호기심이 없는 인간은 죽은 것과 같다. 그런 면에서 어린애들은 호기심 덩어리다. 왜 포도는 다닥다닥 붙어 있나요? 왜 달은 둥글어요? 왜 물은 차가워요? 어떻게 저런 게 다 궁금할까 하는 생각과 더불어 설명할 방법이 없어 말문이 열리지 않는다.

근데 호기심이란 무엇일까? 케임브리지에서 공부한 대니얼 벌라인은 호기심을 다음과 같이 정의한다. 호기심이란 지식에 의해 촉발되는 동시에 지식의 부재에 의해 촉발된다. 어떤 정보를 접하면 그것이 무지를 자극해 알고자 하는 욕망을 불러일으킨다. 어떤 주제에 대해 무언가를 알게 되면 그 주제에 대해 아직 모르는 것이 많다는 사실을 알게 되고 현재 알고 있는 것과 알고 싶은 것 사이에는 틈이 생긴다. 그 틈을 좁히고 싶은 욕망이 바로 호기심이다.

호기심을 일으키는 것은 정보의 부재가 아니라 기존에 가진 정보 내부의 빈틈이다. 현재 아는 것과 알고 싶은 것 사이의 갭이다. 인간은 모르는 것은 알려고 하지 않는다. 인간은 자신이 알 수 있는 것만 알고자 한다. 이 영역을 넘어서 존재하는 것들은 의미가 없고 따라서 소망이나 충동의 대상이 될 수 없다. 뇌는 아무것도 모르는 주제에 관해서는 관심을 기울이지 않는다. 너무 잘 아는 분야에 대해서도 마찬가지이다. 중간쯤 되는 영역이 근접학습영역인데 그게 바로

---

* 이언 레슬리, 『큐리어스』, 김승진 옮김, 을유문화사, 2014

호기심 영역이다. 호기심을 느끼려면 자신의 지식에 빈틈이 있음을 먼저 인식해야 한다.

나이가 들면 호기심은 점차 사라지는데 이게 꼭 나쁜 것은 아니다. 모든 자극에 대책 없이 휘둘리지 않고 살아가려면 호기심이 줄어드는 것은 필수적이다. 호기심은 이상하고 이해하기 어렵고 당황스러운 역량들의 조합이다. 호기심은 식욕이나 성욕과 같은 생물학적 충동이다. 호기심 욕구는 정보에 의해 충족된다. 자신이 안다고 생각하는 것과 실제 벌어지는 일 사이에 간극이 있을 때 호기심이 자극된다. 호기심은 예상한 바와 실제 상황의 어긋나는 정도가 아주 크지도 작지도 않을 때 가장 높다. 호기심은 정보 간극에 대한 반응이다.

중세에는 호기심에 대해 부정적으로 생각했다. 특히 아우구스티누스는 호기심을 못마땅하게 생각했다. 호기심이 사는 데 아무런 도움이 되지 않는 자연현상들을 연구하도록 유혹하는 병적 탐욕이라고 생각했다. 성서의 절대적 권위에 도전하고 인간의 운명을 결정짓는 신의 존재를 의심한다고 여겼다. 15세기 르네상스 시대가 되어서야 그런 생각이 조금 바뀐다. 인쇄술이 발명되고 책이 대중화되고 글을 아는 사람이 많아지면서 대중들의 지적모험이 시작된 것이다.

사람들이 모여 사는 도시가 지적 호기심의 증폭기 역할을 한다. 경제학자 존 메이너드 케인스는 서점을 기차 매표소와 구분하여 얘기한다. 기차 매표소는 자신이 무엇을 원하는지 분명히 알고 가지만 서점은 모호한 채로 꿈을 꾸듯 가는 곳이란 뜻이다. 서점에 있는 것들이 자유롭게 내 눈길을 끌고 내게 영향을 미치도록 둔다는 것이다. 호기심이 이끄는 대로 서점을 돌아다니는 것이 오락이 되어야 한다고 주장했다.

성공하기 위한 가장 중요한 자질 중 하나는 호기심이다. 무언가 알고 싶은 게 있을 때 인간은 노력하고 발전한다. 그런 면에서 개인의 성공을 예측하는 가장 좋은 변수는 호기심이다. 호기심은 지능, 끈기, 새로운 것에 대한 열정 등이 합쳐진 것이다. 그렇다면 어떻게 호기심을 높일 수 있을까? 이는 양육습관, 교육제도, 교육방식, 사회가 호기심에 보이는 태도 등에 달려 있다.

두 종류의 인간이 있다. 호기심이 있는 사람과 지식에 무관심한 사람들이 그것이다. 남이 한 질문에 빠른 답변만을 찾으려 하는 사람들은 스스로 질문하는 능력을 잃는다. 그런 습관 자체가 아예 없다. 인터넷은 똑똑한 사람은 더 똑똑하게 만들고 멍청한 사람은 더 멍청하게 만든다. 우리가 흔하게 듣는 온라인 강좌가 그렇다. 온라인 강좌는 아무나 들을 수 있지만 누구나 재미를 보지는 않는다. 온라인 강좌를 끝까지 듣는 비율은 10퍼센트 미만이다. 나머지는 시간과 비용을 낭비한 사람들이다. 호기심이 있고 스스로 동기 부여된 사람만이 온라인 수업을 들을 수 있다.

존 듀이는 호기심을 세 단계로 나눴다. 첫째, 어린아이가 주변 환경을 탐구하고 탐색하는 것이다. 지적이라기보다 본능적인 단계이다. 둘째, 호기심이 사회적 성격을 띠는 단계이다. 아이들은 다른 사람들이 세상에 대한 정보를 얻을 수 있는 유용한 원천이란 것을 알고 '왜'라고 끝없이 질문하는 단계이다. 질문하면서 정보를 모으고 이해하는 습관을 지니게 된다. 셋째, 관찰과 정보 축적과정에서 제기된 문제들에 대한 흥미와 관심으로 변형되는 단계이다. 호기심은 경험에 흥미, 복잡성, 즐거움의 층위를 더해주며 개인과 세계의 유대를 깊게 해준다.

나쁜 리더십은 질문 능력이 없거나 질문할 의지가 없는 데서 나온다

호기심을 충족시키기 위해서는 질문이 필요하다. 질문해야 답을 얻을 수 있다. 질문하지 않으면 답은 얻을 수 없다. 항해를 시작한 후 타이타닉호는 주변 배로부터 빙하에 대한 많은 경고 메시지를 받았다. 하지만 추가 정보를 요구하지 않았다. 누군가 호기심으로 근처 배들에게 추가 정보를 요구했다면 얘긴 달라졌을 것이다. 질문은 호기심에 무기를 제공한다. 나쁜 리더십은 질문능력이 없거나 질문할 의지가 없는 데서 나온다. 유능하지만 실패하는 사람들이 많다. 말도 잘하고 지식도 많지만 질문에는 능숙하지 못하다. 자신이 관리해야 할 시스템에서 무슨 일이 벌어지는지 모른다. 질문하는 것을 두려워한다.

전략적 무지란 말이 있다. 지식을 육성하는 것보다 무지를 육성하는 것이 더 유리한 상황을 말한다. 의도적 무지는 자신의 권력과 지위를 지키려는 사람들이 전략적으로 택하는 경우가 많다. 2008년 금융위기도 전략적 무지에서 비롯되었다. 재앙을 경고하는 징후를 보지 못한 것이 아니라 보지 않기로 한 것이다. 전략적 무지를 선택한 것이다.

서구 학교는 제국경영에 필요한 행정가를 배출하는 데는 효율적이다. 근데 호기심이 많은 학습자를 양성하는 데는 효율적이지 않다. 인터넷은 지식전수자로서의 어른을 필요 없게 만들었다. 인터넷의 등장으로 더는 정보를 머리에 저장할 필요가 없어졌다. 지식을 암기하는 대신 지식을 자유롭게 탐험할 수 있게 되었다. 이런 시대에 과연 교사가 필요할까? 결론은 필요하다는 것이다.

모든 과학자는 거인의 어깨 위에 서 있다. 다른 동물과 달리 아이들은 성인에게 의존하는 기간이 길다. 남으로부터 배워 지식을 습득하는 존재이다. 지식전수는 본능적이다. 어른이 전해주는 지식이 없다면 호기심은 자라지 못한다. 혼자서 학습하는 데는 한계가 있다. 지적 호기심은 배울 준비가 된 상태를 말한다. 뭔가 배워야 더 배우고 싶은 게 생기는 법이다. 뭔가 배울 준비가 되었는데 지식이 공급되지 않으면 준비 상태는 사라진다. 직접적인 지식 전달 없이 혼자서 과학을 배우려 시도하면 금방 혼란에 빠지고 의욕을 잃을 가능성이 높다.

더 많이 알수록 더 잘 생각하게 되고 창의적이 된다

교사는 아이들에게 무엇을 배울 것인지 알려준다. 아이들을 호기심의 세계로 이끌어야 한다. 기초 지식을 공급함으로써 정보의 빈틈을 인식하게 한다. 그게 없으면 자신이 얼마나 무지한지 인식하지 못한 채 세상을 살 것이다. 창의성은 진공에서 나오지 않는다. 성공적인 발명가나 예술가는 방대한 지식을 저장해놓고 자신도 모르는 사이에 그것을 끄집어 사용한다. 지식을 재조합하고 재창조한다. 과학자나 발명가가 혁신을 이루는 나이가 점점 늦어지는 경향을 보인다. 세대를 이어 지식이 쌓이면서 그것을 획득하는 데 시간이 더 걸리기 때문이다. 천재는 공부 벌레이다. 지식을 많이 쌓지 못한 아이들은 재료 없이 조각하려는 사람과 같다.

이를 위해서는 커다란 데이터베이스를 만들어두어야 한다. 외진 섬에서 음악을 한 번도 듣지 못하고 자란 아이가 베토벤이 될 가능성은 희박하다. 데이터베이스는 일찍부터 준비하는 게 좋다. 어린 시절의 차이가 나이가 들면서 큰 차이로 발전하는 것이다. 지식의 폭이 넓어질수록 사고력을 적용할 수 있는 범위도 넓어지고 새로운 정보도 더 얻을 수 있다. 암기된 지식은 학습기술의 기반이기 때문이다.

더 많이 알수록 더 잘 생각하게 된다. 인간의 기억은 사고 행위에 필수적이다. 장기기억은 지적능력, 통찰력, 창의성의 원천이다. 장기기억은 인지능력을 떠받치는 숨겨진 힘이다. 장기기억이 없으면 복잡한 길도 건널 수 없고 오믈렛도 만들 수 없으며 이메일도 쓸 수 없을 것이다. 단기기억이 셋방이라면 장기기억은 거대한 지하 저장고이다. 사실 정보에 대한 지식은 호기심을 질식시키지 않는다. 오히려 호기심은 그런 지식에 의존한다. 지식은 지식을 좋아한다. 정보의 그물망에서 연결점을 발견하지 못한 정보는 단기기억에서 30초면 사라진다.

호기심을 위해서는 배경지식이 필요하다. 배경지식은 산소와 같은 존재이다. 호기심과 투지가 학업성취에 매우 중요하긴 하지만 지식이 없다면 별 가치가 없다. 선수들의 체스실력은 기억과 패턴인식에 달려 있다. 문학이나 지리학 같은 지식영역은 다면적이고 모호하며 정의 내리기 어렵다. 지식은 서로에게 의존한다. 수학 없이 물리 배우기 어렵고 언어 없이 역사 배우기가 어렵다. 좋은 성적을 거두려면 수년 동안 쌓아온 지식과 기술이 필요한데 대부분 어린 시절에 가정과 문화를 통해 보이지 않게 흡수되는 것들이다.

호기심 영역에 들어가 있지 않으면 새로운 정보를 잘 배울 수 없다

호기심을 죽이는 확실한 방법은 그냥 내버려두는 것이다. 지적 호기심은 방해물만 치우면 저절로 융성하는 것이 아니라 그것을 위해 많은 노력을 기울여야 하는 합동 프로젝트이다. 호기심이 지식을 이끄는 만큼 지식 또한 호기심을 이끈다. 호기심 영역에 들어가 있지 않으면 새로운 정보를 잘 배울 수 없다. 호기심 영역으로 이끌어 주는 것은 타인에 의존하며 어린 시절에는 더욱 그러하다. 그래서 호기심을 위해서는 나름의 정보창고 혹은 데이터베이스가 필요하다. 광고업자 제임스 영은 데이터베이스 구축을 위한 다섯 가지 방법을 제안한다.

첫째, 원재료를 모으는 것이다. 제품과 고객에 대한 지식이다. 그것에 대해 이미 안다고 생각할 수도 있지만 그래도 계속 지식을 모아야 한다. 더 열심히 보면 새롭게 보이는 것이 있다. 파리의 거리로 가서 택시를 타라. 운전사는 다른 운전사와 비슷할 것이다. 하지만 그를 묘사할 수 있을 때까지 하나의 개인으로, 다른 택시 기사하고 다른 한 개인으로 드러날 때까지 그를 연구하라. 특정한 구체적 지식을 모으는 것과 함께 일반 정보를 지속적으로 수집하는 과정이 중요하다.

창조적인 사람의 두 가지 특성이 있다. 첫째, 어떤 주제에도 쉽게 흥미를 느끼고 광범위하게 정보를 모은다는 것이다. 위대한 아이디어는 의식적으로 노력한다고 나오는 것이 아니다. 아이디어의 뿌리는 그 아이디어를 만든 사람의 수개월, 수년, 수십 년 전의 삶으로 거슬러 올라간다. 어떤 사람에게는 사실 정보들이 단절된 지식조각으로 존재하지만 어떤 사람에게는 사실 정보들이 지식 사슬 속의 연결고리로 존재한다. 새로운 지식은 이전 지식이 풍부해서 그것에 새로운 지식을 잘 연결할 수 있을 때 잘 생각난다. 지식은 지식을 좋아한다. 장기기억을 잘 육성한 사람은 일종의 증강현실 속에 산다. 그들이 보는 모든 것에 추가적 의미와 가능성의 층이 더해진다. 다른 사람들이 보지 못하는 것을 본다.

둘째, 요모조모 살펴보는 것이다. 정보를 보고 또 보고 여러 각도에서 보다 보면 의외의 생각을 할 수 있다. 다른 정보들과 조합을 만들고 흥미로운 발상을 할 수도 있다. 셋째, 무의식의 단계이다. 일종의 숙성단계이다. 무의식은 현재의 과제와는 관련 없어 보이는 것들의 자극을 받아가며 일하는 단계이다. 셜록 홈스는 수사과정에 왓슨을 억지로 콘서트에 데리고 간다. 정작 중요한 통찰은 다른 일을 하고 있을 때 오는 경우가 많다는 것을 알고 있는 것이다.

넷째, 가장 마술적인 단계는 정신의 지하방에서 일어난다. 콘서트를 다녀온 후 침대로 가서 해결할 문제를 무의식에 집어넣고 잠자는 동안 무의식이 스스로 작동하도록 두는 것이다. 다섯째, 아이디어가 나와서 검증되고 수정되고 현실화되는 단계이다. 여기서 특히 중요한 것은 첫 단계이다. 가능한 저장고에 지식을 많이 저장해야 한다. 직간접적인 경험을 계속 확장해야 한다.

호기심이 있을 때 에너지가 넘치고 무언가 새롭게 배울 수 있다

새로운 아이디어는 폭넓은 지식을 가진 사람의 머리에서 다양한 영역 간 교차수정을 통해 나오는 경우가 많다. DNA를 발견한 프랜시스 크릭은 물리학자였다. 물리학에서 배운 지식 덕분에 생물학에서 해결 불가능하다고 생각했던 문제를 풀 수 있었다. 미래는 폭넓은 지식을 가진 사람이 대접을 받을 것이다. 이런 사회에서는 한두 분야는 전문성을 갖고 나머지 분야에 대해서는 폭넓은 지식을 가져야 한다. 정보의 깊이만큼 폭도 중요하다. 주식을 잘 고르는 사람이 되기 전에 우선 다방면에 대해 많은 교육을 받은 사람이 되어야 한다.

T자형 인간이란 말을 많이 하는데 뚜렷한 전문성은 기본이고 거

기에 연결에 필요한 다양한 지식이 있어야 한다는 의미이다. 전문성 외에 지적 폭이 넓어야 하는 이유는 우리가 직면하는 현실 문제가 복잡하기 때문이다. 현실은 여러 영역과 다양한 지식의 범위에 걸쳐 있다. 폭넓은 지식기반을 갖고 있지만 않으면 여러 영역이 아우르는 시사점을 보지 못하기 때문이다.

호기심은 비타민과 같은 존재이다. 지식, 기술, 능력의 범위를 넓힐 의사가 있다는 표시이기 때문이다. 호기심이 있을 때 에너지가 넘치고 무언가 새롭게 배울 수 있다. 호기심을 통해 인간은 배우고 성숙하는 것이다. 호기심은 살아 있다는 증거이다. "가장 위대한 업적은 '왜?'라는 아이 같은 호기심에서 탄생한다. 마음속 어린아이를 포기하지 마라." 스티븐 스필버그의 말이다.

행복은 개에게 서핑하도록 만드는 새우깡이다

❖ 삶의 목적은 무엇일까? 대부분 사람은 삶의 목적을 행복이라고 생각한다. 행복을 절대 가치로 생각한다. 이 책 『행복의 기원』*은 다른 주장을 편다. 행복을 위해 사는 게 아니라 생존하기 위해 행복이 필요할 뿐이란 얘기이다. 이 책은 어떻게 하면 행복해질까를 얘기하는 대신 행복의 기원이 무언지를 파고든다. 기존의 행복에 대한 많은 생각을 무너뜨린다.

1977년 스페인령 캐너리 군도 작은 섬에서 최악의 항공사고가 났다. 미국의 팬암과 네덜란드의 KLM이 활주로에서 충돌해 583명의 사상자를 낸 것이다. 사고원인은 조종사 간 커뮤니케이션 잘못이다. 상공이 아닌 활주로에서 일어났고 충돌 후 수십 분 후 폭발했기 때문에 그렇게까지 죽을 사고는 아니었다.

---

* 서은국, 『행복의 기원』, 21세기북스, 2014

근데 왜 이렇게 많은 사람이 죽었을까? 사고 후 승객들이 탈출하는 대신 제자리에서 꼼짝하지 않았기 때문이다. 합리적으로 생각하면 탈출하는 것이 맞다. 하지만 본능적으로 얼어버린 것이다. 포식자 앞에서 일시 얼어버리는 것은 동물 본능 중 하나인데 결정적 순간 그 동물적 본능이 나타난 것이다. 인간은 합리적이지 않다. 우리는 이성적 능력을 과대평가한다. 이성적일수록 행복한 게 아니라 행복에 방해된다. 역으로 본능의 보이지 않는 힘을 과소평가한다. 우리는 사실 본능에 따라 행동한다.

행복해지려고 할수록 행복에서 멀어진다

행복은 생각이 아니다. 우리는 긍정의 중요성을 지나치게 강조한다. 긍정적으로 생각하라고 주장한다. 그럴듯하지만 현실성이 적다. 불행한 사람이라고 긍정의 가치를 모르는 것은 아니다. 그들 역시 긍정의 중요성을 알고 긍정적으로 생각하고 행동하고 싶어한다. 다만 몸이 따르지 않을 뿐이다. 행복도 그렇다. 행복의 중요성을 모르는 사람은 없다. 다만 뜻대로 되지 않을 뿐이다.

행복은 생각이 아니다. 행복을 추구하라는 충고를 듣는다고 행복해지는 것은 아니다. 악어와 개미는 생각 자체가 없다. 생각이란 걸 하지 않는다. 철새도 생각하고 이동하지 않는다. 본능적으로 움직일 뿐이다. 사람들은 아무 생각 없이 산다는 비난을 자주 한다. 그렇다면 생각을 많이 하면서 살라는 얘긴데 그렇다면 행복해질까? 그렇지 않다. 생각을 많이 하면 행복하고 생각이 없으면 불행할까? 오히려 반대이다.

아무 생각 없이 느끼는 대로 하고 싶은 대로 사는 것이 행복이다.

생각을 많이 할수록 불리하다. 호흡하겠다고 생각하고 호흡하는가? 먹어야 산다고 생각하면서 먹는가? 자손을 만들기 위해 억지로 섹스를 하는가? 오늘은 혈액 좀 돌려야지 하면서 혈액을 돌리는가? 다 저절로 움직인다. 나도 모르는 사이에 자동으로 이루어진다. 행복을 위해서는 의식적 사고를 줄이고 무의식적 사고를 많이 해야 한다. 행복은 생각이 아니기 때문이다.

행복은 목적이 아니라 생존하고 종족보존을 하기 위한 도구이다

행복을 위해서는 인간이 동물이란 사실을 인정하고 받아들여야 한다. 동물에게 최고의 가치는 두 가지뿐이다. 하나는 살아남는 것이고 다음은 짝짓기를 통해 대를 잇는 것이다. 그 외의 모든 것은 이 두 가지와 다 연결되어 있다. 이 중 최고의 가치는 생존이다. 살아남는 것이다. 생존경쟁은 생명을 건 싸움이다. 승자는 후손을 통해 자신의 생명을 지속한다. 하지만 낙오자는 더는 생명체가 아닌 싸늘한 물질로 돌아간다.

태평양 연어는 6,000개의 알을 낳지만 생존자는 두 마리뿐이다. 3,000대 1의 경쟁이다. 생존 다음은 성공적인 짝짓기이다. 수컷들에게 특히 심각한 문제다. 치열한 경쟁에서 이겨야 짝을 지을 수 있다. 침팬지 마을을 보면 전체 침팬지 새끼 중 86퍼센트는 정권을 쥔 몇몇 녀석의 자식이다. 소수 수컷이 모든 암컷을 차지하는 구조이다. 대다수 침팬지는 평생 단 한 번의 짝짓기 기회도 얻지 못한다. 거의 모든 암컷은 짝짓기 기회를 가졌지만 수컷은 일부만 후세에 유전자를 남길 수 있다. 남녀의 기질 차이는 이 때문에 발생한다. 여자는 특별한 노력을 하지 않아도 엄마가 될 수 있다. 당연히 안정 지향적이다. 수컷은 다르다. 최고가 못 되면 짝짓기에서 낙오된다. 매사에 모 아니면 도의 전략을 택해야 한다. 이래 죽으나 저래 죽으나 마찬가지이다.

아리스토텔레스의 『행복론』은 다분히 목적론적이고 가치 지향적이다. 삶의 궁극적 목적은 행복이며 그것은 의미 있는 삶을 통해 구현된다는 식의 생각이다. 도덕책 버전의 행복론이다. 저자인 서은국 교수는 그렇지 않다고 주장한다. 살아남기 위해 행복이란 도구를 썼다는 것이다. 생존하기 위해, 짝을 짓기 위해 행복을 넣었고 그 결과 지금까지 살아남은 것이란 주장이다. 공작새 꼬리가 증거물이다. 화려한 공작새 꼬리는 생존에 치명적이다. 적의 눈에 쉽게 띄는 방해물이다. 그래서 다윈은 공작새 꼬리를 볼 때마다 어지럽고 토가 나온다고 편지를 썼다.

다윈은 이 수수께끼를 이렇게 푼다. "생존의 목적은 단지 살아 숨쉬는 것은 아니다. 후세에 자기 유전자를 남겨야 한다. 성공적인 짝짓기가 없는 생존은 의미가 없다. 위험을 무릅쓰면서 공작새가 사치스런 꼬리를 가진 이유는 바로 짝짓기 때문이다." 무늬가 많은 공작새일수록 짝짓기 빈도는 확연히 높다. 무늬 20개를 가위로 오려내자 짝짓기 회수가 2.5배 정도 감소했다. 꼬리는 패션아이템이 아니다. 수컷의 화려한 꼬리는 자신이 건강하고 우월한 유전자를 가진 존재임을 암컷에게 과시하는 상징물이다. 짝짓기를 위한 치열한 노력의 결과물이다.

생명체의 모든 생김새와 습성은 우연의 산물이 아니라 생존과 짝짓기를 위한 도구이다. 제프리 밀러는 『메이팅 마인드』란 책에서 인간의 마음이란 진화의 과제를 해결하기 위해 만들어진 도구일 뿐이라고 주장한다. 다만 의식하지 못할 뿐이다. 인간의 마음은 공작새 꼬리 같은 기능을 하는 것이다. 피카소는 5만여 점의 작품을 남겼다.

그가 왜 이렇게 많은 작품을 남겼을까? 그는 꾸준한 사람이 아니다. 붓을 한참 내려놓고 있다가 갑자기 예술적 창의력이 폭발하곤 했다.

근데 이 광적인 시기에는 언제나 새로운 여인이 등장한다. 여인의 등장과 작품의 폭발시점이 일치하는 것이다. 창의성과 로맨스의 궁합은 피카소만의 얘기는 아니다. 살바도르 달리, 단테, 구스타프 클림트, 일반 대학생 등도 다 그렇다. 공부를 열심히 하는 것도, 작품활동을 애써서 하는 것도 궁극적인 목적은 짝짓기를 위한 것이다. 현대인들이 죽도록 일을 하고 돈을 벌고 이름을 날리려고 하는 것도 어떤 면에서는 좋은 짝을 만나기 위한 도구일 뿐이다.

행복은 생존을 위해 절대적으로 필요한 정신적 도구이다

행복이란 감정은 생존에 어떤 도움을 줄까? 인간은 생존을 위해 만들어진 동물이다. 생존확률을 최대화하도록 설계된 생물학적 기계이고 행복은 이 청사진 안에서 아주 중요한 역할을 한다. 개는 헤엄을 즐기지 않지만 주인은 새우깡을 활용해 개에게 서핑까지 하도록 만들 수 있다. 주인은 새우깡의 힘을 빌려 개로 하여금 자신이 원하는 행동(서핑)을 단계적으로 이끌어낼 수 있다.

행복의 본질은 개에게 서핑하도록 만드는 새우깡과 비슷하다. 개에게 사용된 새우깡 같은 유인책이 행복감(쾌감)이다. 개가 새우깡을 얻기 위해 서핑을 배우듯 인간도 쾌감을 얻기 위해 생존에 필요한 행위를 하는 것이다. 조상들은 목숨 걸고 사냥을 하고 기회가 생길 때마다 짝짓기에 힘쓴 자들이다. 행복은 삶의 최종적 이유도 목적도 아니다. 다만 생존을 위해 절대적으로 필요한 정신적 도구일 뿐이다. 행복하기 위해 사는 것이 아니라 생존하기 위해 필요한 상황에서 행복을 느껴야만 했던 것이다.

고통 같은 부정적 경험이 위협으로부터 우리를 보호하는 역할을 한다면, 긍정적 정서의 기능은 생존에 필요한 자원을 추구하도록 한다. 식사가 그렇다. 왜 꼬박꼬박 밥을 먹을까? 즐거움 때문이다. 다음은 인간을 좋아해야 한다. 타인을 소 닭 보듯 바라보는 사람에게 친구나 연인이 생길 리 없다. 승진의 기쁨도 그렇다. 승진 자체보다 승진이 가져다주는 사람들의 축하와 인정 때문이다. 약한 인간이 지구를 정복한 것도 사회성 때문이다.

최고의 생존 경험을 가진 동물은 인간과 개미이다. 두 생물의 공통점은 엄청나게 사회적이라는 것이다. 사회성 덕분에 놀라운 생존력을 갖게 되었다. 우리 뇌는 온통 사람 생각뿐이다. 희로애락 대부분도 사람이다. 일상 대화의 70퍼센트도 다른 사람에 관한 얘기뿐이다. 이처럼 사람에 중독되어 있다는 사실을 놓쳐선 안 된다.

행복한 사람은 시시한 즐거움을 자주 느낀다

행복은 외적 조건에 의해 크게 좌우되지 않는다. 외적 조건에 과도한 기대와 투자를 하는 것은 현명하지 못하다. 돈은 비타민과 비슷하다. 비타민 결핍은 몸에 문제를 만들지만 적정량 이상의 섭취는 별 유익이 아니다. 부유해질수록 돈으로 행복을 사는 것은 점점 어려워진다. 스칸디나비아 사람들은 행복지수가 높다. 넘치는 자유, 타인에 대한 신뢰, 다양한 재능과 관심에 대한 존중 때문이다. 그들은 돈이나 지위 같은 삶의 외형보다 일상의 즐거움과 의미에 더 관심을 둔다. 핀란드는 인테리어 소품 등을 디자인했던 알바 알토의 얼굴을 화폐에 새긴 나라이다. 일상의 가치를 아는 국가이다. 행복한 사회의 특성이다.

행복을 위해서는 감정의 특성을 알아야 한다. 이들은 첫째, 적응한다. 아무리 감격스러운 사건도 시간이 지나면 일상이 되어버린다. 보통 이 기간은 3개월이다. 둘째, 상대적이다. 범위빈도이론이다. 극단적 경험을 한번 겪으면 감정이 반응하는 기준선이 변해 그 후 어지간한 일에는 감흥을 느끼지 못한다. 복권 당첨 같은 큰 사건을 경험하면 이후 그들은 텔레비전 시청, 쇼핑, 친구들과의 식사 같은 일상의 작은 즐거움에서 이전 같은 기쁨을 더 이상 느끼지 못한다. 큰 자극의 후유증이다. 돈은 소소한 즐거움을 마비시키는 특별한 효능이 있다. 돈은 마음만 먹으면 무엇이든 얻을 수 있다는 착각을 심어준다. 돈을 가질수록 다른 사람과 대화를 덜 하고 어려움을 당해도 다른 사람의 도움을 사양한다는 연구결과가 있다. 근데 행복한 사람은 이런 시시한 즐거움을 여러 형태로 자주 느끼는 사람들이다.

외모 역시 행복과는 별 관계가 없다. 내가 다른 사람 눈에 얼마나 아름답게 보이느냐는 자신이 느끼는 행복감과 관련이 없었다. 근데 자기 스스로 생각하는 아름다움 정도, 즉 주관적 미모는 행복과 관련이 있다. 건강이나 돈 같은 것도 그렇다. 행복에는 주관적 인식이 중요하다. 객관적으로 얼마나 많이 가졌느냐보다 이미 가진 것을 얼마나 좋아하느냐가 행복과 더 깊은 관련이 있다.

또 한 가지. 변화가 생기는 순간과 그 변화가 자리 잡은 뒤의 구체적 경험과는 차이가 있다. 결혼은 좋지만 결혼 후 오는 생활이 꼭 그렇게 만족스러운 건 아니다. 영어로 비커밍becoming과 비잉being의 차이는 상당히 크다. 재벌집 며느리가 되는 것과 재벌집 며느리가 되어 하루하루 사는 건 아주 다른 얘기이다. 사람들은 화려한 변신의 순간만 주목하지 그 삶을 구성하는 그 뒤의 많은 시간에 대해 생각하지 않는다. 성공하면 당연히 행복해지리라는 기대를 하지만, 실상 행복에 변화가 없다는 사실은 살면서 깨닫게 된다. 연애와 이별도 그렇다. 실제로 이별을 한 이들의 행복은 현재 연애 중인 커플과 비슷한 수준이다. 이별 후 세상이 끝날 것 같지만 야속할 정도로 우리는 별일 없이 산다.

행복은 반드시 녹아버리는 아이스크림과 비슷하다

뇌는 일종의 탐지기다. 탐지기의 목적은 생존에 필요한 자원을 구하도록 한다. 우리는 어떤 보상이 있어야 사냥과 짝짓기 같은 행위를 한다. 쾌감은 우리 뇌가 고안한 보상이다. 근데 이런 행위는 반복적으로 이루어져야 한다. 아무리 맛난 음식을 먹어도 살기 위해서는 그다음 날 또 먹어야 한다. 쾌감은 사라져야 한다. 쾌감의 초기화 과정이 있어야 쾌감을 일으킨 그 무엇을 또 찾아 나선다.

한번 섹스를 한 후 더는 섹스하지 않으려 한다면 인간은 멸종했을 것이다. 정서의 본질적 관심은 행복이 아닌 생존이다. 쾌락은 생존을 위해 설계된 경험이고, 그것이 제 기능을 하기 위해서는 본래 값으로 되돌아가는 초기화가 반드시 필요하다. 적응이 필요한 이유이다. 좋은 조건을 가진 사람들이 장기적으로 훨씬 행복하다는 증거를 찾지 못한 원인이기도 하다.

행복은 한 방으로 해결되는 것이 아니다. 모든 쾌락은 곧 사라지기 때문에 한 번의 커다란 기쁨보다 작은 기쁨을 여러 번 느끼는 것이 절대적이다. 행복은 기쁨의 강도가 아니라 빈도다. 그런 면에서 행복은 아이스크림과 비슷하다. 입을 잠시 즐겁게 하지만 반드시 녹는다. 행복공화국에는 냉장고가 없다. 모든 것은 녹는다는 사실을 받아들이고 자주 여러 번 아이스크림을 맛보는 수밖에 없다.

행복을 위해 가장 중요한 것이 무얼까? 유전이다. 구체적으로는 외향성이다. 행복은 유전과 깊은 관계가 있다. DNA가 행복을 완전히 결정한다. 행복의 50퍼센트는 유전자 때문이다. 행복의 증상을 원인과 혼동해서는 안 된다. 긍정적 성향은 행복한 사람들이 이미 가진 증상이지 원인이 아니다. 누군가를 어느 정도 행복한 사람으로 만드는 것은 상당 부분 타고난 기질이다. 그중에서도 외향성이 가장 관련 깊다. 그들은 사람을 찾고 그들과 많은 시간을 보낸다. 외향성이 높을수록 자극을 추구하고 자기 확신이 높고 처벌을 피하는 것보다 보상이나 즐거움을 늘리는 데 초점을 둔다.

외향성은 한 마디로 사람쟁이 성격이다. 타인과 같이 있는 시간을 좋아하고 그들이 자기를 좋아하도록 하는 재주가 있다. 첫 경험의 시기도 빠르고 경험 상대도 많다. 아주 행복한 상위 10퍼센트와 불행한 하위 10퍼센트는 두 가지 영역에서 차이가 있다. 첫째, 성격이다. 행복한 사람은 월등히 외향적이고 정서적 안정성이 높았다. 둘째, 대인관계이다. 사회적 관계의 빈도와 만족감이 월등히 높았다.

두 가지는 사회성이다. 행복을 보장하는 충분조건은 없지만 없어서는 안 될 필요조건이 바로 사회적 관계이다. 행복하기 위해서는 물질을 사는 데보다 경험을 사는 데 써야 한다. 경험 구매가 물질 구매보다 행복한 이유는 사람 때문이다. 경험 구매는 다른 사람과 함께 소비하는 경우가 많고 물건은 혼자 쓰기 위해 구매하는 경우가 많다. 한발 더 나아가 돈을 자신이 아닌 남을 위해 쓸 때 더 행복해진다.

친 사회적 행동은 타인과의 결속력을 높여 생존에 필요한 사회적 자원을 확보하는 효과가 있다. 단기적 관점에서 고기를 나누는 것은 손해이다. 그 손실감을 벌충하는 것이 즐거움이다. 사회적 관계와 생존은 거의 동의어이다. 추위는 위험이고 사회적 고립을 뜻한다. 외로우면 더 춥다. 외향성은 일종의 사회적 위도이다. "사람이 없다면 천국조차 갈 곳이 못 된다." 레바논 속담이다.

돈에 대한 생각을 많이 할수록 사람에 대한 관심이 줄어든다

한국, 일본, 싱가포르의 행복도는 떨어진다. 개인주의와 집단주의 때문이다. 개인주의는 국가 경제수준과 행복을 이어주는 접착제 역할을 한다. 올림픽 메달을 딴 선수들은 늘 "열심히 할 테니 지켜봐 주세요." 말한다. 순서가 바뀌었다. 내가 운동을 하고 결혼하는 건 남들로부터 좋은 평가를 받기 위함이 아니다. 내가 하고 싶어서, 나를 위해서 하는 것이다. 이렇듯 과도한 타인의식은 집단주의 문화의 행복감을 낮춘다.

행복의 중요 요건 중 하나는 내 삶의 주인이 타인이 아닌 자신이 되어야 한다는 것이다. 누군가 자신을 평가한다는 시선이 느껴지면 본능적으로 긴장하고 위축된다. 남을 너무 의식하면 행복해지기 어렵다. 행복은 남이 나를 평가하는 데서 오지 않는다. 지극히 사적인 경험이고 영역이다. 내가 커피 싫어하는 이유를 남에게 장황하게 설명할 필요가 없다. 그들의 허락이나 인정을 받을 필요도 없다. 타인이 판단 기준이 되면 그 과정에서 적이 탄생한다. 과도한 물질주의가 그것이다.

현재 한국은 가장 물질주의적인 나라가 되었다. 돈이 생겨나면서 인간의 나약함을 보완해주는 수단으로 돈이 되었다. 돈에 대한 생각을 많이 할수록 사람에 관한 관심은 줄어든다. 돈은 사람에게 자기 충만감을 준다. 우쭐한 기분이 생긴다. 돈이 있으면 "너희가 없어도 난 잘살 수 있어"라고 생각한다. 과도한 물질주의는 행복에 치명적 결과를 준다. 돈에 집착할수록 행복의 원천이 되는 사람으로부터는 멀어지는 모순이 발생한다. 지금 세상에서 돈이 있으면 홀로 생존하는 것이 가능하다. 생존만이 목표라면 사람 없이 돈만 갖고 살 수 있는 신세계에서 살고 있다.

그렇다면 행복이란 무얼까? 최고의 행복은 사랑하는 사람과 함께 식사하고 산책하고 섹스하는 것이다. 행복은 이 한 장의 사진으로 요약될 수 있다.

좋아하는 일을 하다가
굶어죽은 사람은 없다

❖ 무슨 일이든 제대로 하기 위해서는 반드시 해야 할 일이 있다. 그 일에 대한 정확한 정의definition를 내려보는 일이 그러하다. 고수들은 주요 이슈에 대해 나름의 정의를 내릴 줄 안다. 하수들은 그저 남들이 내린 정의를 쫓아가기 바쁘다. 경영을 제대로 하고 싶은가? 그렇다면 경영이란 무엇인가를 곰곰이 생각해보라. 성공하고 싶은가? 그렇다면 당신이 생각하는 성공의 정의를 정확하게 내려보라. 그렇지 않고 그저 열심히 하다가는 나중에 "왜 내가 열심히 이 산을 오르려고 했는가, 이 산은 아닌 것 같다"는 후회를 하기 쉽다.

요즘 유행하는 인문학이란 무엇일까? 왜 인문학을 공부하려는 걸까? 인문학이란 다른 사람 입장에서 나를 보는 공부를 말한다. 이번에는 행복에 관한 책 『인문학에 묻다, 행복은 어디에』*를 소개한다. 중앙일보 백성호 기자가 17인의 고수들에게 행복이 무언지, 언제 행복을 느끼는지를 인터뷰 형식으로 쓴 책이다. 그중 몇 명을 소개한다.

자신의 좁은 틀에 다른 사람과 세상을 억지로 끼워 맞추지 마라

한국학을 공부하는 한형조의 얘기이다. 『장자』에 이런 비유가 나온다. 우물 안에서 개구리가 잘 놀고 있다. 어느 날 바다에 살던 거북이가 찾아온다. 개구리는 여기가 좋으니 안으로 한번 들어와 보라고 권유한다. 근데 거북이는 너무 커서 우물 안으로 들어가지 못한다. 대신 거북이가 개구리에게 바다 얘기를 한다. 너무 넓어서 끝이 보이지 않는다, 아홉 번이나 홍수가 났지만 물이 늘지 않았고 몇 번이나 가물었지만 바닷물이 줄지 않았다 등등…….

그 말을 들은 개구리는 뭐라고 했을까? 뻥 치고 있다고 생각했다. 우물 안 개구리는 자기를 중심으로 세상을 보기 때문이다. 좁은 우물 속에만 있다 보니 넓은 세상을 본 적도 없고 상상해 보지도 않은 것이다. 현대인이 그렇다. 현대인은 자기만의 좁은 자아에 갇혀 세상을 알려고 하지 않고 소통하려고도 하지 않는다. 그러다 보니 많은 문제가 생겨나는 것이다.

그렇다면 이를 어떻게 깰 것인가? 노자와 장자는 좌망坐忘 곧 너 자신을 잊으라는 키워드를 제시한다. 너의 상처는 너의 좁은 자아로 말미암아 생긴 것이니 그 좁은 자아를 깨라는 것이다. 사회악이란 것도 각각 자아가 충돌해 만들어진 것일 뿐 절대적 실체는 아니다.

---

* 백성호, 『인문학에 묻다, 행복은 어디에』, 판미동, 2014

따라서 개개인이 변화할 때 세상도 변한다.

상처의 근원은 에고다. 상처는 누가 주는 것이 아니고 자초하는 것이다. 그래서 에고가 강할수록 상처도 커진다. 공자는 어렵게 성장한 사람이다. 상처를 받으려면 얼마든지 받을 수 있는 사람이다. 하지만 공자가 상처를 받았다고 생각하는 사람은 없다. 그 자신도 그런 생각은 하지 않은 듯하다. 바로 네 가지가 없었기 때문이다. 무의毋意, 무필毋必, 무고毋固, 무아毋我가 그것이다.

제멋대로 억측하는 의가 없고, 반드시 일을 관철시키려는 태도가 없고, 완고함과 아집이 없었다. 관철시키려는 태도가 없다는 건 열정이 없다는 뜻이 아니다. 의지가 없다는 말도 아니다. 내가 만든 그림에 억지로 끼워 맞추려고 하지 않는다는 뜻이다. 그보다 자연스레 일을 관철시켰던 것이다. 우리의 많은 문제는 자신의 좁은 틀에 다른 사람과 세상을 억지로 끼워 맞추려는 데서 생기는 걸 아닐까?

화살이 과녁을 빗나가면 과녁을 탓하지 말고 자기를 탓하라

유교는 위안을 주지 않는다. 어떤 종교인들은 상처받는 자들에게 위로를 주고 힐링으로 유도한다. 하지만 유교는 모든 문제가 나한테서 오고 너로 말미암아 일어난다고 말한다. 상처를 있는 그대로 신랄辛辣하게 본다. 어떤 이에게 일어난 문제는 그가 어려서부터 사람을 대하는 습관, 태도, 이런 것들이 잘못되었기 때문이다. 이걸 바꿔야 한다. 바꾸려면 뭐가 문제인지 파악해야 한다.

유교는 성찰의 학문이지 위로의 학문이 아니다. 최근 우리 사회는 위로라는 설탕을 너무 투여해 당뇨병에 걸릴 지경이다. 위로는 일시적인 마사지일 수 있다. 따뜻한 속임수일 수 있다. 그럴듯하지만 문제를 해결하는 데 도움이 되지 않는다. 『중용』이나 『대학』에는 이런 말이 나온다. 화살이 과녁을 빗나가면 과녁을 탓하지 말고 자기를 탓해야 한다. 바깥에다 징징대지 말라는 말이다. 문제 근원이 자기에게 있으니 그 문제가 뭔지를 알아차리라는 것이다. 상처나 시련은 삶에서 피할 수 없는 일이다. 원망만 하는 것은 문제 해결에 도움이 되지 않는다. 문제 중심에 내가 있다는 것을 인식하는 것이 중요하다.

행복은 수신이다. 자신을 갈고닦는 것에서 행복을 느끼는 것이다. 특히 배움에서 기쁨을 찾아야 한다. 삶에는 희로애락이 있다. 한국인은 노怒와 애哀가 주축이다. 희喜와 락樂이 약하다. 분노와 슬픔에서 기쁨과 즐거움으로 넘어갈 수 있어야 한다. 희는 지속적이고 은근한 기쁨을 말하고 락은 직접적인 기쁨을 말한다. 희락이 곧 행복인데 희가 더 중요하다. 학이시습지 불역열호에서의 열이 희를 뜻한다. 배우고 익힘은 스스로를 엔터테인한다는 말이다. 노년이 되어 이런 영역이 없으면 남은 인생이 불행해진다. 인문학 공부는 희를 얻는 과정이고 이로써 노와 애를 불식시킬 수 있다.

신경정신과 이나미 교수도 상처에 관해 얘기한다. 상처란 피할 수 없다. 인간적 성숙을 위해 받아들여야 한다. 상처를 재료로 뭔가를 만들어내야 한다. 사랑하면 그때부터 상처가 시작된다. 사랑한다는 것은 나와 다른 사람을 마주하는 것이다. 상처를 곱씹지 마라. 우리는 화가 날수록 기분이 나쁠수록 상처의 풍경을 곱씹는다. 영화를 보면서 계속 되감기를 하면 아픈 대목만 재생하는 것이다. 상처의 뿌리는 굵어지고 치유가 힘들어진다.

행복은 한 번의 복용으로 활력 증진을 이루는 당의정이 아니다. 행복의 영어 표현에는 플레저pleasure, 해피니스happiness, 조이joy가 있다. 플레저는 당의정이다. 감각적인 쾌락이다. 해피니스는 기분 좋고 마음이 즐거운 상태이다. 우리가 지향할 것은 조이이다. 깊은 깨달음에서 오는 즐거움, 온전한 나를 찾은 이들만이 지어 보일 수 있는 반가사유상의 미소 같은 것이다. 해피하려면 코미디를 보면 된다. 쾌락을 원하면 술, 마약, 섹스를 하면 된다. 근데 그건 달콤한 케이크를 먹는 것과 같다. 케이크 열 개를 먹을 수 있을까? 금방 질린다. 깊은 고통으로 다져진 조이는 쉽게 흔들리지 않는다. 기쁨이 주변의 쾌락에서 오는 것이 아니라 내 안에서 오기 때문이다.

행복과 불행은 한몸이다. 양면성이 있다. 빛이 있기 때문에 그림자가 있는 것과 같은 이치다. 불행이 없다면 행복 또한 없다. 그래서 어떻게 하면 행복해질 수 있을까를 생각하는 것보다 자기 안에 있는 행복과 불행을 잘 볼 수 있어야 한다. 이 원장은 종갓집 며느리라 매년 12번의 제사가 있었다. 청소하고 음식 만들고 설거지하다 보면 진이 다 빠졌다. 너무 힘들어 친정어머니께 하소연했더니 어머니가 이런 말씀을 했다.

“걸레가 도 닦는 도구라고 생각해 봐”

그 말에 마음을 바꿔 먹었다. 그에겐 걸레질이 수행이다. 그렇게 마음을 먹었더니 정말 많은 것이 달라졌다. 고통을 대하는 눈도 달라졌다. 지금은 제사음식 전문가가 됐다. 웬만한 집안일은 스트레스 없이 해치운다. 그만큼 성장한 것이다. 세상은 달라지지 않았지만 세상 일을 보는 사람이 달라졌기 때문에 일어난 일이다.

역사가 이덕일의 얘기이다. 과거는 선택할 수 없다. 근데 역사를 보면 결과가 보인다. 기승전결이 있기 때문이다. 구체적 상황을 주고 어떤 인물이나 집단이 어떤 선택을 했는지 그 결과가 어땠는지 알 수 있다. 그 경험을 통해 미래를 예측할 수 있고 미래를 바꿀 수 있다. 그래서 역사학은 미래학이다. 역사를 거울이라 한다. 단군조선부터 고려까지의 역사를 다룬 『동국통감』과 중국 북송의 역사서

『자치통감』은 모두 거울 감鑑 자가 들어갔다. 왜 거울이란 말을 썼을까? 이것을 통해 자신의 얼굴을 마주할 수 있기 때문이다.

시간은 직선이 아닌 순환의 고리이다. 미래에 대한 선택은 현실이 되고 과거가 된다. 과거는 또 미래를 선택하는 중요한 실마리가 된다. 역사가 현재의 거울이 될 수 있는 이유다. 역사의 수레바퀴는 계속 굴러가고 시행착오의 수레바퀴도 계속 굴러간다.

"예나 지금이나 권력을 잡으면 남의 말을 듣지 않는다. 그러다 엎어진다. 엎어진 길에 또 엎어지고 그 위에 또 엎어진다. 그걸 전철이라고 한다. 앞 전前 자에 수레 철轍 자를 쓴다. 결국 사람들은 앞서간 수레가 엎어지는 걸 빤히 보면서도 그 길로 간다. 그게 바로 역사의 수레바퀴이다."

유교 정치의 핵심은 수기치인修己治人이다. 자신의 수양에 힘쓰고 천하를 이상적으로 다스린다는 의미이다. 열심히 일하고 검소함을 추구하는 것이 우리 왕가의 법도다. 정조는 치열했다. 분초를 쪼개어 책을 읽었다. 단지 지식을 쌓기 위함이 아니다. 세상을 다스리는 군주이니 세상에 대한 이치를 터득해야 했기 때문이다. 이치를 꿰고 있어야 세상을 굴릴 수 있다. 정치, 인간, 세상을 알아야 했다. 역사학자로 그가 보는 행복은 올바른 길을 끊임없이 고민하고 추구하는 것이다. 인간은 돈과 권력이 아닌 가치를 추구할 때 행복하다.

국립생태원장 최재천의 얘기이다. 진화는 변화이다. 우리가 추구하는 행복이 과연 진화의 영역일까? 우울증은 진화적으로 설명하기 쉽다. 뜨거운 주전자를 만졌다가 데이면 다시는 만지지 않는다. 고통을 느끼지 못하면 문제는 심각하다. 고통은 생명체에게 아주 필요했기 때문에 진화한 현상이다. 하지만 지나치면 고통스럽다. 행복감도 지나치면 안 된다. 항우울제 프로작도 그렇다. 효능이 너무 탁월하면 문제가 된다.

행복의 진화는 고통의 진화와 일맥상통한다. 고통은 지구에게 정말 필요한 현상이다. 지구의 급격한 변화는 생명을 위협한다. 지구가 변할 때마다 생명체는 생존을 위협받는다. 그런데 이런 고통은 곧잘 간절함으로 바뀐다. 살아남기 위한 간절함이다. 강물에 더는 먹이가 없다면 물고기는 육지로 올라와야만 한다. 그러다가 지느러미는 앞발로 변한다. 진화의 차원에서 고통은 하나의 통과의례이다. 생명체가 시행착오를 거쳐 더 나은 어딘가로 가기 위한 매개 같은 것이다.

자기가 가장 잘하면서 하고 싶은 일을 하라

난 정말 행복하다. 대부분 일과 행복이 분리된 삶을 살고 있지만 내게는 일이 곧 행복이다. 방황하고 방황하다 마지막 순간에 이걸 찾았다. 생각해보면 아주아주 고맙다. 내가 하고 싶은 일과 내가 하는 일 둘 사이에는 틈이 있다. 그 틈이 클수록 삶은 힘들다. 내가 지금 뭘 하며 살 것인지 생각이 수시로 밀려온다. 둘 사이에 틈이 작으면 안에서 올라오는 충만감이 커진다.

자기가 좋아하는 일을 열심히 하다 굶어 죽은 사람은 없다. 굶어 죽는 건 좋아하는 일이 아니기 때문이다. 핵심은 명쾌하다. 자신이 가장 잘하고 하고 싶은 일을 하라는 거다. 알 때까지 악착같이 찾으라는 것이다. 그것이 아름다운 방황이다. 가만있는데 누가 알려주는 것이 아니다. 책 읽고 도움될 만한 사람 찾아가보고 두드려 보고 찔러보고 해부해보고 해볼 수 있는 것 다 해보는 것이다.

다산 연구가 박석무이다. 그는 평생 다산 정약용을 연구했다. 다산의 「애절양哀絶陽」이란 시를 본 게 그를 연구하는 계기가 되었다.

이런 내용이다.

갈대밭에 젊은 아낙 통곡소리 길디길고
관아 향해 울부짖다 하늘에 대고 하소연이라
전쟁 나간 지아비 못 돌아오는 일은 있을지언정
고래로 양물 자른 사내 얘기란 들어본 적이 없구나.

애절양이란 자기 생식기를 자른 남편을 보고 부인이 울부짖는 내용이다. 옛날에는 사람 머릿수에 따라 인두세를 냈다. 아들이 둘이면 두 섬, 셋이면 세 섬……. 애를 낳으면 자꾸 세금이 느는 것이다. 시의 내용은 한 농부의 얘기이다. 할아버지부터 손자까지 삼 대가 군적에 오른 것이다. 세금이 훨씬 많아진 것이다.

아무리 하소연해도 관리들이 봐주지 않는다. 급기야 소까지 끌고 간다. 전 재산인 소를 빼앗기고 나니까 농부가 미치는 것이다. 그땐 정관수술이니 피임 같은 것이 없다. 아둔한 이 백성은 원통함에 자신의 생식기를 자른 것이다. 자식을 더 낳으면 세금이 늘어나고 고통스럽기만 하기 때문이다. 다산이 이 풍경을 시로 지은 것이다. 얼마나 정치를 못했으면 백성이 자기 생식기를 잘라 버렸을까?

다산의 행복은 지행합일知行合一이다. 진실한 기쁨은 앎을 행하는 데서 얻어진다는 것이다. 그는 정말 공부하는 것을 좋아한 사람이다. 다산의 자서전에 이런 대목이 나온다. 강진으로 귀양을 가는데 "이제야 겨를을 얻었다"며 좋아하는 대목이다. 그동안에는 정치 투쟁하랴 세파에 시달리느라 제대로 책 읽고 글 쓸 시간이 없었는데 마침내 여유를 찾았다는 것이다. 그 치열한 독서와 사색이 18년 유배생활을 530여 권의 저술로 채운 원동력이었다.

가야금의 황병기 명인이다. 자신이 좋아서 뭔가를 할 때는 철커

덕하고 마음과 근육의 톱니바퀴가 맞물린다. 그때 에너지가 생겨난다. 안에서 끝없이 에너지가 올라온다. 우리는 정말 좋아하는 일을 할 때 피곤한 줄 모른다. 모든 위대한 작품에는 그런 끌림이 있다. 진짜 가야금이 잘되는 날이 있다. 그럴 때는 신의 품에 그냥 안겨 있는 거 같다. 그럴 때가 제일 좋다. 자신의 하루, 일상, 삶을 연주해보라. 고집을 세우며 연주할 때보다 더 조화로운 가락이 빚어진다.

그가 생각하는 행복은 공자의 행복이다. 가장 유명한 "학이시습지學而時習之 불역열호不亦說乎, 유붕자원방래有朋自遠方來 불역락호不亦樂乎 인부지이불온人不知而不慍 불역군자호不亦君子乎"이다. 그중에서도 학이시습지 불역열호가 좋단다. 공자는 때때로 배우라고 했다. '열심히'라는 말은 안 했다. '때때로'가 참 중요하다. 할 수 있을 때마다 익혀라. 그렇게 말하는 것이다. 그 때때로가 참 좋다. 뭐든 자기가 좋아서 해야 한다. 학이시습지. 그에게는 그게 행복이다.

마지막은 국과수 원장을 했던 정희선의 얘기이다. 삶의 화학반응은 느닷없이 온다. 그녀는 자신이 원하는 것, 하고 싶은 것, 재미있는 것을 택했다. 지속적인 삶의 화학반응을 원했다. 하고 싶은 일과 하고 있는 일이 일치할 때 엄청난 화학반응이 일어난다. 가짜 꿀이 기승을 부릴 때 이 일을 해결하기 위해 꼬박 1년을 매달렸다. 다음에는 가짜 참기름 파동을 해결하기 위해 3~4년을 바쳤다.

자기 힘으로 뭔가를 해결한다는 게 아주 좋았다. 자신이 원해서 좋아서 한 일이니까. 그때 뿜어져 나오는 에너지는 정말 굉장했다. 삶에서는 자신이 좋아하는 걸 선택하는 게 정말 중요하다. 그러다 미국에서 소변을 통한 마약 검출법이란 걸 알게 되었고 우리만의 소변 테스트 메뉴얼을 만들기도 한다. 몇 년간 오줌 속에서 살았고 자타가 공인하는 마약전문가가 되었다.

처음 커리어를 시작할 때는 여자라는 것이 불리했다. 시간이 흐를수록 희소성의 가치를 드러냈다. 영원한 불리도 영원한 유리도 없다. 중요한 건 지금의 유불리에 개의치 않고 원하는 것을 따라가는 용기다. 사람들은 주로 무슨 일을 하는지, 어떤 직장을 갖는지에 관심이 많다. 이 질문 대신 “내가 왜 이 일을 하는가, 나는 정말 이 일을 원하는가”라는 질문을 해야 한다. 그녀에게 행복이란 일에 대한 사랑이다. 이게 없으면 애를 쓰고 노력하는 자체가 고통스런 일이 된다. 이게 있으면 달라진다. 좋아서 할 수 있다. 좋으면 나중에 장인이 되고, 전문가가 될 수 있다. 자기 일을 사랑할 때 나도 나를 인정하고, 남도 나를 인정한다. 그게 행복이다.

여러 사람의 삶과 행복에 관한 얘기를 들어봤다. 예상했듯이 행복에 대한 정의는 제각각 다르다. 하지만 확실한 공통점이 있다. 일에 대한 사랑이 그것이다. 자기가 좋아하는 일을 해야 하고 일에서 보람을 찾아야 한다는 점이다. 또 다른 하나는 남의 시선보다 내가 나 자신을 어떻게 보느냐가 중요하다는 것이다. 남의 기준을 쫓아가기보다는 나름의 기준을 정하고 그걸 충족시키면 된다. 여러분이 생각하는 성공은 무언가, 여러분이 생각하는 행복은 어떤 것인가?

누가 미래를 주도하는가

미래의 문을 열기 위해 먼저 물어봐야 할 것들

초판 1쇄 발행 2015년 11월 20일
초판 3쇄 발행 2017년 06월 16일

지은이 한근태
펴낸이 안현주

경영총괄 장치혁 **마케팅영업팀장** 안현영
편집 김춘길 **디자인** 표지 본문 twoesdesign

펴낸곳 클라우드나인 **출판등록** 2013년 12월 12일(제2013-101호)
주소 우) 121-898 서울시 마포구 월드컵북로 4길 82(동교동) 신흥빌딩 6층
전화 02-332-8939 **팩스** 02-6008-8938
이메일 c9book@naver.com

값 15,000원
ISBN 979-11-86269-14-5 03320